MARI PAZ BALIBREA ENRÍQUEZ

EN LA TIERRA BALDÍA

MANUEL VÁZQUEZ MONTALBÁN
Y LA IZQUIERDA ESPAÑOLA EN LA POSTMODERNIDAD

MARI PAZ BALIBREA ENRÍQUEZ

EN LA TIERRA BALDÍA

MANUEL VÁZQUEZ MONTALBÁN
Y LA IZQUIERDA ESPAÑOLA EN LA POSTMODERNIDAD

EL VIEJO TOPO

Primera edición: Diciembre de 1999

© Mari Paz Balibrea Enríquez
Edición propiedad de El Viejo Topo
Diseño: Miguel R. Cabot
ISBN: 84-95224-07-0
Depósito Legal: B-36298-99
Imprime Novagràfik, S. A.
Impreso en España
Printed in Spain

¿Estamos en octubre?
No
¡Qué pena!

CUESTIONES MARXISTAS, Manuel Vázquez Montalbán

INTRODUCCIÓN

En los últimos diez años, la figura de Manuel Vázquez Montalbán (Barcelona, 1939 -) ha ido cobrando centralidad en el campo cultural español. Superado entre la crítica su estigma de escritor menor de novelas policiacas, los trabajos en profundidad sobre su obra literaria, tanto poética como novelística, han empezado a proliferar.[1] Por otra parte, y en consonancia con un aumento vertiginoso de popularidad y de índice de ventas, su presencia pública se ha ido haciendo cada vez más prominente, combinando su faceta de escritor con la de periodista. El presente trabajo no ignora ninguna de estos aspectos de la figura del autor –el del literato, el del profesional de la opinión–, pero los incorpora al servicio de una perspectiva de estudio diferente: considerar la totalidad de la obra de Manuel Vázquez Montalbán como el producto necesario del hombre político que todos los que conocemos su trayectoria sabemos que es, del hombre inmerso en su historia y, según su propio decir, con una vocación impenitente de escritor intervencionista. Y es que la trayectoria intelectual de Vázquez Montalbán acepta como pocas en su época una lectura que entienda en su desarrollo la materialización de la lucha del pensamiento transformador de izquierda por mantener una alternativa válida al statu quo.

Hablar de la trayectoria intelectual de Manuel Vázquez Montalbán, de las características de su adscripción a un pensamiento de izquierdas, tiene sus dificultades. Los treinta y seis años que separan el primer libro de Vázquez Montalbán del momento presente (1998) conforman un periodo histórico que tanto a nivel nacional como global ha sido de transición y, por tanto, de crisis: de la dictadura a la democracia, de la modernidad a la postmodernidad. Crisis que ha afectado especialmente a la izquierda, que ha tenido que dedicar gran parte de sus esfuerzos a defenderse y justificarse. Esta situación ha implicado una inestabilidad en las significaciones de su vocabulario y en las posiciones de sus miembros que hace necesario un análisis muy pormenorizado para discernir todas las implicaciones de cada enunciación política. Vázquez Montalbán se ha definido en diferentes momentos de su vida pública, más o menos seriamente, como espartaquista,[2] luxemburguista,[3] grouchomarxista,[4] eurocomunista,[5] anarquista[6] y postmarxista.[7] La proliferación de términos define tanto su constante militancia en la izquierda como una permanente actitud crítica de ella que gusta situarse en sus márgenes; tanto la dificultad de definir su propia posición en tiempos de rapidísima erosión en la significación de la identidad de la izquierda, como la conciencia de que el eje de esta izquierda sigue siendo, en gran medida, el marxismo.[8] Esa constancia y esa marginalidad en la militancia de izquierdas, su textualización literaria a lo largo de más de treinta años de presencia pública en el espacio cultural español, es lo que estudia este trabajo.

En el estudio del desarrollo intelectual montalbaniano he acotado cuatro periodos, con un criterio que atiende a problemáticas específicas y distinguibles de la izquierda —nacional o/y occidental— y al desarrollo político español:[9] 1. El tardofranquismo y la crisis post-68 (1963-1974); 2. La transición y la crisis del eurocomunismo (1975-1982); 3. El poder socialista del PSOE y la reconstrucción de la izquierda (1982-1989); 4. La crisis de ese poder socialista en España y la izquierda después de la guerra fría (1990-1995). Para cada periodo —y en relación con las coyunturas históricas en que se están produciendo—, se interpretarán constantes y cambios, tanto estéticos como de pensamiento político en la obra del autor. A esta distribución corresponden los cuatro capítulos que conforman la segunda parte de este libro. En la parte primera se ponen las bases conceptuales del estudio: por un lado, la izquierda como elemento definitorio cohesivo de la posición política de MVM; por el otro, modernidad y postmodernidad como coordenadas históricas en las que situar el desarrollo de su labor intelectual.

El capítulo dos, que abarca el periodo 1963-1974, define la últi-

10

ma modernidad española en relación con la apertura que caracteriza los últimos años del franquismo y el desarrollo de la oposición civil de izquierdas a la dictadura. El joven MVM participa activamente en esta oposición, y define su posición intelectual, la conciencia de esa posición, en sus estudios pioneros de comunicología y en la vanguardia de la literatura subnormal. El capítulo tres se centra en la transformación de la identidad de la izquierda en los años 1975-1982, entendiéndolos como periodo de transición en el proceso de integración española en una coyuntura europea/global postmoderna que requiere de la satisfactoria democratización del país. La labor literaria de MVM se analiza como una crítica a las implicaciones que para la izquierda tiene esta transformación, crítica ejercida a través de la figura y las novelas del entonces recién creado personaje del detective Carvalho. El capítulo cuatro estudia el asentamiento de la postmodernidad en la década de los ochenta, considera sus implicaciones con respecto a la reconstrucción de la memoria histórica nacional, y define para MVM una postura crítica que llamo residual porque se resiste a entrar en las ya dominantes premisas postmodernas, tanto filosóficas como políticas. La transición hacia una incorporación –crítica– de esas premisas no sucede hasta la década de los noventa que ocupa el capítulo cinco, y se analiza en el tratamiento de la historia y la memoria colectiva nacionales en la producción intelectual del autor.

Por último, la tierra baldía que da título a este libro alude a un tiempo y espacio –los nuestros– de crisis aguda en que parece haber desaparecido la posibilidad de concebir mundos mejores, mientras el sueño de la razón sigue infatigable produciendo los peores monstruos. Pero su mención es también la referencia a un espacio cultural compartido en desigualdad de condiciones. La tierra baldía, como es sabido, es el título del poema de T. S. Eliot, y una referencia imprescindible en Vázquez Montalbán.[10] Cualquiera de los lectores habituales de este último reconocerá en los versos que abren "The Burial of the Dead" [El entierro de los muertos], el poema inicial de *The Waste Land* [*La tierra baldía*], alguna de las frases preferidas y más frecuentemente repetidas en toda la obra del barcelonés: "Abril es el mes más cruel/...Memoria y deseo/... Leo hasta entrada la noche, y en invierno viajo hacia el sur."[11] Al mismo tiempo, el poema de Eliot es paradigmático de la modernidad metropolitana: parte central de su canon y testimonio trágico de su momento histórico. El universo caótico, compuesto de jirones de desolación y desesperanza, donde ni pasado ni futuro ofrecen redención, es encarnación patética de la tierra baldía que ha creado el capitalismo industrial.[12] Su representación fragmentada, "anti-narrativa", preñada de cultísimas alusiones clásicas y míticas, está saturada de los valores más apreciados en el mercado literario de su tiempo, depurada encarnación de *high art*.

Desde una distancia de –cuando menos– cuarenta y cinco años, pero, sobre todo, desde la distancia de una modernidad (semi)periférica española en tránsito a su postmodernidad, MVM hace de Eliot referente privilegiado de sus coordenadas históricas. La memoria eliotiana será en Vázquez Montalbán la de una infancia sobrevivida entre unos vencidos por la Historia cuya causa nadie querrá después reivindicar. El deseo pasa a significar motor de futuro, esperanza de una historia diferente. Unidos forman una síntesis ejemplar de la dialéctica en la labor intelectual del autor: la preservación del pasado en el presente, con todo el dolor y la sabiduría extraída de sus derrotas, entendida como condición indispensable para seguir deseando, para seguir construyendo la utopía del futuro. Y abril –casi el de Eliot, pero no– que "engendra deseos sobre la tierra muerta mezcla/ memoria y deseo mientras destruye abriles/ que fueran promesa de eternidad",[13] será el mes de la victoria y derrota de la segunda República española. Abril, exacto lugar en la historia de España y del autor barcelonés en que se cruzan la memoria de la derrota republicana con el deseo de una utopía –también conocida como Sur en la obra montalbaniana– que la proclamación de aquella República representara.

En ese abril de memoria y deseo Vázquez Montalbán lamenta la pérdida de la modernidad progresista española que muere con la República en 1939, con su promesa de progreso, igualdad y socialismo, una modernidad de la que el conservador monárquico Eliot habría abominado. La modernidad que éste representa –denostada atormentadamente en su literatura pero imprescindible para el ascenso de su clase-sexo-raza y no ajena a la que termina con el proyecto frentepopulista español– así como su canon se acaban imponiendo en la cultura occidental como la forma privilegiada de modernidad. Y por eso –aunque en el fondo sea una contradicción–, es la misma que los jóvenes literatos aventajados –y casi siempre progresistas– españoles de los años cincuenta y sesenta se muestran ávidos de absorber e imitar, hastiados de veinte años del oscurantismo antimoderno franquista.[14] MVM, por ejemplo, que ni es elitista ni es conservador, encuentra lo más propio de su lenguaje poético en la apropiación de aquel que, en cualquier otro terreno, es su antagonista. Y desde su experiencia de una postmodernidad indeseada ve repetido de nuevo el panorama asolador de la tierra baldía.

PRIMERA PARTE

CAPÍTULO I
EL INTELECTUAL EN EL MUNDO

Como es sabido, la última etapa del franquismo la definió la incorporación de España a lo que el régimen llamó "el concierto internacional de las naciones". Tal incorporación terminaba con quince años de autarquía reaccionaria e iniciaba el reajuste de la realidad nacional a las exigencias de una Europa democrática y liberal. Este acoplamiento supuso para todas las partes compromisos de tipo político y estratégico, además de los económicos. Gracias a ellos se aceleró el proceso democratizador; por su causa se aceptó un papel en el equilibrio bélico mundial –primero a través del mantenimiento de bases norteamericanas,[1] y finalmente con la entrada en la OTAN–. En otras palabras, en 1959 –año en el que se implementa el Primer Plan de Estabilización– España dio el paso definitivo para entrar en el orden internacional de un mundo aún entonces dividido en bloques. A partir de ese momento, es imposible entender completamente cualquier aspecto de la evolución de la vida contemporánea española, ya sea político, económico, social o cultural sin darle un lugar dentro de esa lógica global. Las mismas condiciones de posibilidad de la aparición de un intelectual con la trayectoria histórica y política de MVM están marcadas por esa lógica. Precisamente por eso es importante utilizar los términos modernidad y postmodernidad para definir el momento histórico en el que se ha desarrollado su labor intelectual –desde los primeros años sesenta hasta hoy mismo– aunque fueran en principio acuñados en/para describir contextos ajenos al español. Modernidad y postmodernidad describen sendas etapas en ese proceso de integración europea –y, por ende, global– de España, aluden a la experiencia individual y colectiva de esas realidades históricas tal como se vive en España. Son, inevitablemente, el marco

17

condicionante y condicionado en el que se inserta e interviene la labor del intelectual Manuel Vázquez Montalbán.

Si la lucha por la inclusión española en la modernidad nos viene de lejos y tiene defensores, detractores y objetos suficientemente definidos, no se puede decir lo mismo de la postmodernidad. A pocos, creo yo, se les ocurriría discutir que la modernidad ha sido en la historia nacional de los últimos dos siglos y medio el eje de todos los proyectos de transformación social, económica, política y cultural de la nación: revolucionarios o reformistas, burgueses u obreros, liberales, neoliberales, socialistas o anarquistas, de Feijoo a López de Letona, de Galdós a Durruti, todos desearon su propia versión de una España moderna. Y si no era la utopía a alcanzar, era la distopía a destruir. En cualquier caso ni progresistas ni reaccionarios pudieron sustraerse a la fuerza de la modernidad como definidora de los parámetros del debate nacional.

La postmodernidad, en cambio, es término de amplia circulación pero utilizado con frecuencia de forma laxa y poco clara para definir la realidad actual o ciertas manifestaciones culturales que, en muchas ocasiones sin saberse muy bien por qué, la padecen. Aunque la especulación sobre la postmodernidad empieza en los años sesenta, no ha tenido eco en España hasta los años ochenta. Desde entonces, se ha extendido aquí su uso como definidor, primero de la indiferencia política en los últimos setenta y primeros ochenta (y así, postmoderno sería tanto el fenómeno del desencanto como la movida madrileña), o más tarde de las actitudes consecuentes al boom económico o la integración europea (y así, tan postmoderno sería el *yuppismo* consumista de los últimos ochenta como los nuevos movimientos sociales).[2] En la definición que este trabajo hace del término, la postmodernidad se manifiesta en todos los momentos y formas citados, pero radica en su calidad de respuestas a una realidad nueva e ineludiblemente globalizada.[3] Entender la postmodernidad como experiencia vivida, consciente o inconsciente, de esta realidad implica constatar la existencia de un proceso de adecuación a las exigencias de la incorporación en una estructura que abarca, conecta e interesa a todo el planeta. Y también, que ese proceso se ha llevado a cabo, entre otras maneras, con la creación de formas discursivas que le dan sentido y que buscan imponerse como pensamiento único, que no quiere dejar espacio a la resistencia ni a la discrepancia. Es claro que la implantación paulatina de la lógica postmoderna busca la progresiva uniformización de las respuestas ante la realidad a escala planetaria, ayudada por la maquinaria arrolladora de la tecnología, los medios de comunicación de masas, y la industria cultural en general. Por supuesto es inevitable encontrar en España realidades análogas, si no iguales, a las de cualquier otro lugar del mundo, las derivadas de la transnacionalización del mercado y la cultura. Pero los obstáculos a los que se enfrenta para imponerse, las avenidas que facilitan su imposición, están marcados por la reciente y específica historia del país y por ello han contribuido a configurar la forma específica misma de esa postmodernidad española. Por eso me interesa analizar las circunstancias históricas en que España accede a la postmodernidad, cuándo y desde dónde se entra, o sea, cuáles son las particularidades del momento previo, exterior a esa relación canibalesca y que dan su particular forma al dominante postmoderno español. Y después, reconocer que la postmodernidad existe como horizonte definidor incuestionable. Lo cual no significa que no existan respuestas que resistan y pretendan contrarrestar sus implicaciones. Significa que solo es posible entender la resistencia como respuesta al obsceno afán uniformador y desmovilizador de la postmodernidad. Y en tanto que respuesta, aunque tal vez a su pesar, toda resistencia a la postmodernidad es inescapablemente postmoderna.

I: MODERNIDAD Y POSTMODERNIDAD A LA ESPAÑOLA

El proceso de globalización que he relacionado con la postmodernidad es visible en España desde hace casi cuarenta años. Es decir, en España la postmodernidad continúa el proceso de integración iniciado con la modernización del tardofranquismo. La apertura al exterior del régimen franquista inició el último intento español de alcanzar el tren de Europa, la utopía de la modernidad, el objetivo por excelencia de los modernizadores españoles desde los tiempos de la Ilustración. Cuando los organismos financieros internacionales se deciden a apoyar en 1959 el cambio estructural del país,[4] España es un país subdesarrollado (con una renta per cápita por debajo de los 500 $ USA) y que se encuentra al borde de la bancarrota como consecuencia de la política autárquica que ha presidido los quince primeros años de la dictadura. En solo diez años se realiza el milagro de la colocación de España en el décimo lugar en la lista de los países más industrializados.[5] Este desarrollismo repercute de forma espectacular (y desequilibrada[6]) en la renta per cápita –que se duplica en el periodo 1965 a 1971[7]–, así como en los índices de consumo de los españoles.[8]

La explicación del milagro la tiene la liberalización de la economía[9] que, gracias a la política de puertas abiertas al capital extranjero procedente de los centros capitalistas mundiales,[10] reestructura la economía española[11] hasta darle un lugar en el mapa de los países industrializados. Para el capital extranjero España era un enclave perfecto donde colocar sus excedentes, no sólo por la baratura de sus infraestructuras, sino sobre todo por el bajo coste y no conflictividad de la mano de obra, garantizada por la represión del gobierno franquista, que había anulado la posibilidad del libre asociacionismo de los trabajadores. Además, en un momento en el que la situación global del capitalismo acusaba ya un fortísimo desgaste después de quince años de expansionismo continuado, España suponía uno de sus últimos paraísos a explotar al abrigo de la colaboración del gobierno nacional en la consecución de estos objetivos:[12] un nuevo mercado tanto como un asentamiento ventajoso para inversiones en grandes plantas de producción, es decir, el traslado a la periferia de un modo de producción fordista[13] que había funcionado óptimamente en los países metropolitanos, pero en los que ya daba muestras cada vez más peligrosas de inviabilidad para el capital. En este sentido, España reproduce a última hora, y como país dependiente en todos los sentidos (del capital, las materias primas y la tecnología) el sistema productivo que ha posibilitado el desarrollo de Europa y EEUU desde los años cincuenta.

La industrialización del país en los años sesenta contribuyó en un primer momento fundamentalmente a consolidar y aumentar el mercado interior. Solo hacia finales de los sesenta, e impulsado por la devaluación de la peseta y las ventajas que ofrecía a la exportación el Acuerdo Preferencial firmado con la CEE,[14] se produjo un auténtico despegue de las exportaciones españolas,[15] acompañado, no por casualidad, de un espectacular aumento de la inversión extranjera.[16] O sea, cuando empiezan a hacerse reales los primeros signos de su integración en el entonces llamado Mercado Común Europeo, España se convierte en un excelente trampolín para acceder a él y sus dirigentes económicos empiezan a reconocer la necesidad de adaptar la economía del país en ese sentido. A partir de este momento, y hasta la crisis de 1973, la economía española se orienta más agresivamente hacia el exterior y presta mayor atención a aquellas producciones que le permitan unos costes y ventajas comparativas en el comercio exterior, índice todo ello de que España entra en una división internacional del trabajo.

Las consecuencias de la crisis económica mundial de 1973 pusieron fin al precario desarrollo dependiente español, dando al traste con las ilusiones nacionales de desarrollo sostenido. Pero su advenimiento no pillaba por sorpresa a la vanguardia del capitalismo, el capital financiero, que sabía muy bien los cambios estructurales que se avecinaban en la economía española. En el verano de 1970, Pere Duran Farell, a la sazón consejero del Banco Urquijo y uno de los más destacados ejecutivos catalanes, hacía unas declaraciones con respecto al futuro que preveían lo que sería la política económica española quince y veinte años después:

[la integración de España en la CEE debe] exigir a nuestra estructura productiva un planteamiento nuevo, radicalmente nuevo [que permita la adaptación en] esa Europa posindustrial —porque cuando nos integremos ya no habrá otra—. Hemos de ir al montaje de industrias de transformación agresivas, diversificadas y con vocación exportadora, arbitrando las fórmulas para trasvasar a ellas a los productores de las industrias de base que deban congelarse o extinguirse. [En relación a la necesidad de desmantelar la industria básica española, señalaba] No tiene sentido pensar, en un mundo abierto, en la rentabilidad de la minería de hulla española, cuando la materia prima real está constituida por vetas de 70 cms. de espesor y a gran profundidad, y en

EEUU, por ejemplo, la extracción es a cielo abierto y el rendimiento diario por jornal es de 15.000 Kgrs., y se va a 50.000 Kgrs, mientras en España sólo se logran 1.500.[17]

La crisis del petróleo puso de manifiesto la anarquía con la que se había desarrollado la economía española, el derroche y la falta de planificación en el uso de la energía y la baja productividad y poca competitividad de las empresas, deficiencias que se pagaron con la ausencia progresiva de mercados. En lo que restaba de década, España perdería, económicamente hablando, gran parte del atractivo como nuevo país industrializado que había tenido años atrás. Sin materias primas y con participación propia casi nula en la revolución tecnológica, con un mercado laboral cada día más exigente y conflictivo en el marco favorable de la nueva democracia española, con un parque industrial que se había quedado anticuado y no respondía a las demandas del mercado internacional,[18] y una producción de mercancías manufacturadas que ya no podían soportar la competencia de los países del sudeste asiático,[19] con los emigrantes de vuelta y el turismo a la baja porque la crisis había afectado también al resto de Europa, el país se quedó sin compensaciones posibles con las que equilibrar una crisis que demostraba ser tan estructural como el desarrollo económico que la precedió e hizo posible.

En resumen: empujada a la modernización en un momento de aparente expansionismo que no era más que un canto de cisne, preludio de una gran crisis económica mundial, en poco menos de quince años España se encontró habiendo fomentado un modelo de desarrollo totalmente inservible para hacer frente a los cambios que se estaban produciendo en ese mismo mercado internacional para el que se había realizado todo el esfuerzo modernizador.[20] Desde entonces la integración de España en la economía global[21] es la historia de un parricidio: el sacrificio de la que fue joven planta de la industrialización, protagonista del último intento español de alcanzar a tiempo la modernidad. En este marco de crisis económica y cambio de la estructura del estado, de autoritario a democrático, se constituye la posmodernidad española.

Si para el capital extranjero España era en 1959 un enclave perfecto donde colocar sus excedentes de capital, y para el capital nacional una oportunidad de oro de expansión en una recién creada sociedad de consumo, para las estructuras políticas y sociales fueron muy otras las implicaciones del giro del nuevo gobierno tecnócrata y opusdeísta que se forma en 1957. Para los gobiernos de las naciones democráticas –especialmente europeas– que aplaudieron la apertura española, se trataba de apoyar un proceso que culminara en la democratización de uno de los molestos reductos de origen fascista en el sur de Europa, y a ello iban a condicionar su ayuda financiera.[22] Para los disidentes del interior, los de obra, palabra o simplemente pensamiento, 1959 abría por fin una coyuntura favorable al avance de sus reivindicaciones antifranquistas de libertad. De hecho, las aspiraciones, reivindicaciones y proyectos democratizadores que se vislumbran ya como factibles en 1959, culminan con las realizaciones de quince o veinte años más tarde. No es de extrañar que parte fundamental de la lógica del discurso que daba sentido al proceso modernizador español de los años 60 consistiera en asociar en una relación causa-efecto el proceso de industrialización y apertura al exterior con el progresivo acercamiento a la liquidación del régimen autoritario y la consiguiente apertura democrática. Y, sin embargo, liberalización económica y democratización eran proyectos apoyados desde posiciones ideológicas contrarias que durante el tardofranquismo comparten un enemigo común, los unos en el terreno económico, los otros, además, en el político y social. Por ello colaboran en el derrocamiento de la dictadura, para instrumentalizarse mutuamente en la persecución de objetivos menos inmediatos, creando como consecuencia un discurso unificado de la modernidad. Este pasa por un proceso ascendente –que se corresponde con la etapa que va de 1959 hasta la muerte de Franco– durante el que es capaz de aglutinar las fuerzas nacionales e internacionales más progresistas de la política y la cultura, junto a las más dinámicas y agresivas del capitalismo, en la construcción de una nación democrática y en la destrucción de un autoritarismo obsoleto.[23] A la vista está en esta declaración de finales del 1974 de la Junta Democrática Española, que agrupaba desde comunistas hasta carlistas, en la que se razonaba la necesaria caída del régimen:

> [El Régimen se derrumba inevitablemente] porque siendo combatido por la clase obrera y por las capas profesionales e intelectuales, deja de estar sostenido por la Iglesia y por el sector empresarial protagonista de la nueva sociedad industrial que emerge en España, a quien la continuidad del Régimen frenaría sus posibilidades de desarrollo y modernización.[24]

Entonces, ¿qué pasa con la modernidad española cuando la evolución de la economía mundial en los años setenta obliga a arrasar el soporte material sobre el que se ha construido y, a la muerte de Franco, los movimientos modernizadores más progresistas se sitúen en posición real de acceso al poder? En la respuesta a esta pregunta está la clave para entender la idiosincrasia de la entrada y asentamiento español en la postmodernidad. A primera vista, no encontramos en el terreno político y social nacional ninguna ruptura análoga a la que provoca en lo económico la crisis petrolera de 1973. Bien al contrario, el inicio de la crisis de raíz de las jóvenes estructuras económicas coincide casi exactamente con el inicio de la transición política y social que culmina los esfuerzos democratizadores de la resistencia antifranquista. De forma que los años de mayor depresión económica son los de mayor euforia por el éxito del proceso pacífico de transición democrática. Y, sin embargo, en la mitad de los años setenta el proyecto moderno español en los términos iniciales se está haciendo inviable: la situación global del capitalismo anula las perspectivas expansionistas que preveían los tres Planes de Desarrollo de la década anterior, al tiempo que el advenimiento de la democracia deja de hacer coincidentes en política los intereses de lo que durante el tardofranquismo había sido simplemente un frente democrático. Como consecuencia, la modernidad se desintegra como discurso aglutinador de las fuerzas transformadoras (en lo económico y/o en lo político-social) que hasta entonces lo habían sostenido.

Se puede decir, entonces, que la transición de la modernidad a la postmodernidad en España se explica a través de los cambios en las estructuras políticas y económicas del país. Pero también es cierto que ambos momentos mantienen una continuidad derivada de su participación en el proceso de globalización, continuidad que hace posible considerarlos conjuntamente en la periodización histórica.[25] Aunque a efectos de este estudio la distinción demostrará ser especialmente fructífera, es fundamental no olvidar el avance sin apenas incidentes de la integración española en Europa en los últimos 40 años. La continuidad en lo que podríamos llamar "esfuerzo europeizador" está en la base de la construcción de la identidad nacional que se impondrá durante la democracia pero que empieza a emerger con la modernización tardofranquista. En los sesenta esta identidad se define en negativo, por un lado en oposición a todo lo anterior: la dictadura en política, el realismo en arte, la autarquía económica; por otro, como aspiración a la plena integración en el modelo occidental, ya sea, según las ideologías, burgués o socialista: democracia, liberalización económica, libertad sin censura y "descompromiso" del artista. O sea, está marcada por un "ya no" pero también por un "todavía no"'. Es una utopía, un proyecto, que exige para su realización la ruptura con el pasado ajeno a ella. Es un deseo de integración y asimilación, de salir del ensimismamiento y por ello de alienarse. En ese sentido, el proyecto moderno de un país semiperiférico y atrasado es ya un proyecto de internacionalización que le exige salir de sí mismo para ser él mismo en todos los sentidos, económico, político o cultural, problematizando así la identidad nacional en formas que la postmodernidad hará poco después moneda corriente. Esta que en los sesenta es una identidad emergente, definida por la misma lucha que debe entablar para imponerse, será en los ochenta la versión dominante de lo nacional, aunque desprovista ya de su carga transformadora. Si la modernidad española es una historia de intentos abortados y fallidos por llegar a alcanzarla, su postmodernidad se organiza como una historia de triunfos y realizaciones completas. El discurso de la postmodernidad española anuncia el fin de su modernidad porque se construye como el fin del atraso como elemento explicador de la realidad contemporánea nacional. La España postmoderna ya no quiere, ya no aspira a ser europea, lo es. ¿Cómo entender los eventos

25

acumulados en 1992 –Juegos Olímpicos en Barcelona, Exposición Universal en Sevilla, Capital Cultural Europea para Madrid– si no como un esfuerzo desmedido por probar al mundo esa "verdad"? Si algo se deduce de esta periodización es la gran condensación del proceso transformador en la historia española de los últimos treinta y cinco años. Este hecho, que pocos, para bien o para mal, se atreverían a discutir, permite, a mi parecer, la reflexión siguiente: los miembros de varias generaciones de este siglo tienen la experiencia de al menos dos, cuando no tres momentos: el pre-moderno en el retroceso al que obliga el primer franquismo, el moderno y el post-moderno. Lo cual abre toda una gama de posibilidades de experimentación en su relación.

Creo que esta consideración es fundamental para explicar las respuestas que la instalación del momento moderno, pero sobre todo el postmoderno, van a provocar en España, particularmente las críticas que me interesará analizar en MVM. Parte importante de la población española ha sido protagonista o partícipe de experiencias reales externas y contrarias a nuestro momento postmoderno. Para la realidad española, una posibilidad de respuesta crítica al statu quo postmoderno, o sea, la posibilidad de un espacio externo, de una atalaya de observación de la totalidad, es la recuperación de la memoria de un pasado tan reciente que es aún una amenaza, pues en el pasado se esconden las pruebas de esa exterioridad que se quiere eliminar como concepto. Y agentes especialmente privilegiados en esa labor que no es un ejercicio de nostalgia, sino de respuesta a una imposición contemporánea, son los miembros de la generación formada en los sesenta, que habiendo estado expuesta en su niñez a la dictadura más feroz, después protagonizará tanto la oposición al tardofranquismo como el asentamiento más o menos complaciente en la nación democrática. Muchos, y muchas de ellas[26] han ocupado en la España postfranquista la posición intelectual más contradictoria dentro de la postmodernidad: el discurso explícito de oposición que busca desesperada e inúltimente un espacio externo para legitimar su crítica. La que representa, en definitiva, de forma emblemática, la posición de MVM que los próximos capítulos se dedican a definir y explicar.

II: Ser intelectual, ser de izquierdas

El deber de todo intelectual subnormal, consciente del precario equilibrio de la tolerancia que le justifica, es saber abastecer a la sociedad de todas las chucherías que dan realce al escaparate de la prosperidad. Y el subnormal que esto suscribe, no ha vacilado en poblar el escaparate con las más numerosas significaciones de la historia cultural presente. Todo por el precio módico de unas cien pesetas. [...] Y todo bajo la pátina del encanto del balbuceo, de escolar aventajado, con que el caldeo exige que se disfracen los inútiles e insuficientes alaridos de protesta.

Manuel Vázquez Montalbán, *Manifiesto subnormal*
(1970) [27]

En general, todos los libros de Montalbán están empapados de una atmósfera de tedio, escepticismo y hastío *fin-de-siècle*, todo ello muy significativo como telón de fondo de toda una capa de intelectuales eurocomunistas. Es una ruptura con el dogmatismo y la hiprocresía stalinistas, pero difícilmente un paso en dirección a una mayor lucidez sobre el significado de esta sociedad y este mundo.

Ernest Mandel, *Delightful Murder. A Social History of the Crime Story* (1984) [28]

L'única possibilitat que la consciència comunista fos el final i el començament d'una nova consciència capaç d'enfrontarse al nou desordre creat per la revolució tecnològica, radicaria en la seva intel.ligència i capacitat per ser més una força suggeridora d'una nova esquerra que no una força simplement supervivent i administradora del que queda d'inversions i estalvis històrics.

Manuel Vázquez Montalbán *L'esquerra necessària*
(1989) [29]

Sobre el particular [la caída del comunismo], no hay en este libro [*Panfleto desde el planeta de los simios*] ninguna argumentación más allá de una condescendencia con respecto a los partidos comunistas, como si éstos no hubieran tenido otra misión que la de defender a las clases desfavorecidas. [...] Por lo menos Vázquez Montalbán [autor del libro citado] parece haber descubierto que el bien no existe; es de suponer que con ello se refiere a la des-

trucción de su propio mundo ideológico a partir de 1989. [...]
De manera que la lectura de este libro casi tan sólo sirve para
apuntar algunos temas decisivos pero que deben ser abordados de
otro modo. [...] Es, sin embargo, muy difícil hacerlo si uno está
anclado en el comunismo de 1988. [...] MVM plantea cuestiones candentes, pero las resuelve desde el pasado.

Javier Tusell. "En una malhumorada perplejidad"

(1995)[30]

Cada una de estas citas encaja en un momento distinto de los
cuatro que hemos definido en la introducción para la obra de
MVM. Dos pertenecen al autor mismo, y las otras dos son críticas
a su obra. Todas ellas son negativas. Las de Mandel y Tusell coinciden, aunque por motivos presumiblemente opuestos, en desesti-
mar la obra de Vázquez Montalbán. Mandel se basa en la lectura
de la novela policiaca, Tusell reseña un ensayo político. El escritor,
por su parte, se critica a sí mismo como intelectual y escritor en su
primera intervención y en la segunda critica a la familia política a
la que ha pertenecido durante más de treinta años. A pesar de sus
diferencias temporales, ideológicas y de objeto crítico, todas las
citas tienen en común el subtexto de la crisis de la izquierda, y
están ordenadas de forma que entran en un diálogo: Mandel y Tusell actualizan dos actitudes sobre las manifestaciones críticas del
pensamiento de izquierda que se han hecho estereotípicas. Una viene de su izquierda: el escepticismo sobre la ortodoxia comunista es
una formalización de la actitud crítica que nada aporta ni clarifica
en el avance hacia el socialismo; otra de su derecha: un análisis de
la realidad que se define como próximo a posiciones marxistas debe
ser inmediatamente tachado de caduco. Desde diferentes momentos históricos, la voz de MVM les contesta y corrige.

Ernest Mandel, marxista notorio, presidente de la Cuarta Internacional Comunista y uno de los teorizadores más importantes del
llamado capitalismo tardío, cuestiona airadamente a Vázquez Montalbán como representante del escepticismo de la intelectualidad
eurocomunista, basándose en la lectura de sus novelas policiacas.
El comentario irónico del mismo MVM desde la subnormalidad
de 1970 matiza y desmiente al economista belga. Por una parte, el

desencanto, el hastío que éste detecta en 1984, son ya perfectamente reconocibles en *Manifiesto subnormal*, que se escribe como una reacción casi inmediata a la crisis que provoca el fracaso de la izquierda tradicional en mayo del 1968. Por otra parte, es difícil acusar de falta de lucidez, como hace Mandel, a un autor que, aun escribiendo contra una censura penosamente real en 1970, es capaz de textualizar el servilismo de su propia posición dentro de una sociedad capitalista en la que su protesta no es más que una mercancía tasable. En 1995, y desde posiciones ideológicas opuestas a las de Mandel, el historiador Javier Tusell vuelve a achacarle al escritor barcelonés su incapacidad para entender la realidad. Esta vez no por remilgos irónicos, sino por pretender resolverla desde planteamientos comunistas superados por la historia. Nuevamente las palabras de Vázquez Montalbán, escritas antes de la caída efectiva de los socialismos reales del este de Europa, demuestran precisamente lo contrario. No solo Vázquez Montalbán no se ha estancado en el comunismo de 1988 —cualquiera que sea el contenido de éste en opinión de Tusell— sino que ya antes de su debacle abogaba por la necesidad de renovar la izquierda.

El sentido de la narrativa que quiero construir a base de contrastar y hacer dialogar todas estas voces es el siguiente: primero, la crisis de la izquierda marxista en España no empieza a manifestarse con el declive del eurocomunismo en los primeros años ochenta. La literatura subnormal de MVM la está acusando desde 1970. La constatación de la continuidad en el escepticismo montalbaniano puede, pues, interpretarse como una manifestación clara de su participación en esta también continuada crisis. Por otro lado, y consiguientemente, la mayoría de la intelectualidad de izquierda estaba debatiendo la necesidad de renovarse mucho antes de que cayera el muro de Berlín, hecho que a gran parte de los que la critican —Tusell por ejemplo— les cuesta reconocer. En cualquier caso, la constatación de todos estos momentos visibles de crisis —fracasos revolucionarios en 1968, fracaso final del eurocomunismo en los primeros años de la década de los ochenta, caída del muro de Berlín y del socialismo real— permite hablar de un continuo periodo de transición y reestructuración desde los últimos años sesenta y hasta hoy mismo y así situar toda la producción de Vázquez Montalbán dentro de ese contexto, que no es otro que el del establecimiento de la postmodernidad.

Otras tesis defendibles a raíz de lo expuesto indican, primero, que Vázquez Montalbán ha reflexionado tanto o más que sus propios críticos sobre la naturaleza de su posición política y sobre su realidad contemporánea, llegando a ser ésta, como se verá, una de las características centrales de su trabajo. Y segundo, que producir a lo largo de toda su carrera dentro de un paradigma polémico, pero reconocible, de izquierda, le ha buscado a Vázquez Montalbán detractores en todo el espectro político, molestos unos por su escepticismo y otros por su supuesto dogmatismo obsoleto. Lo cual me devuelve a mi hipótesis central: que ese carácter polémico, y las características que para unos o para otros lo hacen debatible, algo deben tener que ver con la crisis del pensamiento político en el que el autor se inscribe. Es decir, que un contexto de crisis endémica debe afectar, en su forma y en su contenido, la labor profesional de quien está desarrollando en él su pensamiento político.

1: Coordenadas básicas en el correlato formal: entre el realismo y la ironía

El problema principal que éste trabajo se plantea, pues, es demostrar cómo una aproximación a las resoluciones textuales y estéticas de la literatura de MVM permite constatar que aquéllas responden, formalizándola, al intelectual comprometido con el mundo y con conciencia de responsabilidad social en un contexto de crisis. La afirmación de que existe un correlato formal a la visión del mundo montalbaniana implica constatar unas contradicciones, unas tensiones que nunca se han resuelto: por una parte la voluntad de representar la realidad como una totalidad coherente, una estructura social, y de revelar las causas de su ocultación como tal; por otra, la necesidad de socavar continuamente la propia crítica, de cuestionar su validez. Formalmente, lo primero se resuelve en el uso del modo de representación realista, que incluye la novela y toda la escritura no literaria. Lo segundo se materializa en el recurso a la ironía, que unas veces se presenta como figura conceptual subordinada a un todo que no lo es –así me parece ser el caso de toda la literatura realista– y otros constituye la naturaleza fundamental y estructuradora de la obra –como sería el caso de toda la literatura subnormal (1970-1974) y de obras posteriores asimilables a ella como *Roldán, ni vivo ni muerto* (1995), *Sabotaje olímpico* (1993) o *El estrangulador* (1995). La tensión entre estos dos principios contrarios para enfrentar la realidad, escepticismo y voluntad de clarificación e intervención, y entre sus correlatos formales, ironía y modo de representación realista, articula la estructura fundamental de los diferentes momentos del desarrollo del pensamiento de MVM.

En sus usos del realismo se revela con especial claridad una visión materialista de la realidad, no en un sentido reduccionista, sino revelador de la presencia subyacente del materialismo histórico como generadora de mundos fictivos y de planteamientos ensayísticos en la obra montalbaniana.[31] Así, el protagonismo de las relaciones de clase y las grandes estructuras económico-sociales como determinantes para entender la realidad representada, da forma precisa al tono profundamente moral del mundo novelístico montalbaniano. E igualmente significativo de un pensamiento marxista y racionalista es la voluntad de representación de la totalidad. Textos divulgativos tempranos como *Informe sobre la información* o *¿Qué es el imperialismo?* (1976) son un esfuerzo por explicar la realidad al completo, por conectar realidades parciales a una motivación central, proyecto que comparten todas sus intervenciones periodísticas y que le ha dado fama de crítico lúcido.

En este mismo sentido, y por lo que hace a la producción novelística, es grandemente significativa la centralidad de la narrativa policiaca, que basa su desarrollo narrativo en la búsqueda incansable de causas y respuestas, en un deseo de revelar la política de su ocultación. La ambición totalizadora de esta visión del mundo no cae, sin embargo, en un determinismo mecanicista que ve las situaciones concretas como necesarias y suficientes consecuencias de una particular estructura socio-económica. Por el contrario, es la búsqueda lo que se propone como práctica fundamental. Siguiendo con el ejemplo de la novela policiaca, en ella las consecuencias (el objeto del crimen) aparecen en primer lugar, y sólo después de producirse éstas se permite el protagonista iniciar la lucha por desvelar sus causas. Es decir, el desarrollo de la narrativa no se basa en el avance inexorable de ciertas circunstancias que fatalmente concluyen en determinada consecuencia, más bien parten del *fait accompli*, y no del apriorismo teórico.

Sin embargo, entender la realidad como un espacio donde las causas han sido escamoteadas y la labor del crítico es reintegrarlas al mundo, presupone una creencia en la existencia de la evidencia que es fundamental para la afiliación de Vázquez Montalbán dentro del paradigma no sólo marxista, sino moderno. En cualquier caso, estas perspectivas y elecciones de estructura narrativa atestiguan el carácter central de lo social en toda la producción intelectual del autor y del proyecto de escritura como intervención positiva y pertinente en el campo social a través de la cultura y la literatura. Para semejante proyecto, el modo de representación realista, por su pretensión de reproducir lo real, es el que más le ha convenido y ha utilizado.

Por contrapartida, el elemento irónico es igualmente importante y constante en la producción montalbaniana, y con su uso insiste en el distanciamiento al presentar el texto como construcción de lo real, en el escepticismo, en el desencanto y en la inutilidad de la intervención en un mundo inalterable e indiferente a todo tipo de sufrimientos. Desde la cáustica literatura subnormal, pasando muy principalmente por la marginalidad pesimista del detective Pepe Carvalho (1974-), y hasta el exhibicionismo criminal del asesino protagonista de *El estrangulador* (1995), Vázquez Montalbán ha proporcionado a sus lectores durante más de tres décadas una galería de personajes y posiciones desencantadas que manifiestan, cada una a su manera, que todo esfuerzo crítico o transformador del mundo está condenado al fracaso. La literatura subnormal de los primeros setenta utiliza una forma totalmente iconoclasta que socava toda fiabilidad en la representación de la realidad y se burla sin piedad de toda la tradición marxista y de todo proyecto transformador social; la serie policiaca concluye una y otra vez, utilizando a Carvalho como portavoz de excepción, la imposibilidad de enmendar ningún desaguisado importante en el mundo; Albert Cerrato, alias "El estrangulador de Boston" escribe con lucidez de demente desde el manicomio, rincón de heterotopia donde puede burlarse de una realidad que en definitiva le construye y aparta la diferencia de su posición subversiva y "criminal".

La tensión irresuelta que implica el uso simultáneo de ambos, realismo e ironía, nos parece síntoma de la dificultad del pensamiento de izquierdas para representar la realidad, de su pérdida de confianza en su capacidad para hacerlo. En la oscilación en el uso de modos de representación de lo real se adivina la inadecuación de los instrumentos de cambio de que dispone el intelectual de izquierdas a la complejidad de la realidad con que se enfrenta. Sin recurso inapelable a la razón, o a la utopía, implicado sin remedio en el racionalismo pragmático/irracionalismo de la antiutopía, el discurso de la intelectualidad de izquierdas contemporánea tiene que abandonar la evidencia o la lógica como herramientas únicas de representación fiable de la realidad. En Vázquez Montalbán ese *impasse* se intenta esquivar con el recurso a la ironía y la autorreflexividad, que se alternan con un discurso directamente representador de la realidad. Las formas y circunstancias en que Vázquez Montalbán fue construyendo sus estrategias y su propia función como intelectual es lo que las páginas que siguen tratan de desentrañar.

SEGUNDA PARTE

CAPÍTULO II
EN LA MODERNIDAD, EL INTELECTUAL CONTRA EL MUNDO (1962-1974)

I: Antes de que fueran modernos: escuela para una educación sentimental

MVM nace con el fin de la guerra civil, en la primavera barcelonesa de 1939. De familia republicana y obrera, entra directamente en la España vencida, de cuyo espacio no saldrá hasta que inicie su educación superior. La Barcelona de la postguerra que ve crecer al joven Vázquez Montalbán es la del barrio Chino, refugio de clases populares e inmigrantes llegadas en las oleadas migratorias de principios de siglo y en los años veinte, durante la construcción de la infraestructura relacionada con la Exposición Universal de 1929. De padre gallego y madre de origen murciano, él funcionario de la República y luego esporádico trabajador de la construcción, ella costurera, la familia Vázquez Montalbán no es una excepción. Su padre había sido miembro del PSUC (Partit Socialista Unificat de Catalunya), el partido de los comunistas catalanes, desde su formación en el comienzo de la guerra civil. Esta circunstancia va a convertir a la familia en ejemplo de la persecución sistemática a que el régimen de Franco habría de someter a los "traidores a la Patria". En efecto, por razón de su ideas políticas, su padre sufrió exilio, cárcel y consejo de guerra. Sobre su cabeza gravitaron sucesivamente una pena de muerte, una sentencia a veinte años y un día de cárcel, y por fin la libertad condicionada a presentarse todos los meses en comisaría durante dos décadas.[1]

Consecuentemente, la infancia y adolescencia del escritor se suceden en un espacio paradigmático para los vencidos en la primera España franquista, en el que no falta ni el componente de pobreza y hambre, ni el de persecución política. En la Barcelona del barrio

Chino Vázquez Montalbán recibe como experiencia primera de vida el parón y marcha atrás histórico que significó el franquismo en la historia del país. Es desde la experiencia de esta España antimoderna, atrasada y oprimida su clase y sus ideas como debe entenderse la incorporación futura de MVM en la nueva generación modernizadora que pugna por imponerse desde los años cincuenta. La conciencia de superviviente de una España vencida y sin voz, infamada y digna, la responsabilidad asumida de representarla, de reivindicarla,[2] toma forma en sus ensayos y crónicas periodísticas, en sus poemas y novelas de treinta y cinco años de labor escritora. Desde "El libro de los antepasados", parte inicial de su opera prima, *Una educación sentimental*, pasando por *Cancionero general 1939/1971*, *Crónica sentimental de España*, *Coplas a la muerte de mi tía Daniela*, *Praga* y hasta *La rosa de Alejandría*, *El pianista* y *Autobiografía del general Franco*, MVM se ha preocupado por recuperar la memoria y la presencia histórica de una clase condenada a perder y, por tanto, a callar en la Historia. En estos textos recuperan sus miembros la dimensión de sujetos participantes en esta Historia (*Coplas*, *El pianista*), y de perdedores de ella (*Educación*), de supervivientes a pesar de todo. De las novelas hablaré por extenso más adelante, de los poemas escojo uno casi al azar donde el repaso a la cotidianidad de la infancia consigue recobrar la memoria entrañable de la miseria y la depresión de la postguerra:

> ...ellas
> algo humilladas, ofendidas sobre todo,
> maldecían las gachas quemadas, breves sopapos
> en la coronilla del niño poco entregado
> a las Lecciones de Cosas o las Lecturas Graduadas
> entre el Padre Coloma, el Padre Balmes y
> el Padre Claret
>   después la cena, harina
> de maíz y tocino espumoso de rosa gelatina,
> ellos, algo humillados, ofensibles sobre todo
> hablaban de un singular compañero de trabajo
> míticos seres sin una pierna o llenos de vieja
> metralla soportable
>   habían muerto o pronto

ascenderían de escalafón en la Campaña
pro Cama del Tuberculoso Pobre...[3]

En el capítulo de los ensayos, mención aparte merece la recuperación de la cultura popular que hace Vázquez Montalbán en *Crónica sentimental de España*. La obra se publica en un contexto de celebración de la cultura de masas propia de los años sesenta, al que aporta una visión inusitada: es la primera recuperación de la educación sentimental de las clases pobres de la España franquista. Publicada en 1969 como una serie de artículos en la revista *Triunfo* y en forma de libro en 1971, *Crónica* es un intento de reivindicar la cultura del pueblo vencido de la postguerra, y de entenderla como una forma de supervivencia de las clases más desposeídas. *Crónica* es un análisis ideológico de las manifestaciones de la cultura, primero popular, luego de masas, de la década de los cuarenta a la de los sesenta, entendidas como un espacio de réplica en el que el público asimila y transforma productos de cultura popular de escandalosa ideología franquista. La cultura que pueden permitirse estas clases, que proviene del Estado y está imbuida de su ideología, no ejerce simplemente un lavado de cerebro que las gentes soportan pasivamente. Antes bien, Vázquez Montalbán ve en la canción folclórica, o en el primer cine norteamericano que pasa la censura franquista, un mecanismo para las clases más explotadas de defensa ante la realidad del hambre y la represión de la dictadura. La innovación del texto reside en que está proponiendo una forma de historia cultural sin parangón en esos momentos.[4] En ella encontramos, representadas en igualdad de condiciones, la memoria de los hechos políticos junto a la de la cultura popular, el deseo de abrir una vía de comunicación de dos direcciones entre política y cultura (culturizando la política, politizando la cultura) para la representación de la historia. La caracterización de los periodos que aparece en estas crónicas le da tanta importancia política a un cantante de rock como a un presidente de gobierno, tanta relevancia ideológica a una declaración oficial como a un chiste político. De esta manera, la representación de la cultura en los textos históricos de Vázquez Montalbán pretende incorporar a la totalidad de la población a la historia del país, convirtiéndola así en sujeto y objeto del devenir de esta historia. La cultura, en esta concepción que hace a todos participantes de ella, es campo de batalla determinante en la lucha política e ideológica.

Los numerosos ejemplos a lo largo de su producción en que MVM recobra las gentes y el espacio de su infancia delatan la afinidad afectiva del autor con el periodo de postguerra y con la comunidad de los vencidos que la habitaron. Y es que en MVM la procedencia proletaria y charnega es estigma, no sólo asumido, sino exhibido como una diferencia que se capitaliza en provecho propio. Habiendo sido aceptado desde muy pronto en los círculos culturales de la *gauche divine* catalana –como periodista y como poeta,[5] más tarde como novelista– y gozando por ello de una posición privilegiada que le otorga la fama de escritor solvente y crítico lúcido que no hará sino aumentar con el tiempo, MVM se niega a olvidar que se ha asentado en la posesión de un capital social y cultural que no le correspondía por origen. Y en la posibilidad misma de su disfrute reconoce una sospecha, advierte que no ignora ni olvida nunca la existencia de una mano todopoderosa, hasta hoy benévola pero que es, fundamentalmente, instrumento del antagonista. Pocas veces lo ha expresado el autor tan claramente como en los versos del poema *Praga*. En ellos, los defensores de la capital checa sirven como metáfora de una nación, la catalana y una clase, la burguesa, hipócritas y en el fondo intransigentes, incapaces, aunque finjan lo contrario, de aceptar al otro, al diferente, al mestizo, entre los que se cuenta el yo poético. En los versos que siguen, la oposición tajante que se construye alrededor de los pronombres vosotros, por un lado, y nosotros/yo marca verbalmente una distancia insalvable que desmiente cualquier ilusión de comunión inocente con las reglas del juego, de asimilación a la ideología del grupo al que, a efectos prácticos, se pertenece:

> aunque reconstruyamos
> murallas de razones
> y hasta los mestizos prediquemos
> la reconstrucción de Praga
> a los invasores confiados

en su costumbre de vencer
                    preferís
comprobar la raza en la lengua
no en los ojos no en las manos
y cualquier alemán os seduciría
con el santo y seña
                    de las respuestas sagradas
os reconozco
en vuestra coquetería de víctimas
y aunque redacte un auto de fe
ante cada desgracia
                    lo hago descreído
de la suerte de mi ciudadanía
cuestionada por el mestizaje de mis recuerdos
por el mestizaje de mis muertes y mis vidas

y sobre todo
por el alevoso mestizaje de la fonética[6]

Una aguda conciencia de clase y de la condición original de vencido, junto con un indiscutible y temprano reconocimiento de su
obra en los ambientes intelectuales catalanes, se combinan para
producir en el escritor una orgullosa conciencia de *outsider*, de ad-
venedizo. Y porque estos dos componentes forman su identidad
social e intelectual primera, deben considerarse como básicos para
entender una preocupación posterior y recurrente en este intelectual: la reflexión sobre la propia posición y sobre el sentido de los
propios actos. La capacidad de distanciamiento crítico, que se for-
maliza en la lucidez que exhibe el escritor en ensayos y artículos,
pero también en el gusto por crear personajes marginales y críticos
—léase el detective— tiene en la propia identidad vital de Vázquez
Montalbán un primer referente imprescindible.

II: MODERNIDAD E IZQUIERDA

La apertura y el desarrollismo de los años sesenta generaron
—aunque fuera a pesar de sus impulsores— una cultura de oposición.

De un lado, el aumento de una incipiente clase media fue determinante en el despegue espectacular del número de estudiantes que accedieron a la enseñanza superior, potenciales consumidores de cultura no-basura, y que resultaron ser abrumadoramente de talante progresista. Para ellos proliferaron en los últimos años del franquismo editoriales, revistas y periódicos,[7] posibilitados por la ley de Prensa de 1966,[8] que aumentó notablemente la permisividad en la expresión de las ideas, aunque sin ceder nunca la baza de la censura.

A esta coyuntura favorable se unía el ascenso indiscutible de la explícita oposición civil al franquismo. Ya en 1956 se producían las primeras manifestaciones universitarias en Barcelona y Madrid, nuevas huelgas del transporte en Barcelona y las primeras disidencias notorias en las filas del régimen entre falangistas y demócrata-cristianos (especialmente las de Dionisio Ridruejo, Francesc Farreres y el ministro de Educación Joaquín Ruiz-Giménez, respectivamente).[9] También desde los últimos cincuenta y como más o menos directa contrapartida, se apreciaban incipientes signos de apertura en las instituciones, que permitían, o cuando menos toleraban, la publicación de, o el comentario escrito sobre autores hasta entonces prohibidos. Los acontecimientos sacudieron conciencias y empujaron a la militancia en las más diversas agrupaciones: era el boom del compromiso entre los artistas e intelectuales.[10]

A este caldo de cultivo venía a parar en 1957, con 18 años, un joven del barrio Chino barcelonés, ávido de saber y cambios. El "contagio" no se hizo esperar mucho. En 1961, y al igual que su padre treinta años atrás, MVM se hacía militante del PSUC –partido del que nunca se ha desvinculado– después de una breve militancia en otra formación política de izquierda, el FLP. La militancia política subversiva pronto se cobró su precio también con él. En mayo de 1962 fue arrestado y encarcelado por participar en las jornadas de solidaridad con los mineros de Asturias en huelga y de protesta por la represión del ejército. Se le condenó a tres años de cárcel de los que cumplió uno y medio, mayormente en la cárcel de Lérida.

A su salida, y tras un periodo de cuarentena y serias dificultades económicas, consiguió encauzar su carrera profesional. En ningún otro momento como en estos años de formación dentro de la oposición al franquismo se va a apreciar tan diáfanamente en MVM la conexión entre pensamiento político y labor intelectual. De esta época data su dedicación más intensa a la labor periodística en órganos de la oposición ilegal, llegando a convertirse en uno de sus analistas políticos y culturales más apreciados: es redactor-jefe de la revista *Siglo XX* en 1965 y se encarga desde 1969 del análisis de la política interior en la sección "Cuestiones periféricas" dentro del semanario *Triunfo*, el órgano no clandestino más importante de la izquierda en los últimos diez años del franquismo. En el diario *Tele-eXprés* lleva desde 1970 los comentarios de política internacional, hasta que sus diferencias ideológicas con los editores le obligan a abandonar en 1973. También en *Triunfo* publica una sección fija bajo el título de "La Capilla Sixtina", en la que ensaya un género periodístico entre el comentario político y la narrativa de ficción, donde una serie de personajes fijos, centrados alrededor de Sixto Cámara, opinan semanalmente sobre la realidad española.[11] Entre 1969 y 1971 imparte clases de historia de la comunicación, recogidas posteriormente en el libro *Historia y comunicación Social* (1980).[12]

De la maduración intelectual que produce contribuir a la construcción del estado democrático –tanto a través de la militancia de partido, como de la constancia diaria en la crítica al statu quo de la dictadura, y con el consiguiente riesgo asumido ante la amenaza de la censura y otras formas de represión– surge una visión del mundo y un entendimiento de la función del intelectual (escritor, periodista) que constituyen las bases del pensamiento y la posición de MVM. Una y otro parten y se desarrollan en gran medida desde la asimilación particular que el autor hace del marxismo.

La influencia del marxismo en el pensamiento de MVM no es extraña ni es un fenómeno aislado. No es extraña porque el charnego que había dado el salto a la universidad desde el sur socio-económico de la ciudad, y desde todos los antecedentes familiares ya mencionados, no tenía nada que perder, y sí muchos cabos que atar, interpretando la realidad como lucha de clases. Y no es un hecho aislado porque el marxismo constituye –aunque cueste hacerlo creer desde nuestro interesadamente desmemoriado presente– un corpus ideológico central para explicar la oposición democrática antifranquista, en la que MVM tuvo un papel destacado. Tanto es así que puede decirse que su biografía política es paradigmática de la de todas las generaciones, en su caso la primera, que acceden a la universidad franquista sin el trauma vivido de la guerra civil. En la democracia, bien es verdad, el autor dejará de ser paradigma de la evolución ideológica de esas generaciones, para convertirse en su excepción.

En efecto, la oposición clandestina en los años sesenta estuvo marcada centralmente por el pensamiento marxista en sus dos manifestaciones tradicionales: socialismo y comunismo. PCE y PSOE sostenían posturas y programas cercanos ideológica y políticamente, aunque los partidos fueran históricamente irreconciliables.[13] El PCE, como formación política mejor organizada y más extendida, constituyó el eje central en torno al cual, o más exactamente, contra el cual, se definieron los demás. El socialismo a lo largo de los años sesenta creció sobre todo con la radicalización de la intelectualidad y las nuevas clases medias, siendo bastante pobre su presencia social y su patrimonio histórico de lucha antifranquista. Con la dirección del PSOE en el exilio y desconectada de la evolución que estaba sufriendo el país, los jóvenes socialistas del interior se organizaron en torno a una política que daba prioridad a una salida democrática del franquismo y a la consecución de un estado socialista superador de la lucha de clases y de los intereses del gran capital. Esta aspiración era prácticamente idéntica en su "radicalidad" a la formulada desde el PCE, a la que añadía una "vocación europeísta" que habría de hacer fortuna.

Aunque la crítica más común a la que tuvo que enfrentarse el PCE en la transición fue la de su carácter antidemocrático, es fácil demostrar que el objetivo democrático formaba ya parte central del discurso comunista en el tardofranquismo. El Partido Comunista en el exilio es pionero en el restablecimiento de un proyecto de modernización del país que después sería dominante. La consigna comunista de alianza de las fuerzas del trabajo y la cultura y de pacto con todas las fuerzas antifranquistas, da contenido político a la realidad de una estrategia especialmente productiva, una de las claves del éxito del proceso opositor democrático a la dictadura. En los textos de la época que reflejan la línea oficial del partido, éste se declara continuamente multipartidista, demócrata y antidogmático. Con respecto a los caminos al socialismo, desde que se aprueba en 1956 la política de Reconciliación Nacional, el Partido Comunista pule y desarrolla la alternativa de la famosa HNP, la huelga nacional pacífica, como vía de salida de la dictadura. A pesar de lo erróneo del análisis socio-económico en el que estaba basada −y señalar certeramente tal equivocación les iba a costar la expulsión del partido a Jorge Semprún y Fernando Claudín en 1964[14]−, son innegables sus implicaciones para la concepción comunista de la vía de transformación al socialismo, con rechazo explícito de la violencia[15] y aceptación de la vía democrática. A la izquierda del PCE, empujados sobre todo por la línea moderada, revisionista y prosoviética de éste, y alentados por el ejemplo del surgimiento de los movimientos de liberación nacional del Tercer Mundo, aparecieron las agrupaciones que se denominaron "nueva izquierda".[16] A pesar de su virulencia y entusiasmo, nunca marcaron una línea dominante en el discurso de oposición, que era fundamentalmente pacifista. Aquellos que optaron por la acción violenta y se responsabilizaron de atentados terroristas contra el régimen,[17] fueron desacreditados y condenados por la izquierda mayoritaria.

En resumen, los ejes del mapa político comunista eran homologables a los del socialismo. A partir de la aprobación en el PCE de la línea política de Reconciliación Nacional en 1956, la oposición democrática de izquierda se va concretando en un proyecto de Estado democrático que surge de las elaboraciones y análisis históricos de socialistas (especialmente los partidos del interior, que debido a esos análisis precisamente entran en conflicto durante toda la década con la dirección en el exilio del PSOE) y comunistas del PCE. En ambos casos el proyecto se elabora desde la "casa común" del comunismo y el socialismo, en esos momentos ambos marxistas. Lucha contra el neoliberalismo y por el advenimiento del socialismo democrático serían los objetivos principales de las huelgas y manifestaciones organizadas por la izquierda en común

durante el último franquismo y en el primer año de la transición[18]
Sus reivindicaciones y aspiraciones constituyen la base del proyecto de ruptura pacífica que será derrotado en la transición.

Si el estado democrático social(ista) es el proyecto político de la izquierda al que hay que vincular las aspiraciones y la contribución políticas montalbanianas en el tardofranquismo,[19] no se agota con él la influencia del marxismo en el pensamiento del autor. El resurgir del marxismo como escuela de filosofía y como método de análisis de la realidad corre paralelo y convergente con el desarrollo de la oposición al franquismo. Cuando en la segunda mitad de los años cincuenta el Boletín informativo del Seminario de Derecho Político, dirigido por Enrique Tierno Galván, abra la primera puerta legal de entrada a Lukács, Hegel y a los primeros tímidos pero serios estudios sobre marxismo, éste se convertirá en una de las grandes vías de reconstrucción de la razón[20]: razón dialéctica, en pugna con la razón analítica de las también primeras influencias de los neopositivistas, para devolver a la historia de las ciencias y la filosofía española los instrumentos de la modernidad perdida con la dictadura. Fruto de ésta "recuperación de la razón" de los años sesenta —creciendo hacia los setenta[21]— va a ser el florecimiento de las ciencias sociales y políticas, y de la historia[22], que utilizan el marxismo como metodología de estudio. Los ensayos de MVM *La vía chilena al golpe de estado* (1973), y *La penetración americana en España* (1974), que abordan con dos ejemplos diferentes —el golpe de Pinochet al gobierno de Allende; el sentido de la aceptación por parte de las democracias occidentales del régimen dictatorial de Franco en el contexto de la guerra fría— el alcance del imperialismo estadounidense, y *¿Qué es el imperialismo?* delatan en el autor una preocupación central del pensamiento socialista del s. XX. Sin embargo, son sus textos sobre comunicación de masas una de las manifestaciones más claras de su visión marxista y la aportación más importante del autor a la comunicología. Su enfoque es pionero en el campo. Se centra en el análisis de la propiedad de los medios de comunicación, la política económica que dirige esta industria y en las consecuencias ideológicas de la concentración de esa propiedad dentro de la sociedad masificada. Sus tesis conectan con los estudios más avanzados sobre penetración cultural que en la década de los setenta iban a hacer críticos marxistas tan importantes como Herbert Schiller y Armand Mattelart.

El interés del joven MVM por los medios de comunicación es fundamental para reconstruir la formación del intelectual y merece capítulo aparte. De una parte, porque revela su entendimiento materialista del mundo. De otra, porque nos da la medida de su lucidez crítica, al acorralar la trascendencia de los *mass media* en el primer momento de la masificación de la cultura española. Y, por último, porque de la reflexión sobre este tema surge la primera formulación importante sobre el papel del intelectual, es decir, la autorreflexión sobre la propia labor del escritor.

III: LA COMUNICACIÓN DE MASAS EN LA FORMACIÓN DEL INTELECTUAL

El ya aludido despegue económico español de los sesenta tenía en la creación de un mercado interior de consumidores al mismo tiempo una condición indispensable y una consecuencia de su éxito. Mantenerlo y aumentarlo era objetivo primordial, y para ello se hizo imprescindible el apoyo de la industria cultural, con su capacidad para construir ciudadanos modernos y consumidores nacionales. La entrada de esa industria y, en particular, la comercialización de la televisión,[23] convirtieron la cultura en una mercancía accesible, masificada, democrática, al tiempo que vehículo inmejorable de manipulación ideológica: los medios de comunicación crearon nuevos y modernos sujetos, consumidores de hábitos y necesidades cada vez más diversificadas, acordes al desarrollo y diversificación de la oferta en el mercado, más accesible entonces que nunca en las concentraciones crecientes de población urbana.

Tanto la prensa como órgano más representativo de la pujante cultura opositora, como los productos de la industria cultural audiovisual –especialmente la televisión–, ayudaron a los españoles a dar sentido al arrollador proceso modernizador en el que estaban inmersos desde el principio de la década. Se ha hablado con frecuencia de la labor que realizó la prensa de oposición para finiquitar el franquismo.[24] Pero incluso el cine, y sobre todo la televisión, cuyo monopolio siempre conservó el Estado franquista, no impidieron tampoco de ningún modo sustancial el proceso modernizador. Al contrario. El alineamiento de la televisión con la ideología retrógrada franquista exacerbó las contradicciones entre la libertad de mercado que proponían como filosofía todos los modelos de consumo que aparecían en la pequeña pantalla, y la estrechez puritana cada vez más residual de la ideología franquista. Una contradicción, por otra parte, que no hacía más que reproducir a pequeña escala la que se vivía en la calle desde la apertura de 1959. Durante la transición, ni cambió la situación monopolística, ni varió la labor de modernización uniformadora del ente público, viniendo así a demostrar la amplia capacidad de maniobra que aún le quedaba al medio televisivo, después de haber satisfecho los particularismos ideológicos de cada estado. Porque la televisión, el cine y la música popular fueron –de forma mucho más radical que la prensa– los introductores más efectivos de la modernidad, como productores infatigables de imágenes modernas que los consumidores españoles enseguida se mostraron ávidos por imitar y que provocaron una auténtica revolución en su experiencia de la realidad. Fueron los principales responsables de la asociación de la experiencia de la modernidad española con lo foráneo, inculcando en cada individuo el perfil de lo americano o lo europeo como modelos a imitar, dando forma a un fenómeno que las primeras señales de alarma de la época dieron en llamar penetración cultural. Llegaron para modernizar a todo español, a toda española. Estaban en todas partes porque su objetivo era hacerse ubicuos. La implantación de los medios de comunicación de masas conectaba la península a la aldea global, haciendo ineludible desde ese momento su participación en la creciente globalización de la cultura. Como vanguardia de la modernidad, su misma asimilación anunciaba la llegada de una nueva época. Aceptar la forma de vida que proponían como signo de modernidad era un paso previo para crear la base material e ideológica que permitiera a los españoles una transición sin estridencias a una nueva forma de dar sentido a la realidad: la postmoderna.

Para el joven intelectual Manuel Vázquez Montalbán, tan importante en su formación fue la participación activa en la crecientemente influyente y prestigiosa cultura opositora, como la conciencia de la alienación y manipulación político-ideológica implícita en la imparable avalancha de los medios de comunicación, que le llevarían a formular muy tempranamente su postura dentro de ellos. Si su papel como periodista y conspirador antifranquista le sumergió en el movimiento modernizador que pretendía y consiguió sacar a España definitivamente del estancamiento del franquismo, sus conocimientos de comunicología le permitieron entender los cambios que se estaban produciendo en el país como parte de un proceso global. Las características y el alcance de la penetración de la industria cultural en España estaban sentando las bases de la posterior realidad postmoderna mediatizada por la tecnología. Una realidad de superficies creada por la cultura de la imagen.

La conciencia de esta realidad distingue a Vázquez Montalbán entre sus compañeros de generación. Y eso no es sólo evidente en la originalidad teórica de sus trabajos sobre comunicación de masas en el contexto español. MVM tiene una perspectiva sobre la nueva situación cultural que permea hasta su poesía. Lo vemos particularmente claro en la antología poética generacional de Josep Maria Castellet *Nueve novísimos*. El prólogo del antólogo, que busca puntos de contacto vivencial y cultural entre los poetas para que legitimen su consideración como grupo, menciona que esa nueva generación comparte una educación sentimental por haber crecido bajo la influencia ubicua de los medios de comunicación de masas. En la práctica literaria del grupo, esa experiencia de vida se traduce en la incorporación a las obras del *camp* y de formas e imágenes generadas por la industria cultural. Ahora bien, como reconoce el mismo Castellet, no es igual en cada uno de ellos la función que esa cultura de masas cumple, como referente real y como forma poética. En los poetas más jóvenes (Félix de Azúa, Vicente Molina Foix o Pere Gimferrer, como casos más claros) la forma es elitista y la consideración de lo real, celebratoria y acrítica. A diferencia de éstos, MVM nunca prescinde de una distancia crítica reveladora de la manipulación ideológica a que la industria cultural somete a sus consumidores y, no por casualidad, al reproducir sus formas, las parodia:

> Limpie
> (...) el desprecio despeinado del músico de cabaret
> el rimmel que pudre el ojo
> del marica vergonzoso
> limpie la mancha de aceite
> del corredor de fondo enloquecido
> (...) y no ignore que este detergente limpia menos
> que cualquier otro, ni que su acierto estriba
> en que su nombre lleva el acarreo de las mejores
> distancias
> y no olvide esta marca, no se deje engañar
> por la estulticia del tendero que le quiere ocultar
> el color exacto de las manchas que limpian...[25]

La conciencia crítica que sobre el papel de la publicidad como motor de la sociedad de consumo revelan estos versos es ejemplo de un saber sobre los *mass media* que se ha ido cimentando a lo largo de los años sesenta. Saber que para el final de la década ha producido, tanto en sus ensayos como en su literatura, algo más que el conocimiento del objeto de estudio que requiere la lucidez de sus críticas. Ha generado la autorreflexión. En sus ensayos teóricos dedicados al análisis de los medios de comunicación de masas, la reflexión sobre la responsabilidad del profesional de la información; en su literatura –que el autor llama significativamente subnormal– sobre la complicidad del intelectual-escritor (de izquierdas) en el mismo sistema que critica.

Los primeros ensayos que publica el joven Vázquez Montalbán giran alrededor de la industria cultural y los medios de comunicación y comparten un mismo proyecto.[26] En ellos se aprecia un uso de la teoría de los medios de comunicación cuyo objeto es captar la totalidad a través de su estudio, pues por ellos se llega a la comprensión de los hilos que conectan los acontecimientos globales y de ahí a una crítica del capitalismo.[27] El estudio de la política económica que hace funcionar la industria de los medios de comunicación revela, en las tesis de MVM, el progresivo monopolio de los medios de producción de la comunicación, que coinciden con los de las grandes potencias y se unen al desarrollo y favorecimiento de los intereses capitalistas de éstas. Por contrapartida, el espectador sufre de indefensión ante la avalancha de información para la que no se le permiten elementos de juicio crítico y que tiene un efecto importantísimo en su construcción como ciudadano y como consumidor. Este temprano análisis de la realidad es fundamental para la formación de la concepción del mundo del intelectual. Su análisis de la industria cultural le permite un entendimiento teórico de la cultura como lugar de lucha ideológica. Al mismo tiempo, le exige una reflexión sobre su propia posición. El intelectual-periodista juega un papel político en la construcción y transmisión de información. La constatación de cuál pueda ser este papel es desalentadora: el informador está sin remedio al servicio de los monopolios de la comunicación:

> En el altar de la comunicación social oficia un sacerdote, un médium entre la realidad y los receptores: el profesional de la información. No es dueño del medio de producción, pero es responsable intelectual de la mercancía. [...] un profesional de la información o la comunicación de masas, es hoy uno de los agentes claves de los aparatos ideológicos al servicio del orden establecido y rara vez está en condiciones de desalienarse lo suficiente como para comprender cuál es su "situación" dentro del complejo bélico que el poder utiliza para defender o imponer el orden que representa.[28]

De esta constatación surge la necesidad de la resistencia. El joven intelectual toma conciencia de la función política de su escritura al constatar su papel en la transmisión de información. Y de ahí surge su compromiso y la urgencia por resistirse a ocupar el papel que los dueños de su fuerza de trabajo le han asignado. Esta temprana declaración de principios éticos profesionales nos da ya las claves de su posición más constante. La labor intelectual del periodista es, según el autor, prometeica. Está llamado a quitarles el fuego de la verdad a los dioses y devolvérselo a los hombres. Ante unos medios de comunicación que tienden a "extirpar la posibilidad de una conciencia objetiva del bien y del mal referidos a la orientación histórica del receptor" que "parec(e) condenad(o) a una realidad inalterable y, lo que es más angustioso, sin origen",[29] el periodista está en posición de jugar un papel importante. La conciencia de pérdida (de información, de verdad) exige plantear la propia labor como búsqueda, como recuperación cotidiana. Su esfuerzo, su búsqueda de una verdad diferente, sistemáticamente silenciada, puede devolverle a su público la conciencia y el control sobre la realidad:

> ¿Qué poder tiene hoy un profesional de la información en España para hacer mínimamente frente a las posibles arbitrariedades de los reales poderes informativos?[...] [Los estudiantes de periodismo] [e]mpiezan a comprender que tal vez la verdadera grandeza de la profesión no sea saltar en paracaídas sobre Laos, ganar el Pulitzer o cumplir cincuenta años de profesión agarrado a las tijeras y a la rutina del empleo burocrático conquistado. Sino recuperar cotidianamente la dignidad que concede la búsqueda de la verdad histórica y popular, sin intermediarios.[30]

IV: EL INTELECTUAL, ESE SUBNORMAL

La temprana militancia política e intelectual del joven Vázquez Montalbán, tanto como su signo ideológico, caben sin esfuerzo en el contexto del antifranquismo. Pero para completar el dibujo del intelectual de izquierdas es imprescindible recordar que también la década de los sesenta está marcada por los grandes retos a la ortodoxia marxista y al socialismo soviético. Sus manifestaciones más importantes las constituyen los modelos de revolución descolonizadora que se proponen desde el Tercer Mundo, la primavera de Praga, el mayo francés o, en el ámbito español, la expulsión de Jorge Semprún y Fernando Claudín del Partido Comunista. Sus propuestas y la desestabilización que provocan en el pensamiento de izquierdas son cruciales en la formación del joven intelectual. Las relaciones conflictivas y críticas del autor con su partido arrancan de este periodo y son la manifestación más directa de su incapacidad para adaptarse completamente en el marco político del marxismo. La materialización textual más clara de esta inadaptación es la literatura subnormal, que abarca desde *Manifiesto subnormal* (1970) hasta *Cuestiones marxistas* (1974).[31] Los problemas en el seno de la izquierda han acentuado aquí la conciencia de crisis e inmovilidad, especialmente la del intelectual, que ya se había manifestado en el estudio de los medios de comunicación de masas. Pero la literatura subnormal va más allá en estos textos.

Ahora, a través de la forma —no solo del contenido—, se narrativizan las condiciones de existencia creadas por el proceso modernizador, con su consecuencia más temida, la radical alienación del individuo en el mundo contemporáneo. Esta alienación, que imposibilita la transformación del mundo, se expresa aquí en la figura del intelectual crítico que no puede desligarse del mismo sistema que se propone atacar.

A diferencia de los ensayos que Vázquez Montalbán publica durante los años sesenta y setenta, y más cercano a su poesía, la producción subnormal de este periodo demuestra que no basta enunciar el problema de la alienación del individuo para transformarlo. Las formas mismas, los géneros mismos, las convenciones en sí mismas implican una concepción del mundo que perpetúa la alienación misma que se quiere atacar. De ahí que la literatura subnormal tenga como proyecto central la ruptura de los géneros, y de las expectativas del lector. El mundo según estas obras se expresa en una combinación de los géneros convencionales del ensayo, el teatro y la poesía, para ofrecer una visión absurda, incoherente de la realidad representada. El objeto en esta obra literaria no es sólo enunciar los problemas de su sociedad contemporánea, sino actuarlos con la misma forma en que se expresa esa desolación y "subnormalidad" del individuo,[32] y reproducirlos en la necesariamente frustrante experiencia de lectura que producen estas obras. A un mundo subnormal le corresponde una literatura subnormal. El subnormal es el habitante de la sociedad moderna capitalista. Su comprensión de la realidad está mediatizada sin remedio por los intereses de una sociedad de consumo que le dicta su identidad y sus deseos. Correspondientemente, la identificación con los personajes en la literatura subnormal es imposible, como lo es la confianza en la voz narradora. Tan pronto como un personaje expresa un punto de vista coherente sobre el mundo, inmediatamente queda contrarrestado, puesto en ridículo y trivializado. El efecto global producido es el de un texto irónico, como su mismo autor, como el mismo lector que quiere producir. Pero la iconoclastia de estas formas subnormales, lo que se nos presenta como un escepticismo que parece producto del pesimismo que está invadiendo a la izquierda occidental, conserva en realidad un espacio positivo de enunciación:

> Mas si las tácticas de la conformidad universal han subnormalizado a la inmensa mayoría de la población, queda el problema de las minorías con su coquetería de la distanciación y del sí pero no. [...] Los especialistas en cálculo de probabilidades y en ciencias futúricas [...] llegaron a la conclusión de que no había táctica más adecuada que la guerrilla-ubicuo-metafísica: el perpetuo ataque, en todo tiempo y lugar, con tal rapidez de acción que se plantease inmediatamente la duda de que la acción se hubiera efectuado. La perpetua sorpresa, la perpetua destrucción de los cascotes una y otra vez destruidos, la destrucción de cualquier apariencia de resultado, de cualquier propuesta susceptible de despertar encantamiento. La duda de la duda de la propia duda, había que convertirla en la duda de la duda de la duda de la duda de la duda de la duda... y así hasta el infinito, hasta la locura de cuatro letras convertidas en cuatro objetos sin relación entre sí.[33]

Los intelectuales afectados por esa guerrilla "ubicuo-metafísica" contra la evidencia deben ser de la escuela postestructuralista y defensores del infinito deslizamiento (*slippage*) de los significantes, de la imposibilidad de fijar su sentido. El planteamiento de la narración como una conspiración da la clave del tono crítico en la descripción de MVM. Pero en la literatura subnormal no basta con enunciar la crítica, como explica el mismo Vázquez Montalbán:

> Lo que traté de hacer [en *Manifiesto subnormal*] fue un replanteamiento del lenguaje y de las capas convencionales del ensayo, pero con un propósito de comunicación. Si me limito a decir <todo es una mierda>, estoy planteando una propuesta de comunicación que sólo tiene un sentido. La gente capta que todo es una mierda y ahí se acaba. Si yo dudo de que sea eficaz decirlo así, tengo que decirlo entonces de una manera destruida.[34]

Y en efecto, diez páginas después del comentario crítico sobre el papel filosófico de la duda, el texto continúa "actuando" esa locura de las cuatro letras desprovistas de significado:

> duda dudua dů dua dudadua daududaduadu ud uddd ddddu desprovista de expresión fonética, esta improvisación a partir del término duda es más meritoria y complacerá mucho más a los lectores
> duuuuuuuuuuuuuuuuuuuuuuuuuuuuda
> ¿dudddddddddddddddddddddddddda?
> dud...a
> d..................................uda
> la cosa requiere su maestría
> duuuuuuuuuuuuuuuuuuuuuuuuuuuuuuud" (40-41)

La literatura subnormal conserva la creencia vanguardista y moderna de que romper con la forma es paso imprescindible para poder acceder a una concepción diferente del mundo. Es decir, conserva la creencia en la forma como espacio de redención. Sólo la forma "rota", que pone de manifiesto lo que hasta entonces había permanecido lexicalizado, invisible en sus implicaciones ideológicas, fuera del tiempo, inmutable y naturalizado, puede transmitir de forma fiable la conciencia del estado de alienación del mundo. La destrucción de la forma da como resultado la forma irónica, incrédula de la validez de su propio contenido, pero no de sus mecanismos de distanciamiento. En la literatura subnormal encontramos por primera vez, en su manifestación más radical, la ironía que caracterizará toda la producción de Vázquez Montalbán. Por el radicalismo de sus enunciados (y de la forma de los enunciados) esta literatura parece contradecir las declaraciones de principios que con tanto énfasis por la misma época hace el MVM periodista, tanto el teórico como el militante. Pero la ironía feroz de la subnormalidad no desmiente la validez de las otras textualizaciones montalbanianas de lo real. De hecho, materializa una preocupación que habíamos visto enunciar a Vázquez Montalbán en sus tratados sobre comunicación social, al hablar del papel del periodista/intelectual, y es testimonio del precario equilibrio sobre el que se sostiene toda labor intelectual que se quiere crítica.

Algunas de las mejores muestras del periodismo de MVM de la época tardofranquista ofrecen una síntesis inmejorable entre lo que propugna el Vázquez Montalbán comunicólogo y la crítica que practica la literatura subnormal. Estos textos son la puesta en práctica de una labor crítica ejercida contra un enemigo feroz y concreto, el franquismo, a quien no se puede atacar de frente (¡la censura!). Aquí, y por la falta de libertad de expresión, es donde MVM se hace maestro en decir lo que parece no decir, en transmitir la idea contraria que expresa, en socavar cada una de sus expresiones que delatan su filiación política de izquierdas. Se hace maestro, en una palabra, de la ironía. Escojo "La Capilla Sixtina" para un ejemplo concreto.

La sección así llamada, publicada por *Triunfo* en los últimos cuatro años del franquismo,[35] comenta la realidad social y política del país en un lenguaje agudo, elíptico y en frágil equilibrio entre el humor mordaz y la desesperación.[36] Los artículos se organizan como pequeñas historietas, o viñetas, que cuentan incluso con un tenue hilo argumental. Para desarmar expectativas frente a un artículo-ensayo político, se incluyen unos personajes fijos en la historia cuyas vicisitudes se convierten en cotidianas y motivo de interés para el lector que, de este modo, queda "enganchado". Esta es, obviamente, una técnica propia de la literatura de serie, no ajena en absoluto a la que sólo unos años más tarde Vázquez Montalbán iba a explotar en su saga de Carvalho. La inclusión de elementos propios de la ficción[37] ofrece ventajas a quien pretende disimular su pensar subversivo, permite la dispersión de la opinión propia del autor en diferentes alter-egos o *sparrings* catalizadores del comentario central. Pero no terminan aquí los distanciamientos. Agilidad y agudeza intelectual, muy propias del *wisecrack* de los detectives privados –otra conexión con la serie Carvalho–, se concretan en el uso de frases cortas, dobles sentidos, chistes lingüísticos, la inclusión del absurdo, la combinación del comentario solapado y metafórico con la exposición abierta de ideas enjundiosas, éstas siempre seguidas de un cambio de inflexión que viene indefectiblemente a desautorizarlas. Esta socavación del propio discurso es la marca de la ironía que delata el espacio de la distancia crítica, la posibilidad misma de existencia de una crítica:

[Pregunta Sixto Cámara, el protagonista, que ha recibido una carta de Menelao, habitual de la serie, que le comunica sus dudas sobre si volver a Grecia, su país natal, una vez restaurada la democracia]
—Así, ¿qué le contesto yo a Menelao?
—Que se muera.
Me dicen muy serios, graves, tristes y al mismo tiempo gozosos por hacer feliz al eterno exiliado. Sólo Vázquez Montalbán lo ha dicho con cierta agresividad. Yo sospecho que es una simple cuestión de envidia y así se lo digo:
—Tú envidias a Menelao su fortuna vital e histórica.
—A mí no me líes. Yo estoy de paso. Me quedan unos treinta y cinco años de vida.
—Tú, ¿en la situación de Menelao, qué harías?
—Me pondría morado de democracia, de cordero a la salvia y de vino con resina. (338)

El personaje de Vázquez Montalbán no quiere que le impliquen con ningún deseo de democracia y declara que "pasa" cuando le piden una opinión en favor de dar apoyo al proyecto democrático griego. Finalmente, sin embargo, afirma que, si pudiera, se pondría morado de comer, de beber, y de democracia. Lo inusitado del hallazgo de la frase la hace doblemente chocante y efectiva. En el contexto de una frase coloquial (ponerse morado) y esperable de un hablante hambriento, MVM introduce el elemento extraño de la democracia. Esta sale beneficiada de la insinuación de la carencia en que vive España y de la expresión abierta del deseo de saciar el "hambre". Pero esa necesidad de "comer hasta hartarse", traducible por un anhelo dramático de vivir en libertad democrática, se atenúa, se camufla, se desresponsabiliza en una forma ambigua.

La ironía ofrece un contrapunto imprescindible para una izquierda que MVM sabe desde los años setenta a la defensiva. La costumbre adquirida en el periodismo de oposición de tener que escribir contra la forma y las palabras mismas, es la escuela mejor para la ironía feroz de la literatura subnormal. En los años siguientes, con la crisis de la izquierda en aumento y nacionalizada a la medida española, los términos del contrapunto se reordenarán y redefinirán sus funciones, pero no desaparecerán.

La conciencia tan clara de su posición que se observa al analizar toda la producción de MVM en el tardofranquismo no es una constatación temprana y/o transitoria para el intelectual en formación. Al contrario, se va a convertir en el centro de su desarrollo intelectual y es imprescindible en la conformación de su vocación social, no sólo como periodista, sino en todos los aspectos de su desarrollo profesional. La preocupación y reflexión temprana sobre los medios de comunicación en la realidad española recientemente masificada a la que despierta el joven y politizado Vázquez Montalbán, le proporciona una vía de entrada —la lucha antifranquista y la reordenación de la izquierda le habían proporcionado las restantes— a esa autoconciencia, y a los mecanismos de defensa o escape de su posición. Esta voluntad de resistencia responde a un contexto de crisis que no concluye con el franquismo, ni con la literatura subnormal ni con los tratados sobre comunicación social. Lo que MVM percibe en los años sesenta y primeros setenta como un proceso global y abstracto de pérdida del proyecto humano emancipatorio, va a tomar una forma muy concreta y nacional con el fracaso del proyecto socialista del tardofranquismo y el desprestigio de la izquierda marxista en la democracia. Ante esa prolongación de la crisis, la instrumentalización de la labor intelectual como órgano de creación de conciencia crítica —revelador de la realidad— y el autocuestionamiento escéptico no pueden desaparecer de su literatura, que seguirá siendo por ello literatura de crisis, de emergencia. Porque si la crisis no desaparece, tampoco lo hace la voluntad de MVM de seguir definiendo su posición ante ella, criticándola y criticándose a sí mismo. En esta voluntad hay implícito un proyecto de transformación, la visión de una utopía en la que el intelectual puede ser partícipe. En esa voluntad, en definitiva, está la concepción del papel que para sí mismo, como intelectual de izquierdas, es capaz de imaginar y llevar a cabo Vázquez Montalbán.

Durante el tardofranquismo, el joven Vázquez Montalbán milita en las filas de la izquierda modernizadora y democrática más activa. Ocupa entonces, sin duda, una posición marginal frente a la hegemonía franquista, pero participa al mismo tiempo de una fuerza ascendente llamada a imponerse, pues está defendida tanto por las fuerzas democratizadoras progresistas como por la vanguardia capitalista neoliberal. Es en estos años del tardofranquismo cuando Vázquez Montalbán lleva a cabo una labor periodística más obvia de incidencia real de cambio. Como vanguardia de la prensa crítica al franquismo, la libertad de expresión no es una garantía y por ello el ejercicio de la profesión es en sí una subversión, una resistencia en el sentido más literal. Por otra parte, en este mismo periodo, su producción literaria, la literatura subnormal, alcanza sus cuotas de pesimismo más altas, reproduciendo un discurso crítico que socava su misma capacidad de transmitir una crítica legítima y válida. Esta literatura, que responde a la crisis de la izquierda occidental después de 1968, textualiza la primera gran crisis del autor sobre la labor del intelectual de izquierdas. En resumen, por un lado tenemos una actividad política y periodística del autor que desde la subversión está incidiendo prácticamente en la realidad material del país y, por el otro, una actividad literaria que cuestiona radicalmente todo papel efectivo para el escritor-intelectual.

Con la llegada de la democracia, cambia también la posición enunciadora del autor. La relación entre el trabajo ensayístico y literario se invierte. La posición social de Vázquez Montalbán como intelectual cambia considerablemente. Su labor como periodista y pensador no sólo deja de ser subversiva, sino que pasa a ser central cuando le contratan los medios de comunicación más prestigiosos e influyentes del país. Su periodismo entonces, sin abandonar en absoluto su contenido crítico ni la naturaleza de esta crítica (es decir, sin abandonar su análisis materialista del capitalismo y de la necesidad de un cambio de la estructura social), se asimila sin remedio a los órganos centrales de la difusión informativa, perdiendo así claridad la funcionalidad de la intervención del intelectual. La visibilidad del intelectual está en relación inversa con el impacto del contenido crítico de su trabajo. En la democracia española, por fin homologada a la de Europa occidental, la libertad de expresión exigía –y exige– la existencia de un mercado de posturas intelectuales bien abastecido que respondiera satisfactoriamente a una demanda social diversificada. MVM era –y es– en esa sociedad de mercado, un proveedor de crítica particularmente eficaz. Es decir, escribir para *El País* o *El Periódico* tal vez le permita a Vázquez Montalbán ganar lectores, pero de hecho le hace también perder la efectividad como posición de resistencia que sus opiniones tenían con la censura de la dictadura. Es más, considerando que el proyecto político socialista y modernizador que MVM defiende se ve afectado por la crisis y descalabro que sufren los partidos de izquierda en la transición (según se verá inmediatamente), Vázquez Montalbán queda, de nuevo, al margen. En este caso, sin embargo, como defensor de un proyecto rechazado y que ha perdido gran parte del prestigio que disfrutara durante el tardofranquismo. La conciencia de este cambio afecta, a su vez, los cambios en sus elecciones textuales tanto en el tema como en la forma. Precisamente en este periodo es cuando su producción literaria abandona las formas vanguardistas e iconoclastas cuyo objetivo principal era la socavación de toda creencia en la efectividad o utilidad social del intelectual como transformador. En su lugar, la novela adopta el realismo y el género policiaco, y con ellos una visión más positiva de la capacidad de intervención en lo social de la producción estética. Qué condiciona estos cambios, así como la naturaleza de éstos, son temas para los próximos capítulos.

CAPÍTULO III
IDENTIDADES EN TRANSICIÓN
(1975-1982)

[...] la transición debe enfocarse como una derrota. Una derrota de todo aquello que era para muchos antifranquistas objetivos ineludibles del futuro: la libertad sin oligarquías que la limiten, la transformación social y la política como actividad abierta de la ciudadanía. Eso que no debe interpretarse de otra manera que como el patrimonio de la izquierda dilapidado durante ese período. Eso sin lo cual no sería fácil entender la victoria del Partido Socialista en octubre de 1982. "Por el cambio".

Gregorio Morán, *El precio de la transición*[1]

I: EL PAPEL DE LA IZQUIERDA EN EL ADVENIMIENTO DE LA POSTMODERNIDAD ESPAÑOLA

La muerte de Franco abrió un abanico de posibilidades de transformación social que iban de la ruptura radical a la pactada, pasando por la simple reforma. Todo ello en el mismo momento en que una gran crisis mundial exigía como nunca la fijación de una política que garantizara la integración de España en el esquema europeo occidental, capitalista y democrático. Es decir, una política que cancelara cualquier posibilidad de cambio estructural del estado que apuntara a tendencias socialistas o involucionistas. La tesitura era complicada, sobre todo si se tienen en cuenta dos factores. Primero, que uno de los mayores interesados en llevar a buen puerto esa transición era la vanguardia del capitalismo nacional e internacional, hasta ese momento aliadas y beneficiarias del franquismo. Y segundo, que el proyecto de estado demócrata social construido en el tardofranquismo por socialistas y comunistas, y apoyado por una parte considerable de la sociedad civil, se había convertido, con la desaparición del dictador, en una alternativa real de poder. Para los que defendían los intereses de los primeros, la lucha política obligaba a actuar en dos frentes al mismo tiempo. A saber, el del apoyo a un proyecto democrático y la condena del autoritarismo residual que alejara el fantasma de pasadas asociaciones[2]. Y, a la vez, el de la neutralización de la izquierda en sus aspiraciones transformadoras de la economía y la política del Estado. Se trataba, en resumen, de contener la pluralidad de vías de expansión de la democracia con que había empezado la transición, pero sin abandonar nunca una posición democrática. Y porque el éxito de la empresa dependía de la contención, y no de la represión directa de la oposición, la función del discurso, llamado a dar sentido al signo de los cambios que se estaban produciendo, era fundamental. Así, en efecto, las luchas políticas de la transición en los setenta se caracterizaron por la búsqueda de un discurso de consenso capaz de cumplir esa función contenedora[3]. Ahora bien, no es casualidad que una transición marcada por esa búsqueda finalizara con la subida al poder en 1982 de un partido que contenía los adjetivos socialista y obrero en su definición. Pero entonces, ¿qué papel había jugado la izquierda en esos siete años para terminar llevándose al agua el gato de la estabilización democrática y la integración del país en la Comunidad Europea? ¿Qué izquierda representaba y aglutinaba la socialdemocracia, y qué había hecho con la amenazadora herencia socialista de la modernidad tardofranquista?

El debate en torno a la izquierda y al legado de su historia tuvo un lugar principal en las luchas ideológicas de la transición, y en él participaron tanto sus antagonistas más feroces como sus más acreditados sustentadores[4]. Ese protagonismo no era casual. La izquierda había llevado el peso más importante de la resistencia antifranquista, además de que era la heredera legítima de la historia de la España moderna interrumpida de raíz en 1939 y que el nuevo estado democrático pretendía invocar. Pero se daba el caso de que el pensamiento hegemónico entre la oposición antifranquista había sido el marxismo, que en su día se había propuesto como culminación de la modernidad. En la maraña de intereses que se jugaban en esa transición hacia la democracia, ¿qué podía significar un pensamiento político que exigía una transformación de las estructuras sociales y económicas del país? Aquella coyuntura histórica no estaba para revoluciones. Una transición pacífica exigía silenciar todo elemento conflictivo[5], y en eso coincidieron todas las fuerzas políticas urdidoras de la democracia. El resultado de ese pacto –que tiene su exponente más claro en los Pactos de la Moncloa– fue una monarquía parlamentaria liberal, donde el papel de la sociedad civil se limitaba al depósito del voto cada cuatro años y donde las estructuras sociales y económicas permanecían intocadas. La colaboración directa de socialistas y comunistas en este proceso que se consumó en menos de tres años exigió hacer concesiones imperdonables para muchos que dieron entrada al tan manido desencanto[6]. Lo que me interesa puntualizar aquí, sin embargo, es que más que una discutible estrategia política para hacer frente a una particular coyuntura histórica, estas concesiones fueron la manifestación de una transformación que poco después se iba a producir en las bases ideológicas de estos partidos: el leninismo desapareció de la definición ideológica del PCE y luego del PSUC y el marxismo de la del PSOE. Como consecuencia de estas transformaciones, la especificidad ideológica del proyecto moderno de oposición antifranquista se diluyó progresivamente. Y con ella, cualquier propósito de transformación estructural del país. La amenaza principal de la prestigiosa izquierda antifranquista se había neutralizado con éxito.

La crisis del marxismo-leninismo español no la causó principalmente un desajuste en su interpretación de la realidad, ni un simplista empecinamiento en el milagro de que la clase obrera tomara conciencia de sí e iniciara la revolución, ni la defensa de la vía violenta al socialismo, ni la ausencia de principios democráticos. En el caso de los partidos comunistas, el leninismo fue la cabeza de turco que hizo posible una necesaria expiación pública de principios –las prácticas demostraban ser más ambiguas– mucho antes abandonados, y que tuvo consecuencias devastadoras. En el caso del PSOE, la crisis se evitó extirpando el mal y rentabilizando lo que quedaba del proyecto de izquierda tardofranquista una vez eliminado el marxismo. El caso es que el *pedigree* democrático, tanto del marxismo como del leninismo, se había puesto definitivamente en entredicho. Y para contrarrestar acusaciones no valieron las prácticas y desarrollo ideológico de más de una década de oposición activa a la dictadura. Era ahora altamente sospechoso[7], y contraproducente[8], el mismo marxismo que había constituido para la mayoría de la intelectualidad democrática opositora una forma dominante de análisis de la realidad.

En efecto, solo hacía falta un poco de memoria política para cuestionar las críticas de la que iba a ser marea incontenible del antimarxismo. Por ejemplo, mucho antes de que triunfara el eurocomunismo como línea oficial de los partidos comunistas españoles en los últimos años setenta, se habían asentado las líneas principales de esta "nueva concepción del comunismo para países capitalistas desarrollados" que tan mala prensa tuvo como cursillo acelerado de prácticas democráticas nunca realmente asimiladas. Por otra parte, la simplificación y reducción del concepto de leninismo que se observa en los textos eurocomunistas y que lo hace equivalente a vía-violenta-al-socialismo y dictadura-del-partido, haciendo así intolerable su mantenimiento en el contexto europeo de los años setenta, es sorprendente si se piensa que el partido había desarrollado desde quince años antes toda una estrategia de vía pacífica al socialismo en perfecta coexistencia con el leninismo. Así, por ejemplo, la emblemática consigna del partido en su última clandestinidad de "alianza de las fuerzas del trabajo y de la cultura", que había acompañado todo el crecimiento de la oposición democrática, se había justificado teóricamente ya hacía años en los textos de Lenin[9].

Lo que sí consiguió este particular revisionismo fue aniquilar la alternativa política de los comunistas. El abandono del leninismo[10] marcó el final del proyecto moderno del partido comunista: desvirtuó hasta la invisibilidad el sentido de su labor positiva durante el franquismo y fragmentó la cohesión de su militancia sin la contrapartida de un aumento de simpatizantes y adeptos entre la sociedad civil. Al contrario, el comunismo perdió un apoyo popular y militante en cantidades que no se correspondían, digamos, con el esfuerzo histórico y la labor de concienciación que desde las posiciones marxistas se habían realizado. El partido se hundió en las elecciones de 1979, pero sobre todo a partir de las legislativas de 1982. Después de 1982 su nunca lograda recuperación tuvo que partir del distanciamiento del pasado inmediato, aunque supusiera inevitablemente la renuncia política a un patrimonio que le correspondía legítimamente por su participación en el proyecto moderno que para entonces ya había rentabilizado la otra izquierda: la ex-marxista.

El PSOE que entró en la transición como fuerza socialista por excelencia era un partido recién renovado (1970), con ambiciones de poder, y en el que aún se estaban debatiendo las líneas ideológicas a seguir. El debate en torno al marxismo centró los primeros congresos de la legalidad. De ellos surgió aparentemente reforzada su filiación (no exclusiva) marxista. La retórica del partido en estos momentos lo definía como partido de clase que daba protagonismo a la clase obrera como sujeto histórico y con objetivo de transformar el capitalismo[11].

Resoluciones congresuales ortodoxas aparte[12], las manifestaciones atenuantes de marxismo de dirigentes del partido se estaban produciendo desde el mismo principio de la transición en los medios de difusión masiva, y eran evidentes en su misma línea política, creciendo hacia finales de los setenta cuando el partido se empezó a perfilar como alternativa de poder[13]. Todo lo cual, por otra parte, no era de extrañar teniendo en cuenta los fuertes lazos (siendo el del apoyo financiero desde 1974 especialmente determinante) que unían a la dirección del PSOE con el moderado SPD alemán. El enorme carisma del partido, reflejado en la arrolladora subida de militantes —reclutados de entre las capas de población más jóvenes, presumiblemente procedentes de las clases medias—[14] y el gran triunfo conseguido ya en las primeras elecciones del 1977, está ligado a esa desenfatización de la «línea dura».

Desde la moderación de su no-marxismo y el prestigio de su participación en la lucha antifranquista, el socialismo español podía desempeñar mejor que nadie la labor de contención a que me refería más arriba. El PSOE jugó a fondo la baza de su democratismo a ultranza, como una ventaja tanto sobre la derecha, que aún proyectaba el fantasma franquista, como sobre la otra izquierda, la comunista/marxista, igualmente sospechosa de tendencias totalitarias, sospechas que sus desavenencias internas y pasado estalinista sólo ayudaban a reforzar. Su programa podía presentarse como equidistante de ambos extremos perniciosos y tenía algo para contentar a todos[15]. El desmentido paulatino pero progresivamente categórico de su conexión con un proyecto marxista, así como su rotundo –e histórico– antagonismo con los comunistas, contribuyeron a hacer presentable el discurso socialista en los círculos más conservadores de lo que entonces se llamaba «derecha moderada o civilizada». También desde el discurso socialista, el estigma de antidemocratismo convertía al comunismo marxista en peligroso adversario[16]. Pero para los electores más progresistas debía conservar la promesa de la construcción de un estado social, ajustador de desequilibrios, que era el proyecto de sociedad que en el tardofranquismo se había llamado estado democrático social[17]. Con ello el discurso socialista se erigía en representante y defensor del discurso moderno de oposición democrática, reclamando una continuidad con él, que al tiempo implicaba hacer propio su propósito de ruptura con la estructrura franquista[18]. En esa apropiación –que acaba desvirtuando el proyecto original, aunque necesita hasta cierto punto de su exhibición para establecer su hegemonía– estaba la clave de un consenso social que ninguno de los gobiernos anteriores de centro derecha había conseguido durante la transición.

Es así que la estabilización de la democracia, que homologa el Estado español para su entrada en el mapa europeo, está ligada discursivamente a un proceso de apropiación y desvirtuación del proyecto moderno progresista de oposición democrática. Y en este proceso es crucial el papel de la izquierda, porque sólo desde sus –iniciales– posiciones ideológicas era posible negociar con éxito –y con las mínimas repercusiones traumáticas para los grandes intereses económicos– las "anormalidades" del proyecto democrático español tal y como se perfilaban en el fin inminente del franquismo. Negociación que debía resultar en la perfecta acomodación del país a una coyuntura política y económica radicalmente global. Si la hegemonía de la izquierda en España[19] se inicia en un contexto internacional de involución socialdemócrata y avance agresivo de la derecha, eso tiene una explicación en el carácter tardío y anómalo de la incorporación del país a la modernidad, que tanta presencia y fuerza social había dado en los sesenta y primeros setenta al proyecto y correspondiente discurso de izquierda socialista. Pero esa estancia de la izquierda en el poder acaba siendo una forma específica –ajustada a las condiciones del país– de negociar esas particularidades nacionales en un contexto de integración global progresiva que prescinde cada vez más de los intereses nacionales, y por ello está obligada a neutralizar y liquidar esas particularidades. Octubre de 1982 –con la victoria del PSOE en las elecciones generales– es, en efecto, el final de la transición española, pues culmina con éxito el proceso de integración española en el contexto global y deja vía libre al asentamiento de la postmodernidad.

Con la crisis del marxismo español[20], que tan a tiempo llegaba para neutralizar ímpetus transformadores cultivados en una coyuntura antifranquista, hizo acto de presencia en el panorama político-ideológico del país una crisis de los proyectos alternativos al capitalismo que era global. Al eliminar el socialismo [real] como alternativa de poder, se marcaba el punto final de la anomalía española que había empezado a corregirse económicamente en 1959 y había continuado en la declaración del Estado democrático después de la muerte del dictador. El proyecto moderno elaborado en los años sesenta no podía prosperar en un contexto de integración europea. Con esta liquidación, la fuerza globalizadora del momento postmoderno se imponía con toda su fuerza, dando a España su lugar adecuado en el rompecabezas europeo. El caso español ilustra como pocos la conexión política entre la incorporación a la postmodernidad y el abandono del proyecto de transformación radical de la sociedad tal y como lo había entendido el marxismo hasta entonces.

El momento de la transición es un periodo crucial de adaptación y acomodación de los diferentes agentes sociales al nuevo contexto, y muy especialmente de la izquierda española quien, como se ha visto, se ve necesitada de alterar su comportamiento histórico, o sea, la coherencia de la que fuera su identidad a lo largo del tardofranquismo. Como analista político y cultural, como novelista, como militante comunista, Vázquez Montalbán vive tan inmerso en esa crisis política como viviera en el desarrollo de la izquierda durante el tardofranquismo. Participa en el auge y la caída del eurocomunismo, defendiendo sus propuestas renovadoras, pero sin abandonar el proyecto político socialista y modernizador de los sesenta. Cuando se produce el descalabro de los partidos de izquierda, consumado en la división comunista en 1982[21], Vázquez Montalbán critica duramente a Santiago Carrillo por su abandonismo ideológico[22]. Poco después, en medio de la euforia socialdemócrata con que empiezan los ochenta, su postura de izquierda queda, de nuevo, al margen. En este caso, sin embargo, como defensor de un proyecto rechazado y que ha perdido gran parte del prestigio que disfrutara en el tardofranquismo.

Durante la transición, el autor continúa publicando ensayos políticos como *La palabra libre en la ciudad libre* (1979). Prosigue también la labor periodística con su colaboración en las publicaciones que sobreviven del tardofranquismo *La calle*, *Triunfo* y *Por favor*. Pero estas revistas pronto languidecen y acaban por desaparecer, las dos últimas en 1978, la primera en 1982. En 1979 el autor es contratado por *El Periódico* y en 1984 por *El País*, dos de los diarios más importantes de España, en los que publica con regularidad semanal, pasando así a ocupar una posición central como intelectual creador de opinión. Desde 1975 su producción novelística se hace mucho más intensa. La serie policiaca del detective Pepe Carvalho (iniciada en 1974 y que en 1999 está en su volumen 21) abunda en la preocupación por su mundo contemporáneo, haciendo la crónica crítica de la transición. En muchos de estos escritos periodísticos[23], pero también en su ficción, MVM expresa una misma visión crítica: la transformación de la izquierda a que él mismo ha pertenecido es la poco gloriosa historia de una traición, la evidencia de que la izquierda ha abandonado sus ideas originales, prueba acusatoria que la convierte en principal responsable política y moral del fracaso del proyecto democrático que tantas y tantos defendieran en el tardofranquismo.

1: Aparece Carvalho, investigador privado

La transformación-capitulación de la izquierda parlamentaria española durante la transición es la que MVM reconstruye e investiga en sus primeras novelas de la transición, las carvalhianas *Tatuaje*, *La soledad del manager* y *Los mares del Sur* que analizo a continuación. Esta novelística en los años setenta es, como muchos –incluyendo el autor– han señalado, una crónica de la transición que vuelve a constatar la posición crítica de Vázquez Montalbán y su uso de la narración como vehículo de clarificación. En ella encontramos una disección, una reflexión crítica y acusadora sobre la evolución histórica de un grupo al que el mismo Vázquez Montalbán pertenece, pero del que se distancia cuando aquél abandona sus ideales. Estas narrativas se sirven del proceso indagatorio alrededor de la identidad de los asesinados propio del género para elaborar hipótesis diferentes sobre el comportamiento de esta intelectualidad de izquierdas en continua transformación. A través de la investigación y el esclarecimiento de las identidades de los personajes de estas novelas se desvela un discurso político de acusación a la ex-*gauche divine* crecientemente hegemónica de la España en transición.

En *La soledad del manager* (1977), Jaumá, ejecutivo de una multinacional, es asesinado al intentar desvelar las implicaciones de los intereses de sus empleadores con la política interior española, hazaña con la que pretendía reconciliarse con unos principios de justicia social mucho tiempo atrás abandonados. En *Los mares del Sur* (1979), el millonario Pedrell es asesinado por el ladronzuelo de un barrio al que el primero había acudido a vivir un año atrás para acallar su mala conciencia de clase. Las muertes de estos protagonistas están construidas como el resultado de la imposibilidad para estos personajes de conciliar su concepción racional-materialista y ética de la realidad con su posición en el mundo. Las implicaciones críticas de esta representación se revelan en la constatación de que las víctimas cuyas muertes investiga Carvalho son castigadas en definitiva por haber traicionado sus propios ideales, como se verá en detalle un poco más adelante.

Pero al crear la saga de Carvalho, MVM no está únicamente haciendo la crónica de la transición española a la democracia desde su postura crítica de progresista traicionado. Además de eso, está creando un alter ego que se enfrenta a la realidad de sus casos criminales en gran medida de la misma manera que el intelectual lo hace al mundo que critica en todas sus intervenciones[24]. En Carvalho hay un espejo que repite a MVM y un retrato muy mejorado de lo que el intelectual de izquierdas, en medio del desarrollo y posterior crisis del eurocomunismo, desearía ser.

Ha sido común entre la crítica el comentario de que Carvalho representa a MVM porque expresa su punto de vista sobre el mundo, o porque comparte gustos del autor que son del dominio público[25]. La identidad entre Carvalho y Vázquez Montalbán que quiero proponer aquí tiene, sin embargo, menos que ver con el contenido de las ideas o comportamientos expresados por ambos que con la ocupación de una determinada posición en la realidad y el desarrollo de una labor concreta. Es así que la forma en que se construye textualmente la posición de Carvalho guarda similitudes cruciales con la posición del intelectual de izquierdas, según como la entiende MVM. El detective funciona como un significante textual equivalente al de este intelectual, y su análisis nos revela la extensión y limitaciones del pensamiento de izquierda y su actividad en la España democrática.

Pensemos por un momento en la figura del detective privado tal y como todos la conocemos. ¿Cuál es su cometido? La labor del detective es indagar con el propósito de aclarar. Enfrentado a un presente inexplicable y oscuro, el del cadáver, le pagan para volver al pasado e iluminarlo. Dispone únicamente del final de una historia que no le ha sido contada, consecuencia final, un cuerpo sin vida, de una cadena de causas previas, y su éxito depende de que construya una narrativa con una coherencia interna basada en la causalidad y que desemboque en la explicación del crimen.

Del mismo modo, la función pública del intelectual MVM puede caracterizarse como la de explicar, aclarar, ofrecer hipótesis racionales a una situación que se resiste a ser explicada, y finalmente divulgar la información que encuentre con el propósito de crear conciencia crítica. Cuando el objeto de estudio del intelectual es una indagación política en su realidad contemporánea, es fácil que su labor se convierta en una lucha por desenterrar lo que se resiste a ser expuesto, por ejemplo, el pasado como fuente de información que arroja luz sobre el presente. Recordemos que ya en *Informe sobre la información* MVM había planteado la representación de la realidad moderna que proporcionaban los medios de comunicación de masas como una sucesión de hechos inalterable y sin origen, y la labor útil del periodista como la de intervenir para contrarrestar ese efecto. El comentario del joven comunicólogo tiene eco otra vez en 1995:

> El descrédito de la memoria significa que es innecesario recordar las causas de los actuales efectos. Lo importante son los efectos. [...] ¿Por qué hay marroquíes que se ahogan en el estrecho de Gibraltar tratando de llegar a Europa? ¿Por qué hay somalíes que se mueren de hambre y se movilizan los ejércitos del Norte para llevarles bocadillos? [...] Plantear el porqué de estos efectos implicaría encontrar una culpabilidad histórica a las causas que los han provocado[26].

En esta cita se observan claramente las similitudes en el planteamiento de la realidad social con las de la novela policiaca. La realidad con que se enfrenta el intelectual, como el cadáver para el detective, se le impone, no sólo como un hecho ineludible, sino también como una superficie impenetrable que aparenta carecer de toda conexión con el resto del mundo. En ambos contextos, el presente se resiste a ser iluminado, y la labor crítica del intelectual-detective debe consistir en luchar (con más o menos riesgo) para vencer esa resistencia y así generar conocimiento. Queda entonces

71

en evidencia cómo la figura del detective es el perfecto sujeto enunciador para el intelectual, así como un lugar claro de identificación con él. La labor del detective encarna la alegoría de lo que es la práctica del intelectual de izquierdas: clarificar sin descanso, consciente de las propias limitaciones y de la lejanía de la utopía, pero también reconociendo lo imprescindible de la propia labor.

En cada una de sus aventuras Carvalho será capaz de desentrañar el misterio que le han pagado para que resuelva, al tiempo que la narrativa deja claro una y otra vez que la solución del enigma no contribuye en absoluto a la restauración de un orden fundamental. Antes al contrario, más bien ratifica la idea de que el desorden está inscrito en las mismas reglas que rigen la sociedad en la que se vive. La solución del crimen queda entonces como una concesión a la utopía que es necesario mantener, y como un testimonio de perseverancia: el crimen se ha cometido, se está cometiendo cada segundo, y renunciar a solucionarlo es abandonar la lucha. La premisa gramsciana, pesimismo de la razón y optimismo de la voluntad, mantiene —escépticamente— en activo tanto al detective Carvalho como al intelectual Manuel Vázquez Montalbán.

Si esta relación es cierta para toda la trayectoria intelectual de MVM, hay además un sentido diferente, y mucho más específico al periodo de transición y asentamiento de la democracia —hasta el punto de quedar obsoleto después— por el cual Pepe Carvalho es también la encarnación de la utopía de lo que el intelectual puede llegar a ser.

Al modo de los detectives en la tradición del Philip Marlowe de Raymond Chandler o el Sam Spade de Dashiell Hammett, Pepe Carvalho, el héroe de las novelas policiacas de Manuel Vázquez Montalbán, es un *outsider*, un ser radicalmente desengañado y escéptico, incapaz de un comentario positivo, esperanzado o alentador sobre la realidad de la que se ha apartado cuanto ha podido. En este género de novelas, la relación del investigador con el mundo es exclusivamente profesional. El detective no acepta ataduras ni compromisos, su implicación con el mundo es puramente monetaria. A pesar de estar construido como un ser marginal a la realidad, es al mismo tiempo la mayor autoridad en ella. Su marginación es el resultado de una profunda implicación previa, que pertenece a la prehistoria de su presente profesión de *private eye*. La construcción de autoridad más frecuente que encontramos en las novelas negras es la de la pertenencia pasada del detective a algún aparato del estado, ya sea ideológico o coercitivo: ejército, policía, sistema judicial... Este pasado es, de hecho, lo que hace posible construirle como un punto de vista fiable de la realidad. Es decir, por mucho que se nos presente al detective como a un antihéroe, por mucho que reniegue y descrea de esas instituciones-pilares de la sociedad capitalista, lo cierto es que la pre-historia del detective es el elemento clave de construcción de su posición de autoridad, la que justifica su saber y legitima sus instrumentos investigadores. Habrá, entonces, una diferencia sustantiva en la visión de la realidad que la narración propone según la forma en que se construya ese pasado.

La pre-historia de Pepe Carvalho es de naturaleza bastante peculiar. En sucesivas novelas y de forma fragmentaria[27] nos enteramos de que el detective ha militado en las filas del clandestino Partido Comunista español a finales de los años cincuenta, periodo en el que desarrolló su labor política contra el régimen dictatorial de Francisco Franco. Desengañado de la política del partido, abandona el país para acabar ingresando en la CIA. Su profesión de agente se desarrolla inmediatamente antes a la de detective privado en la que los lectores le conocemos[28]. Tanto la política del Partido Comunista como la de la CIA son ferozmente atacadas por Carvalho. Ahora, ¿por qué debería un pasado de estas características constituir la base de la autoridad y la fiabilidad del punto de vista del detective barcelonés? Sólo podemos responder a esta pregunta si volvemos al exacto contexto histórico en el que se produce y representa al personaje.

Carvalho es concebido como personaje en los primeros años de la década de los setenta. Acontecimientos históricos de esa época tan dispares como el auge del eurocomunismo, la continuación de la guerra en Vietnam o el golpe militar de Pinochet en Chile, hacen recordar que este detective es una criatura de la Guerra Fría, producida cuando es aún difícil pensar más allá de una realidad dominada por el equilibrio del terror que la caracteriza. A lo largo de esta década y principios de la de los ochenta, Carvalho va perfilando su historia al par que su creador está inmerso en los debates de su partido sobre eurocomunismo, que quiere ser, precisamente, una tercera vía al socialismo que supere los ya existentes capitalismo y socialismo. No por casualidad, Carvalho ha pertenecido a las dos "instituciones" emblemáticas de las potencias mundiales que constituyen el equilibrio del poder desde la segunda guerra mundial, el Partido Comunista y la CIA. Como resultado, el detective acumula el saber práctico de haber estado afiliado tanto a los engranajes del comunismo como a los del capitalismo, y tal como lo conocemos en las novelas, ha superado ambas filiaciones. Su fiabilidad, su autoridad radica precisamente en la superación dialéctica de ese antagonismo, en la que el personaje incorpora los saberes de ambos polos en una síntesis enriquecedora. Carvalho se convierte así, simbólicamente, en un sujeto post-Guerra Fría *avant la lettre*, que ha sido capaz de superar el equilibrio del terror, para situarse más allá. Gracias a ello puede ocupar una posición enunciadora ideológicamente imposible en su contexto histórico. De ahí su postura privilegiada y la legitimidad de su visión del mundo. Por mucho que el detective sea el prototipo del descreído y su visión explícita del mundo sea siempre negativa e iconoclasta, su posición no es la de la absoluta negatividad[29]. Ciertamente Carvalho es un personaje hecho de negaciones y rechazos. Sin embargo, su derrotismo está contrarrestado por su capacidad para superar las contradicciones del callejón sin salida creado por una mentalidad limitada estructuralmente a concebir el mundo según el equilibrio de las superpotencias propio de la Guerra Fría. Su posición se contrasta continuamente en las novelas de los años setenta con la de los personajes para los que trabaja o a los que investiga, antes intelectuales de izquierda, que representan el arribismo y abandonismo que está en el núcleo de la crisis de la izquierda en la transición. Contra éstos se recorta nítida la figura de Carvalho, limpio de servidumbres y siempre certero en sus críticas, el personaje más fiable del mundo fictivo de Vázquez Montalbán.

Así, la etapa de transición produce para Vázquez Montalbán el *alter ego* más perfecto del intelectual de izquierdas como excavador y desvelador de verdades convenientemente ocultadas. En la maraña de la transición, donde se confunden ideologías por el bien del consenso, aparece oportunamente Carvalho, para adjudicar nombres, historias y finales a todos los que preferirían olvidarlos. El detective, aún "buscador de verdades históricas y populares", como de joven proponía su creador mismo, se resiste a abandonar las herramientas racionales para desentrañar el mundo.

2: Se sientan las bases de la serie carvalho: *Tatuaje* y la transgresión del mito popular

Tatuaje[30] narra las peripecias del detective barcelonés Pepe Carvalho para averiguar la identidad de un ahogado que ha aparecido en una playa cercana a la capital catalana. Una mujer perdidamente enamorada, un capo de barrio y una red de traficantes de droga guían, a su pesar, unas investigaciones que llevan a Carvalho de Barcelona a Amsterdam y de vuelta al barrio Chino de la Ciudad Condal para dar, por fin, con la más vieja de las historias, la del crimen pasional.

Como las dos novelas de la serie que la siguen —*La soledad del manager* (1977) y *Los mares del Sur* (1979) —, *Tatuaje* empieza con un acercamiento tangencial al objeto central de la historia: la presentación fallida de unos personajes y un espacio que, involuntariamente, activan el detonante de la historia cuando encuentran el cuerpo muerto del crimen, y con este hallazgo finalizan su funcionalidad. La estrategia contribuye a desorientar al lector, convirtiendo el primer capítulo en simple antesala de la verdadera historia, y obligándole a empezar de nuevo el proceso lector con la única carga del cuerpo del delito a cuestas. Típicamente, esta primera sección construye una pequeña narración con autonomía en sí misma: en una playa familiar en las afueras del norte de Barcelona, el clásico *voyeur* se deleita observando a una joven bañista. Desde la mirada indiscutiblemente masculina de ese narrador anónimo —prácticamente idéntica en su sexismo a la que propone Carvalho—

asistimos al plácido desarrollo de práctica tan habitual. La acción entra en la descripción con la locución "fue entonces cuando", que marca una incisión definitiva en el transcurrir monótono de un tiempo hasta entonces sin sentido: "Fue entonces cuando vio el cuerpo flotando sobre las aguas, convertido en un tope mutuo con el patín"(7). Con esta frase la narración introductoria acaba de apuntar de forma irreversible a su desenlace, en el que culminará la tensión, y en el que se concentra su funcionalidad: producir la presencia del enigma. La naturaleza fortuita e inexplicable, tanto como ineludible e incómoda del presente —"La evidencia del cuerpo exánime se impuso a la degustación de la mujer"(8) – se imponen para despertar nuestra curiosidad de lectores tanto como la de los personajes, para revelar el presente súbita y brutalmente, como una realidad inexplicablemente violenta y contaminada por el mal. La diferencia entre los atónitos bañistas y el lector es que la necesidad de devolverle a ese acontecimiento su razón en el mundo se une para el lector a la promesa de que sí hay una respuesta a la incógnita del presente dentro de la narración. Porque si la primera sección finaliza imponiendo la presencia de la muerte con su reclamo de protagonismo absoluto e inapelable, la segunda sección se abre con la presentación de un Carvalho tan conocido por sus dotes profesionales que vienen a sacarlo de la cama para proponerle el caso. La elipsis que construye el puente significativo entre esas dos secciones garantiza, cuando menos, la presencia de esa promesa textual de resolución del enigma, por supuesto en la persona del profesional. Promesa que las novelas de Carvalho jamás defraudan.

La tarea de Carvalho se define desde el principio como la búsqueda de la identidad del ahogado, que ha aparecido sin rostro, con las mejillas y los ojos comidos por los peces: "Me interesa saber quién es ese hombre y a qué se dedicaba" (12), le dice su cliente. Desde el inicio, por tanto, la pregunta principal se desplaza del quién (cometió el asesinato) / cómo (se ahogó el muerto) al otro quién (era el ahogado). La indagación sobre la personalidad del muerto debe consistir necesariamente en la reconstrucción de una narración coherente de su pasado. De forma ineludible esta narración acabará devolviéndonos al presente y a los motivos de lo que se irá revelando como asesinato, pues las causas de su muerte forman parte de esa reconstrucción de la identidad del ahogado. Sin embargo, el planteamiento de la problemática y la justificación de la indagación que da prioridad a la identidad del muerto por encima de la del asesino, va a ser característica recurrente en la primera narrativa policiaca de MVM. La estructura de la novela policiaca, que organiza la narración en forma de una indagación e interpretación del pasado en función del presente, se utiliza al servicio de la iluminación de las identidades de sujetos que han perdido su unidad coherente. *Tatuaje*, publicado con Franco aún en el poder, ensaya por primera vez esta fascinación con el enigma de la identidad, en una trama que sólo indirectamente puede conectar la indagación sobre la personalidad del ahogado Julio Chesma con una rebeldía marcada por su clase social.

La mirada sobre la realidad de la novela que se está describiendo no es la de un narrador desconocido, omnisciente y pretendidamente neutral. Es la mirada parcial e interesada de Carvalho, aunque nos llegue a través de una tercera persona narrativa[31]. Carvalho está inmerso en esa realidad que, por ello, nunca es tratada como un banco pasivo de pruebas que esperan pacientemente ser reveladas. Carvalho se enfrenta a un mundo que descifra con las armas de su propia experiencia personal. La trama avanza siempre gracias a sus intuiciones, nunca a partir del descubrimiento de pruebas fehacientes e incuestionables: "En alguna parte, no sabía dónde, antes o después de que Chesma iniciara el camino hacia la muerte, una mujer había quedado impresionada para siempre por su vitalidad, por su fuerza. Carvalho no sabía si tenía aquella fijación por la canción en sí o si debía agradecérsela a su instinto" (131). El detective se implica personalmente en sus historias, sin actuar con la falsa asepsia del investigador-doctor que diagnostica el mal y lo extirpa sin que ese proceso interese a su propia subjetividad. Su saber, sus descubrimientos nacen siempre de una personalización del caso que le ocupa: "¿Por qué busca a ese muchacho?", respuesta: "Un presentimiento. Tal vez se trate de un amigo" (30).

Por tanto, no se jacta esta narrativa realista de interpretar el mundo de una vez por todas. Pero tampoco insinúa que toda interpretación de éste sea equivalente a cualquier otra, igualmente válida y, por ello, igualmente inválida. *Tatuaje* asume las contradicciones del uso del modo realista como una praxis ante la necesidad de interpretar la incógnita con la que interesadamente se nos ofrece el presente. La novela termina habiendo propuesto *una* visión de la realidad que no oculta su parcialidad, aunque pretende imponerla con convicción.

En esta primera entrega de novela realista de MVM, los tics del detective los conforman ya la costumbre de encender la chimenea con los libros de su completa biblioteca, y la transgresión de la imagen aceptada del *gourmet* en su afición pantagruélica por la comida[32]. Por otra parte, Carvalho se presenta ya como el apóstata cínico, de vuelta de todo tipo de vinculaciones gregarias: el detective es el ex-comunista ex-agente de la CIA ex-consumidor cultural. Sin embargo, todo ese saber adquirido conforma la condición de posibilidad de su capacidad presente de actuar, desde el uso iconoclasta y residual del capital cultural adquirido, hasta el manejo de las coordenadas ideológicas fundamentales de la situación mundial de guerra fría en la que se inserta. La construcción de esta posición privilegiada revela la necesidad de presentar una perspectiva sobre el mundo que aspira a comprender la totalidad:

> Contra su costumbre, había comprado prensa. Sendos ejemplares del *New York Times* y *Le Monde*. Hacía dos meses que no había leído un periódico y le pareció que las cosas estaban donde estaban. Si no padeciera las últimas consecuencias de cuantas majaderías leía, hubiera creído asistir al espectáculo de una pandilla de locos y mangantes, auténtica carne de presidio toda aquella chusma de señores del mundo.(99)

El detective se sabe producto –por mucho que marginal y periférico– de un contexto global. Su trabajo de detective consiste en manipular en provecho propio esa capacidad que tiene de entender los sucesos del mundo en una totalidad. Carvalho sabe de la conexión entre el crimen y el poder, y de la posibilidad limitada de su propia actuación para desafiar y subvertir esa relación intrínseca. Desde esta primera novela, actúa por separado, cuando no en contra, de todas las fuerzas coercitivas legales (Policía Nacional, CIA). Desde esta primera novela dice limitar su lealtad al que hace fuerza de trabajo de su labor indagatoria. No a la Ley y el Orden. Esta afirmación, por lo demás característica del género, se va a convertir en lugar común de su personalidad de duro. Sin embargo, detrás de esa vinculación medida con dinero, existe la motivación más constante para la lealtad: el compromiso con el desentrañamiento del enigma, el afán por alcanzar una totalidad inteligible:

> [refiriéndose a su cliente] Se ha precipitado al encargarme la investigación y quiere liquidar el asunto. Trabajo hecho, trabajo pagado. Pero eso no [es] posible: yo [estoy] ya excesivamente interesado.
> —¿Por qué? ¿Qué quiere usted?
> —Más dinero. Podría ser una explicación. O simplemente quiero cerrar el caso para mí mismo. Me molestan los enigmas y por eso me dedico a un oficio que consiste en descifrarlos. (180)

Tanto el propósito resolutivo como el alcance y perspectiva en la visión del mundo del detective privado, nuestro guía en esa jornada, quedan, pues, establecidos desde la primera novela de la serie.

Para Carvalho, la observación de la realidad, ya sea de espacios o de personajes, implica recuperar objetos y personas del mundo de reificación y alienación en el que se presentan para ser "consumidos". Por ello, no se trata sólo de enumerar los rasgos aparentes de los objetos descritos, sino de aludir al origen de éstos, a las causas materiales que los hacen aparecer del modo que lo hacen. Para la narración, los espacios son siempre sociales, y no un regalo inocente y neutral de la naturaleza, una hoja en blanco sobre la que se escribe la historia. Por eso no basta la descripción de su contenido, esté compuesto éste por una arquitectura humana o vegetal. Es necesario describir el espacio mismo como integrado y resultado de la misma historia humana. En este caso concreto que ofrecemos, la historia del capitalismo catalán:

> No la habían construido [la villa de Carvalho] en pleno esplen-

dor de Vallvidrera, sino en su segundo gran momento histórico, cuando algunos enriquecidos por el estraperlo de la posguerra habían buscado en la montaña un afortunado mirador del escenario de sus negocios afortunados. Se trataba de enriquecidos menores por un estraperlo menor. Gentes ahorrativas que habían conservado de los tiempos anteriores a la guerra el frenesí por la casita con jardín en las afueras, a ser posible incluso con su rincón para las lechugas, las patatas y las tomateras, fascinantes 'hobbys' de fin de semana y vacaciones pagadas. (18)

Esta visión de la realidad da sentido también a la configuración de sus habitantes. Los individuos están tan sometidos como el paisaje a la lógica social, que da razón de sus identidades, tanto físicas como psicológicas. Teresa Marsé[33], la joven de clase alta que ayuda a Carvalho a resolver el caso, es comparada de la siguiente manera con la prostituta Charo:

Sin la caricaturesca melena, Teresa recuperaba una identidad incuestionable de hija de la alta burguesía, con las facciones bien cultivadas por la buena alimentación, la higiene regularizada y una libertad de expresión que presta al rostro la serenidad del acróbata que trabaja con red. La Charo trabajaba sin red desde que había nacido y Carvalho le adivinaba a veces el rictus canalla de quien se defiende matando o el miedo de quien teme las caídas. El esquematismo del rostro proletario es el de las cariátides: o la risa o el llanto. El rostro de la Marsé tenía la placidez lógica de toda materia que se sabe homologada en todo tiempo y lugar. (160)

Como se puede ver, el narrador tiene buen cuidado de "desnaturalizar" la belleza de Teresa, conectándola y matizándola en relación con su origen de clase. La descripción, además, cobra su sentido sólo en la comparación con la mujer de la clase antagonista. De esta forma Vázquez Montalbán, sin necesidad de hacer conexiones explícitas al nivel del contenido, está ofreciendo una representación dialéctica de la realidad en dos sentidos. Primero, al rechazar la posibilidad de una representación positivista de ésta: es imposible aprehender el sentido de los fenómenos de la realidad (en este caso, la belleza de Teresa), considerándolos de forma aislada, pues obtienen su significado sólo si se los interpreta contra el marco del contexto que los produce (su origen de clase). Segundo, la comparación de Teresa precisamente con Charo, sugiere una conexión entre las realidades que han producido a la una y a la otra. Es decir, sugiere la lucha de clases. La descripción no se limita a manifestar que incluso el físico de las mujeres se explica con una referencia a su origen social, sino que las pone una frente a otra, haciendo que se expliquen totalmente sólo en la comparación mutua. El párrafo alterna las frases referidas a una y otra muchacha, imbrica a conciencia sus respectivas descripciones. Se insinúa así la pertenencia de ambas mujeres a un mismo sistema, el cual no podría haber tendido la red de seguridad sobre la que Teresa puede realizar todas sus acrobacias y excesos, sin haberla quitado de debajo de la vida de marginación de Charo y la clase que ella representa. Así es que aunque la trama principal de la novela nunca desarrolle una ilustración clara de los antagonismos y desigualdades de una sociedad dividida en clases, el texto está diseminando, a través de la mirada del detective, una propuesta de interpretación de la realidad materialista y dialéctica.

El tatuaje, única seña de identidad del ahogado, obsesiona a Carvalho, pues tiene un carácter doblemente desafiador: por su contenido –"He nacido para revolucionar el infierno"– y por la naturaleza misma del tatuaje, que el muerto se hace inscribir en la piel de forma indeleble, en una decisión de construir y manipular la propia identidad en el propio cuerpo. En la investigación de Carvalho se irá revelando la excepcionalidad del personaje anunciada por el tatuaje y que se interpreta como: "un desafío de príncipe renacentista en el cuerpo de un obrero emigrado"(72). La frase insinúa ya lo que es una constante en la novela. MVM intenta usar la estructura que la novela policíaca le facilita para iluminar el carácter social de la rebeldía del marginado Julio Chesma. Joven huérfano, carne de reformatorio y de presidio, del otro lado de la ley desde su nacimiento, se las arregla para prosperar sin escrúpulos: ejerce de macarra y de una manera que nunca se determina, está ligado al tráfico de drogas. Al lado de este perfil tan poco excepcional, los testimonios de los que le conocen aluden reiteradamente a "la diferencia que había entre lo que aquel chico era y lo que podía ser" (107). Y en la frase más reveladora de la novela: "Era lo que hubiéramos podido llamar una «inteligencia desperdiciada por la falta de igualdad de oportunidades»"(130). A lo que esta «falta de igualdad de oportunidades» apunta es a que Julio está condenado a la vida violenta y al mal final del que no escapa, no por su mala índole, sino por su ubicación de clase. La inscripción en la piel de ese tatuaje insinúa una conciencia de clase (infierno) y una voluntad de cambio, el compromiso con la revolución. Estos elementos están sólo enunciados y presentados de forma embrionaria. La narración no explicita ninguna actividad del joven delincuente que realmente ponga en peligro el equilibrio de su sistema social. Es más, Vázquez Montalbán, prudentemente, traslada sus actividades delictivas a Holanda. De la misma manera, tampoco se ofrece un señalamiento concreto de la responsabilidad de ese sistema social. Todas ellas son observaciones que probablemente habría sido difícil de hacer digerir a la censura[34], pero que se argumentarán con claridad en la novelas del autor a partir de *La soledad del manager*. Aun así, lo que finalmente no revela la trama en esta primera entrega de novela policiaca de MVM, lo introduce la estructura misma de la indagación al justificar la incorporación de determinantes sociales de clase como datos pertinentes a la investigación policiaca, y que revelan la visión materialista dominante en la narración.

En cualquier caso, estos elementos acaban subsumidos en una lectura de la novela cuya lógica se explica en el melodrama. Y así, la fascinación femenina por un hombre con el cuerpo tatuado resulta ser el único puerto de destino de la rebeldía de Julio:

> Julio había encontrado en Queta por primera vez una mujer psicológicamente inferior que no le daba cultura ni vivencias nuevas, que simplemente le pedía comunicación, solidaridad, incluso enriquecimiento personal que él podía darle, y misterio de juventud y lejanía [...]. Para esa mujer tenía sentido el tatuaje, era el 'slogan' de su vida, un remate de confidencias en aquella cama con dosel, extraña a ambos, en la que el largo recorrido entre la pobreza y la nada propiciarían al hombre a conformar con

una imagen y con palabras la rabia y la idea de su vida: 'He nacido para revolucionar el infierno.'(169)

La única alusión a lo social que sobrevive en esa clausura del texto es la especificación de que ambos amantes pertenecen a la misma clase social. La forma en que Vázquez Montalbán integra en el melodrama la naturaleza inescapablemente social de la identidad de Julio, difumina lo que de denuncia tenía esa identidad, haciendo regresar la interpretación final al mucho menos transgresor ámbito del melodrama.

Esta historia romántica que se superpone y acaba imponiéndose a una interpretación que busca la culpa última del crimen en la estructura social, se construye alrededor de un mito popular: el del marinero que enamora a una mujer en cada puerto, y que se actualiza a través de la versión que hizo famosa en los años cuarenta la conocida tonadillera Concha Piquer con la canción que da título a la novela. "Tatuaje" la compusieron en 1941 Rafael de León y Manuel Quiroga, y cuenta una historia melodramática de amores contrariados. La cantante, presumiblemente prostituta de barrios portuarios, se enamora de un marinero extranjero que conoce durante una noche[35], y que lleva tatuado en su pecho el nombre de la mujer que ama y lo abandonó para siempre. Al partir el marinero a la mañana siguiente, la cantante se tatúa a su vez su nombre sobre la piel y se dedica a vagar por el mundo en su busca. El texto musical original, como bien analiza el mismo Vázquez Montalbán en *Crónica sentimental de España*, había ofrecido tanto un escape como una utopía de rebeldía a las mujeres de la España vencida de la primera postguerra:

["Tatuaje"] la cantaban con toda el alma aquellas mujeres de los años cuarenta. Aquellas pluriempleadas del hogar y de los turnos en trabajos fabriles afeminados.[...] Era una canción protesta no comercializada, su protesta contra la condición humana, contra su propia condición de Cármenes de España a la espera de maridos demasiado condenados por la Historia, contra una vida ordenada como una cola ante el colmado, cartilla de Abastos en mano y así uno y otro día, sin poder esperar al marino que llegó en un barco, al que muy bien podían haber encontrado en el puerto al anochecer. (25)[36]

Estas dos lecturas del mito –la que se apropia directamente el tema de la prostituta enamorada de uno de sus amantes, y la ideológica, que interpreta a este personaje como lugar de identificación de las mujeres de la España vencida en la postguerra española– subyacen en el personaje de Queta, mujer de mediana edad y última amante de Julio Chesma, y son imprescindibles para entenderlo. Los años de la postguerra han pasado ya en el tiempo de la novela, pero Queta conserva el estigma de la mujer de clase trabajadora, atrapada en un mundo mezquino y sin melodrama, capaz de la pasión amorosa que la aboca al asesinato. Ella es una de estas Cármenes de España que ha hecho realidad del mito para convertirlo en tragedia. Por otra parte, Queta no se dedica a la prostitución, pero el haberse ligado –presumiblemente sin amor– a don Ramón –un hombre mayor y con mucho más dinero que ella– acerca su personaje al de la mujer del puerto en la canción.

La conexión del tema de la novela con esta tradición popular le ahorra al autor una elaboración de este personaje femenino, suplida por las alusiones recurrentes a la canción. La coherencia del personaje de Queta y sus acciones se conserva porque el mito de la canción y su sentido en la España de los cuarenta flota en la novela para provecho de quien esté familiarizado con él. La novela se limita a actualizarlo de vez en cuando con la repetición de fragmentos de la canción, y a explotar interesadamente uno de sus aspectos: la fascinación de la prostituta-cantante que se enamora del marinero de paso. A su costa crea una colección de maduros personajes femeninos, rendidos inútilmente a los encantos del joven e irresistible galán. Este trasfondo del mito popular y su sentido en la España de la postguerra son los que dan razón última del asesinato. Cada una de las actualizaciones del mito en la recurrencia de la letra de la canción a lo largo de la novela es una clave, una pista que apunta al asesino. Desde el momento en el que la narración produce la asociación entre el cadáver del hombre joven, alto y rubio con un tatuaje en la espalda, la lógica de los avances en la investigación de Carvalho pasa a sostenerse grandemente en ella:

> Carvalho aprovechó la tregua verbal para concentrarse en los hechos que habían propiciado su viaje. En el centro de su imaginación aparecía una y otra vez el cuerpo sin rostro de aquel hombre 'alto y rubio como la cerveza'. [...] La canción de la que le había hablado Bromuro le vino de pronto a la memoria [...] La cantaba una mujer que quedó prendada del hermoso extranjero. Del hermoso marino que pasó una noche, sólo una noche, por su vida. ¿Existía esa mujer en el caso del hombre tatuado que estaba buscando? El personaje tenía la dosis de misterio necesaria para que una mujer quedara enganchada en él como los pájaros en el ligue de las ramas. (48-49)

Esa conexión primera no tiene más apoyo que una pura intuición, posible gracias al conocimiento del detective de la cultura popular nacional. Esa intuición se convierte en certeza para el detective, pero no al acercarse la investigación hacia la sospechosa. Al contrario, Carvalho hace de las mujeres de Julio el objeto de sus sospechas, sólo cuando el progresivo descubrimiento de la personalidad de Julio confirma más y más que su identidad se acerca a la del personaje del mito:

> Ante una copa de aguardiente, sobre el cansado mostrador, la mujer de la canción seguía la búsqueda obstinada del hombre que había llegado en un buque de nombre extranjero, con el pecho tatuado sobre el corazón. Carvalho estaba convencido de que aquella mujer existía en el caso presente. En algún lugar, todavía no sabía dónde, una mujer conservaba en su piel las mejores huellas del ahogado. (72)

Precisamente porque el avance de la indagación, motor central de la novela policiaca, depende tan grandemente de ese otro texto popular, es significativo que Queta misma sea un personaje sin apenas voz en *Tatuaje*. En realidad, el hecho no sorprende. Antes bien, es consecuente con el sexismo de la mirada carvalhiana dominante en la novela. El detective construye infaliblemente a todas las mujeres que se le cruzan como objetos sexuales. Ofrezco como muestra una comparación (los ejemplos son innumerables) de la forma en que se introduce al lector a dos personajes centrales de la novela, una es una mujer, Queta, que es peluquera, y el otro su amante, don Ramón:

Tras las puertas de cristal opaco le esperaba [a Carvalho] el cuadro de las últimas parroquianas en el secador, con el rostro comido por el casco y los pecheros blancos. Carvalho examinó las piernas de las peluqueras concluidas en chancletas de plástico rojo. En la retina le quedó la imagen de un trasero pugnante [que resulta ser el de Queta] bajo el guardapolvo azul. (11)

Inmediatamente despúes Carvalho va a conocer a su cliente, don Ramón:

Tras una mesa de oficina de las de antes de la guerra de Corea, un hombre levantaba la cabeza para acoger la llegada de la pareja. El hombre peinaba con eficacia el escaso pelo que le colgaba de los parietales, su rostro blanco y pecoso acogía escasas arrugas para la evidencia de su edad. Vestía un traje gris y bajo la mesa se cruzaban sus pies enfundados en unas chancletas de cuero. (11)

Mientras la descripción de la mujer insiste en su sexualización, destacándose piernas y trasero como elementos de su identificación –aquí puede argumentarse incluso un desmembramiento deshumanizador del cuerpo femenino–, la del hombre se centra en su rostro y su indumentaria, pero hace invisible su cuerpo. La alusión a las chancletas, que se repite en las dos descripciones, cumple funciones diferentes: si en las peluqueras indica el final de un escrutinio de sus piernas, en la de don Ramón concluye el escrutinio de la ropa que lleva puesta.

Pero volviendo a la relación de la novela con el mito popular, la verdadera fascinación de la narración no está en la indagación de la personalidad de la mujer madura que vive fatalmente una de sus últimas pasiones. La identidad objeto de investigación, como he mencionado más arriba, es la del "marinero alto y rubio como la cerveza", que Vázquez Montalbán reconstruye, amplifica y cambia a partir del mito popular. Con ello altera radicalmente lo que en origen había funcionado como una fantasía romántica pensada para la identificación de un público femenino popular de postguerra. En la canción, el marinero es el amante tan ideal como imposible. Es la imagen del hombre fiel hasta la desesperación a su antiguo amor, materializado en su tatuaje. Esa lealtad lo hace inaccesible al amor de otra mujer (la que le dedica la canción y, por extensión, toda la audiencia). Pero por eso mismo es el amor utópico, hecho a la medida de un público eminentemente femenino y educado en los valores eternos de la monogamia católica. Esa imagen es totalmente dislocada por el "marinero alto y rubio" de la novela de Vázquez Montalbán. Julio Chesma, con su colección de mujeres rendidas a sus pies y sucesivamente abandonadas, se une a la legión de don juanes que en el mundo literario han sido, cultivando unas connotaciones de las que carecía el personaje de la canción de Quiroga y de León. En la novela el marinero deja de ser la medida de una fantasía femenina para convertirse en una fantasía masculina. El tatuaje conserva, en uno y otro producto cultural, el carácter de signo representante de la identidad de su portador. La leyenda melodramática en el pecho del marinero de la canción –en el que se lee un juramento de amor dentro de un corazón– se convierte en la novela en el desafío luciferino de la espalda de Julio Chesma –"He nacido para revolucionar el infierno"-. Esa transformación, o relectura, como ya hemos visto, le sirve a MVM para introducir subrepticiamente condicionantes sociales y de clase en su búsqueda de la identidad del personaje. Pero en su afán de insinuar el alcance social de la rebeldía de Julio, le estorba el hecho de que el marinero de la canción es también un hombre obsesionado con un amor no correspondido –"ella me quiso y me ha olvidado/ en cambio yo no la olvidé/ y por siempre iré marcado/ con este nombre de mujer"–, y un ser vulnerable por ello –"en su voz amarga [la del marino] había la tristeza/ doliente y cansada del acordeón".

En la identidad de Julio Chesma las mujeres juegan un papel accesorio. Son objetos de su uso y sus víctimas. Ninguna de ellas ha sido capaz de enamorarlo, es decir, de colocarlo en una relación de dependencia con respecto a ella, única fuente de poder reservada a la mujer cuyo nombre el marinero de la canción se tatúa en el pecho. Con todo ello, Vázquez Montalbán está rentabilizando solo una parte de la tradición popular, la que presenta a la mujer-cantante loca de amor, que Vázquez Montalbán deforma hasta hacerla capaz de dos crímenes. Pero en lugar de desarrollar un personaje que se ajuste a esa imagen, la narración suprime todo punto de vista explícitamente femenino, con lo cual Queta, sus razones y sus sentimientos toman coherencia exclusiva a través de la imposición de Carvalho de su propia visión de los hechos. El detective decide desde el principio que la muerte del ahogado aparecido en Vilassar con un tatuaje en la espalda va a ser una encarnación del mito popular de la prostituta y el marinero, en la versión que él prefiere. Y así acaba siendo. Julio está muerto, Queta apenas habla si no es bajo la intimidación del interrogatorio de Carvalho[37] y don Ramón está demasiado corrupto como para ser portador fiable de alguna forma de verdad.

En la resolución final de los hechos, Carvalho baraja una hipótesis que intenta imponer a Queta: Su marido, don Ramón, enterado de las relaciones ilícitas de su mujer con Julio Chesma, contrata a unos matones para que lo liquiden delante mismo de ella. Esta interpretación encaja sin problemas en la visión que Carvalho tiene de la mujer, enfrentada así a la tragedia de perder a un amante con quien, al fin y al cabo, nunca podría haber tenido una relación autorizada y homologada socialmente. A pesar del interrogatorio acosador, Queta nunca admite la versión de Carvalho:

–¿A dónde me lleva?
–A Caldetas […]
–¡No quiero ir! ¡Me tiro del coche!¡No tiene usted ningún derecho! […]
–Luego admite que conocía la existencia de su amigo.
–No. No he dicho eso.
Carvalho se inclinó hacia Queta y le gritó:
–No sea estúpida. La policía no vendría con tantos miramientos y cantaría usted la parrala en menos de un minuto.
–No me grite. No es usted nadie para gritarme. Déjeme bajar. […]
Yo no le diré que Ramón mató a Julio. […] ¡Quiero irme! ¡Déjeme marchar!

Carvalho le pegó un puñetazo en la espalda que le cortó el resuello. (178-181)

Habiendo silenciado a Queta de malos modos, Carvalho se niega también a aceptar la interpretación de los hechos que seguidamente ofrece don Ramón cuando insinúa que fue la misma Queta quien, al verse descubierta y por no perder la seguridad que tenía con él, matara a su amante. Según esta versión, Queta rompe con su imagen de mujer capaz de todo por amor (no por interés) y es por ello inaceptable como explicación final. Aun así, está claro que la verificación de los hechos resulta imposible. Para establecer algo igualmente fiable que permita a la novela concluir con una interpretación coherente, la narración se ve necesitada de introducir un dato más. La última página de la novela ofrece la corrección necesaria en la perspectiva de todo lector perplejo. El detective lee en el periódico el asesinato de Ramón Freixas y la desaparición de Enriqueta Sánchez Cámara. Queta se ha dignado finalmente a encajar en el papel de mujer desesperada que mata a su carcelero, irredimible e inconsolable después de la muerte de su "marinero", cuyo nombre lleva ya para siempre escrito en la piel. Esta, que es la versión dominante y final de los hechos, se corresponde con la preferencia de Carvalho y de la narración misma, dando a la novela el final deseado y más consistente con todo su desarrollo previo.

Todo lo cual lleva a una conclusión que se había adelantado ya anteriormente. La novela impone una versión de la realidad ostensiblemente parcial. Con ello se convierte en un acto de afirmación del poder de la interpretación sobre la realidad, y de su capacidad de transformación e iluminación de ésta. La mirada y la acción de Carvalho sobre la realidad producen un tipo de conocimiento de ésta en el que destacan los condicionamientos sociales y la valoración de la investigación como forma de iluminar la realidad. Es así que *Tatuaje* contiene ya todos los ingredientes fundamentales del realismo del autor: la vocación por la interpretación y aclaración de un presente que aparece sin sentido; la necesidad de ir al pasado para reconstruir ese sentido; la mirada del detective como patrón de interpretación de la realidad; el sexismo y el materialismo de esa mirada; y la desconfianza ante el significado de una realidad de superficies, que impide una relación positivista con ella, y propone, en cambio, una investigación basada en buscar relaciones más que pistas tangibles. Pero, para realizarse, este proceso necesita ejercer una violencia sistemática sobre los personajes femeninos. Es decir, que el abrumador sexismo de la novela no es elemento accesorio, sino central en el cumplimiento de la visión del mundo que ofrece la novela. En esta primera entrega realista MVM encuentra una voz que desarrollará y perfeccionará en sus siguientes novelas, una voz que rearticula la disidencia y el progresismo del autor en una nueva forma de expresión y representación de su labor intelectual. En este caso, para formar esa voz requiere el sacrificio de toda subjetividad femenina. La centralidad que este aspecto tiene en esta novela va a desaparecer en trabajos posteriores del autor, haciéndose el tratamiento de los personajes femeninos más matizado y complejo[38]. Pero en 1974, la narrativa de Manuel Vázquez Montalbán —y con ella la visión del mundo que propone— adolece de una notable incapacidad de integrar una visión no sexista en la concepción, interpretación y crítica progresista de la realidad.

3: La identidad de la izquierda y la primera novela negra

En *La soledad del manager* (1977) y *Los mares del Sur* (1979), segunda y tercera entregas de la serie detectivesca de Carvalho entramos directamente en la problemática política de la transición. En ellas, el autor proyecta una crítica inequívoca a las decepcionantes transformaciones de su contexto histórico contemporáneo. Las dos novelas utilizan la indagación sobre la identidad de los asesinados propia de la estructura detectivesca como artificio para elaborar hipótesis diferentes sobre el comportamiento de la intelectualidad de izquierdas. A través de la investigación y el esclarecimiento de las identidades de los personajes de estas dos novelas se desvela un discurso político de acusación a la ex-izquierda crecientemente hegemónica de la España democrática.

I: La soledad de Carvalho

Antonio Jaumá, importante ejecutivo de la multinacional Petnay, aparece muerto de un balazo, apestando a perfume de mujer y con unas bragas en el bolsillo. La policía cierra el caso diagnosticando ajuste de cuentas de unos chulos a un cliente *non grato*. La viuda no se traga el anzuelo y decide contratar los servicios del detective Pepe Carvalho. El libro se abre con un *flash-back* que relata el encuentro personal de Carvalho con Jaumá unos años antes en la costa oeste de EEUU. Los recuerdos personales que Carvalho tiene de Jaumá aparecen de forma intermitente a lo largo de toda la narración, deteniendo la diégesis, al tiempo que completando el perfil humano del ejecutivo. Vitalista, iconoclasta y cínico, su desbordante personalidad responde a una huida hacia adelante de su propio complejo de culpabilidad.

La soledad del manager[39] se basa en el planteamiento más clásicamente negro[40] de toda la serie, donde la investigación misma va llevando al detective a la necesidad de buscar culpables más allá de lo individual y en la misma mecánica del sistema. En efecto, la investigación acerca más y más al detective a un asesino no individual: la Petnay, una compañía transnacional, las leyes del capitalismo que ésta obedece... y también a sus instrumentos en el contexto de la naciente España democrática: los representantes de la que fuera izquierda y ultraizquierda tal vez sólo diez años antes. Seis personajes, seis amigos, encarnan en la novela diferentes posturas dentro de esa (ex)-izquierda, *grosso modo* clasificables entre los que han superado y reniegan de su pasado de izquierdas militante (Miguel Fontanillas, próspero abogado, Jordi Argemí, empresario de fortuna y el mismo Antonio Jaumá, directivo –manager– de una compañía multinacional, la Petnay) y los que mantienen algún tipo de lealtad a esos mismos principios, apodados "los puristas" (Marcos Núñez, intelectual desencantado, Juan Dorronsoro, escritor, Tomás Biedma, también abogado, pero laboralista, y Jacinto Vilaseca, director de cine). Dice Núñez en un momento: "Yo creo que de alguna manera siempre dependeremos los unos de los otros para conservar la identidad. Cada uno de ellos tiene una parte de mi identidad y yo de la de los otros cinco. Es como un puzzle." (42).

Dentro de esa conciencia unitaria y colectiva que el personaje menciona para explicar la relación entre los amigos viven la víctima y el verdugo –Jaumá y Argemí, respectivamente– del crimen que Carvalho investiga. El manager Jaumá ha abandonado tanto como Argemí, el fabricante de yogurt, un modo de vida congruente con la ideología de izquierdas que los unió en la universidad. Su antagonismo no parece relevante, al menos no tanto como el que les opone a otros miembros del grupo como Biedma, el abogado laboralista o Vilaseca, el artista marginal, quienes, cada uno a su manera, continúan luchando contra el sistema capitalista. Lo que hace a Jaumá peligrosamente diferente es que conserva su conciencia crítica y la lucidez suficiente como para no engañarse sobre su papel histórico ni comulgar con la vida de bienestar y lujo que conlleva la posición de poder que ocupa:

> No podía perder una determinada conciencia de la Historia. [...]
> Es decir, por formación sabía que la clase obrera siempre tiene la
> razón y que él era uno de los administradores del capitalismo a
> la defensiva. Además había un problema de imagen. No quería
> perder la imagen que en el fondo conservaba de sí mismo. Y esa
> imagen estaba en contradicción con la de un explotador habitual.
> (41)

Frente a él, Argemí, que igualmente tiene conexiones con la Petnay y comparte formación y pasado con el manager, es descrito como un individuo absolutamente alienado, que basa las cualidades de la plenitud que vive exclusivamente en sus posesiones materiales (cf. 82-84). La alienación de Argemí le atrofia la moral, cosa que no le ocurre a Jaumá, que acabará asesinado por conservarla. El manager firma su sentencia de muerte al descubrir una conexión tan indiscutible como innombrable entre los intereses económicos y los políticos del país. Conexión que pasa por la violencia terrorista para justificar sus fines. Tal descubrimiento "produjo algo que yo [Argemí] no esperaba. Jaumá sintió la llamada de sus orígenes políticos." (165). Mientras el manager salta al vacío heroico y letal ante la llamada de la moralidad, Argemí no tiene problemas para encontrar una coartada:

La democracia no puede funcionar a base de hostia limpia, pero necesita un cierto terror paralelo, sucio, que arroje a la gente en brazos de las fuerzas equilibradoras limpias. Tímidamente la Petnay empezó a movilizar dinero con este fin.[...] No es que yo me prestara a estas funciones sin serias cavilaciones, dudas, contradicciones personales. Pero incluso desde un punto de vista progresivo mi actuación era justificable. (164-5)

La contextualización que hace aquí Argemí es absolutamente contemporánea con la precaria situación de la democracia española en 1977, amenazada por factores desestabilizadores que diversas voces críticas habían conectado con intereses globales. Pero lo que resulta más revelador del proceso investigador de Carvalho para entender las obsesiones de MVM, no es tanto que demuestre la interferencia ilegal e inmoral del capital internacional en asuntos de competencia nacional. Más significativa es la forma en que hace protagonistas de estas acusaciones a la izquierda. La culpabilidad de Argemí se multiplica por su pasado progresista y combativo, que lo hace mucho más abominable y siniestro. Al elegirlo como asesino, Vázquez Montalbán excarva en la identidad de la izquierda para presentarla como políticamente culpable del giro que irremediablemente va adoptando la situación democrática en España, como instrumento especialmente eficaz para la organización social que en el pasado decía combatir. Dentro de esa izquierda que MVM disecciona a través de los personajes de los seis amigos, no son los "puristas" los que centran la mayor atención de Carvalho y la narración. La estructura de la novela, la que se encarga de reconstruir la relación asesinado-asesino, está ocupada por Jaumá y Argemí, que son personajes que han implicado e hipotecado más o menos su ética personal primera por una vinculación a la clase que años atrás fuera su antagonista, y es eso precisamente lo que les ha dado posiciones de poder. En ese sentido, es posible aventurar que los dos personajes encarnarían las posiciones de la izquierda parlamentaria durante la transición, en su intento por establecer relaciones que les permitan acceder al poder, pero comprometiendo con ello sus principios hasta el extremo de hacerlos irreconocibles. En consecuencia, lo que parece deducirse de esta novela es que la única posición de poder para la izquierda sólo le llega cuando deja de serlo y se convierte en verdugo de la que conserva tanto conciencia crítica como capacidad de acceso a posiciones de poder. Lo ambicioso de la realidad revelada por el proceso investigador en esta novela, que es la primera con un proyecto político expresado abiertamente, la hace también paradigmática de toda la serie que le seguirá. Por una parte, por la forma en que pone de manifiesto la imposibilidad, o la inutilidad de singularizar el crimen en un solo culpable. Segundo, por la forma en que desestabiliza la relación de la culpa con el orden establecido, de forma que los pone siempre del mismo bando. Por último, y más importante, por la relación que establece con la concepción novelística y vital del intelectual de izquierdas. La verdad que Carvalho se empeña en descubrir, contra los intereses de todos, es la misma que acabara con la vida de Jaumá. Y la misma verdad letal que al final de la novela debe valerle a él también la muerte. Jaumá y Carvalho, finalmente identificados en el conocimiento de la verdad: "Tenía [Carvalho] toda la geografía de su cerebro ocupada por la expresión *La soledad del manager*, y minutos después conducía de regreso a casa mientras canturreaba esas cuatro palabras con el soporte de una música que nunca había oído antes, que nunca nadie oirá jamás" (167). Estas palabras con que acaba la novela, y que parecen insinuar –fallidamente, dada la continuación de la serie– el inminente asesinato de Carvalho, el hombre que ya sabe demasiado, a manos de los esbirros de Argemí, apuntan también que el hallazgo de la verdad conlleva el convencimiento de la total impotencia para contrarrestarlo. El esfuerzo que ha requerido acceder a la verdad, no basta. De hecho, el conocimiento aisla, como muestra la frase citada. Y sin embargo, Carvalho arriesga su vida por él. Con ello se destaca que es necesario mantener la labor investigadora, a pesar de todas las imposibilidades y obstáculos que median entre el acceso a alguna forma de verdad que permanece oculta por causas políticas (y no epistemológicas) y la posibilidad de implementar algún cambio a través de este conocimiento. Revelar, sacar a la luz, crear conciencia crítica. En el panorama de una izquierda o inocua, o vendida o asesinada, la única vía eficaz y válida éticamente que la novela de Vázquez Montalbán propone, es la que, a través de la labor solitaria e investigadora de Carvalho, revela la del autor mismo.

II: Variaciones de la metáfora del Sur

Stuart Pedrell, industrial y constructor de gran fortuna, aparece apuñalado en un descampado del extrarradio barcelonés, concluyendo así fatalmente un año de misteriosa desaparición. Como única pista, un papel encontrado en uno de sus bolsillos en el que puede leerse lo que parece fragmento de un poema en italiano: "ya nadie me llevará al Sur"[41]. *Los mares del Sur* plantea el enigma a resolver por el detective como una cuestión de identidad:

> –Recuerdo el caso. No se encontró el asesino. ¿También quieren al asesino?
> –Bueno. Si sale el asesino, pues venga el asesino. Pero lo que nos interesa es saber qué hizo durante ese año. (18-19).

Desde el principio, y de forma análoga a la que se observa en *Tatuaje*, la pregunta principal se desplaza del quién (cometió el asesinato) hacia otro quién (era Stuart Pedrell). La novela desentierra la identidad torturada del industrial asesinado, propiciada por la excusa de investigación que provoca su asesinato, y convertida en el enigma más apasionante que plantea la novela. La labor de Carvalho le va a llevar al descubrimiento de la personalidad esquizofrénica de Pedrell. La clave del enigma, la historia escondida que la investigación-narración revela es la siguiente: al igual que el Jaumá de *La soledad*, Stuart Pedrell vive atormentado por sus contradicciones. Consciente de su papel de explotador y especulador en una realidad que él mismo entiende movida por la lucha de clases (y que le convierte, así, en hombre de "izquierdas"), es incapaz de conciliar su ética con su praxis:

> podía decirse que era un empresario brechtiano, que son los que tienen más futuro. Un empresario alienado no tiene nada que hacer ante el futuro socialdemócrata que les espera. [...] Se com-

portaba esquizofrénicamente. (39) Había convertido su trabajo en una parodia. Lo había distanciado demasiado de sí mismo. Era como dos hombres. El que trabajaba y el que pensaba. (50)

Su obsesión por el Sur, lugar de escape, tanto como espacio de la utopía donde poder superar sus contradicciones, le llevan a huir de su realidad durante un año. Ese Sur particular al que marcha, lugar de peregrinaje y expiación de culpas, resulta ser la barriada obrera de San Magín. Paradigma del fraude y la especulación del suelo que creó todo el extrarradio barcelonés en los años de la gran industrialización de la metrópolis, San Magín se construyó, eminentemente con dinero de Pedrell y sus socios, para acoger a las oleadas de inmigrantes hasta el momento habitantes de chabolas precarias. El industrial vive anónimamente durante un año en esa realidad que él mismo ayudó a modelar. Durante este tiempo trabaja como contable, y se une sentimentalmente a una joven del barrio, Ana Briongos, militante y combativa. Su final tiene pinceladas absurdamente calderonescas: es asesinado por el hermano de su amante, al descubrir éste que la ha embarazado, robándole su "honor".

Una vez más, en el proceso de investigación e interpretación, Carvalho no va en busca de pruebas empíricas para devolverle el sentido a un presente aparentemente inexplicable. Al contrario, en la visión del detective la realidad empírica es engañosa. Los descubrimientos del detective parten de la desconfianza de esa realidad de superficies, que hábilmente pretende ocultar las condiciones que la hacen posible, situación que el narrador trata incansablemente de corregir. De ahí que las descripciones de espacios y personas sean presentados, desde la mirada de Carvalho, como productos de una historia social, como espacios sociales en los que está inscrita la historia del capitalismo que los ha hecho posibles. Esta característica, que ya habíamos observado en *Tatuaje*, se hace aquí especialmente clara en los momentos en que el detective entra en contacto, bien con espacios, bien con personas, de la clase social dominante. La descripción de la belleza, tanto de los unos como de las otras, no es nunca embelesada, no se naturaliza, y parece tener como objetivo principal destacar su ausencia de inocencia:

> Las verjas [en la casa de Stuart Pedrell] ya eran una *declaración de principios* y una cresta de hierros historiados, a manera de crin del dragón vidriado, recorría la espina dorsal del tejado cerámico. *Ventanas gotizantes*, fachadas ocultas por la hiedra, muebles de madera blanca con tapicerías azules en un jardín *riguroso* donde la elegancia de los altos setos de ciprés enmarca la *controlada* libertad de un pequeño bosque de pinos y la *geometría exacta* de un pequeño laberinto de seto de rododendros. En el suelo, grava y césped. Grava *educada* para apenas chirriar bajo las ruedas o los pies. Césped de casi cien años, bien *cebado, cepillado, recortado*, un viejo manto mullido en el que la casa parece flotar sobre una alfombra mágica. Servicio en seda y piqué, negro y blanco. Un jardinero rigurosamente *disfrazado* de payés, un mayordomo con las patillas *homologables*... (41-2) [énfasis añadido]

A los ojos del narrador-Carvalho, la casa es un gran signo social, que su descripción se encarga de descifrar. Esta naturaleza muerta cumple una función en la organización social humana, no es simplemente un espacio vacío y neutro en el que se insertan los individuos. Las ventanas gotizantes sugieren la filiación de la casa al estilo modernista que tuvo su máximo exponente en Gaudí y que materializó la prosperidad de la burguesía catalana en el cambio de siglo. Los adjetivos que califican el jardín, el bosque, la grava y el césped, sugieren insistentemente una intencionalidad detrás de su composición, o sea, un trabajo humano que las ha construido, alejándolas así de un origen natural. Finalizando la descripción del espacio externo de la casa, se reproduce una metáfora común que hace equivaler el césped con un manto mullido "en el que la casa parece flotar sobre una alfombra mágica". El uso del verbo parecer y del sintagma alfombra mágica como término de comparación final con la casa no deja lugar a dudas en cuanto a la política de su representación: el objetivo de todo el trabajo humano puesto, precisamente, a ocultar toda huella de su acción en la construcción de la naturaleza. Del mismo modo, los empleados del servicio doméstico aparecen ocupando posiciones identificables [disfrazado] y verificables [homologables]. No se hace ningún esfuerzo por humanizarlos, precisamente porque son sólo funciones sociales, que alienan la realidad del individuo detrás de la figura del empleado. Por añadidura, los individuos son poseedores de una riqueza cuyo origen se nos revela: "Los Stuart están establecidos en Cataluña desde comienzos del siglo XIX en relación con el tráfico de la avellana entre Reus y Londres" (69-70). La distinción, la opulencia y la belleza consiguientes de sus objetos, sus propiedades privadas, se nos presentan contra el fondo del origen de explotación que los ha hecho posibles: "al final empujó con decisión una altísima puerta de madera de teca labrada. –¡Valiosa puerta!– Fue instalada por el tío abuelo del señor Stuart Pedrell. Tenía explotaciones de copra en Indonesia" (43). Incluso la apariencia física de sus miembros tiene asignada su cuota de origen sangriento:

> Treinta años de ojos azul grises [los de Lita Vilardell] contemplaban a Carvalho, unos ojos que habían heredado todos los Vilardell del fundador de la dinastía, un traficante de esclavos en los años en que ya casi nadie traficaba con esclavos, que volvió a su ciudad con el suficiente dinero para ser conde y que lo siguieran siendo sus hijos. (83) Carvalho le miraba los ojos dinásticos [a la misma], heredados del último negrero europeo y primer negrero catalán. (210)

Inútil, pues, la vía empírica, el paradigma resolutivo del detective da prioridad en su investigación a la busca de relaciones que permitan conectar en una totalidad los elementos dados. En esta comprensión de la realidad los actos humanos son una respuesta, una reacción a su posición relativa en un contexto dirigido por la lucha de clases. Optando siempre por el punto de vista del detective, la narración empieza por crear una hipótesis de la realidad que los hechos, sólo a posteriori, acaban confirmando. Los dos elementos diegéticos fundamentales para el avance y la resolución del enigma, la localización del espacio donde Pedrell pasa el último año de su vida, y la identificación del asesino, se determinan en diálogo hipotético de Carvalho con el muerto. Es decir, no se basan en ninguna prueba tangible. Como es habitual en Carvalho, éste confía en su intuición para descifrar la lógica de los actos de los asesinados y sus muertes. En esta ocasión suplanta la posición de Pedrell, recrea su estado mental y de ahí surge la única hipótesis fiable de trabajo: "El criminal vuelve al lugar del crimen, Stuart Pedrell. Tú te fuiste a San Magín a ver tu obra de cerca, a ver cómo vivían tus canacos en las cabañas que les habías preparado." (107).

Una vez más en las novelas de esta serie, la realidad no ofrece una gama objetiva e inalterable de pistas escondidas pero siempre localizables por la pericia del profesional. Las pruebas fehacientes no son las que sirven de base al avance de la investigación, pues no es posible aceptarlas en su transparencia engañosa. Como veíamos arriba, en la visión de Carvalho la realidad objetiva en la que se obtiene este tipo de datos exige de por sí un desvelamiento de sus condiciones de posibilidad.

La técnica de Carvalho, entonces, se basa en su intuición, y ésta, en la capacidad de entender la información que se tiene en relación dialéctica que resulte en una totalidad coherente:

> La ruina del mapa quedó desplegada ante él como una piel de animal demasiado usado, con las junturas cansadas, casi rotas. Con un dedo señaló la zona [la Trinidad] donde habían encontrado el cadáver de Stuart Pedrell. La mirada viajó hacia el otro extremo de la ciudad. El barrio de San Magín. Un hombre muere apuñalado y a sus asesinos se les ocurre descontextualizarlo. Hay que llevarlo a la otra punta de la ciudad, pero también a un marco en el que su muerte tenga sentido, tenga paisaje humano y urbano adecuado. −¿Fuiste a los mares del Sur en metro? (106)

Este párrafo introduce la hipótesis fundamental en la investigación de Carvalho: San Magín es el Sur al que se escapó el asesinado, el lugar donde pasó el último año de su vida. El establecimiento de la hipótesis, significativamente, se produce en la contemplación del mapa, espacio paradigmático de visualización de conexiones, pues permite la representación de una totalidad que es impensable en el acercamiento cotidiano a la realidad. De la misma forma, el "mapa" de Carvalho, el que le permite colocar las piezas y establecer conexiones entre ellas es un entendimiento particular de la realidad[42]. Este entendimiento conecta los barrios de la Trinidad y San

Magín como contextos similares de marginación y espacios análogos habitados por las clases obreras barcelonesas, por un lado. Por otro, entiende estos espacios en relación con el propio Pedrell y la clase social hegemónica a la que éste pertenece. Sólo así es posible interpretar su huída al Sur con la estancia en un barrio obrero. Tanto Pedrell como Carvalho entienden que las condiciones de existencia del Sur las ha establecido el Norte al que Pedrell pertenece y en el que ejerce. De ahí que el único espacio de redención, el lugar utópico en el que se supere la tortura de sus contradicciones, pueda estar para Pedrell en esa vuelta al lugar de su crimen, en un intento desesperado de identificarse con el Otro, con ese monstruo que él mismo ha creado. Y por eso la frase de Carvalho, "el criminal vuelve al lugar del crimen".

El elemento central de investigación y exploración que facilita la estructura en esta novela es esta metáfora del Sur. Su doble sentido, en la perspectiva implícitamente materialista de Carvalho, hace posible el desciframiento "intuitivo" del enigma. Porque esta particular visión del mundo no está explícita en la novela pero sin ella no tienen sentido las elucubraciones del detective. Su voluntad de interpretación se impone para dar sentido al mundo, y en este caso resultará ser cierta porque la comparte con Pedrell. Concebir la realidad como una totalidad organizada según la lógica del capitalismo permitía en *La soledad* hacer la conexión del asesinato de Jaumá con el papel de España en el equilibrio socio-político del planeta. En *Los mares* esa misma lógica explica la relación entre la utopía del Sur, patrimonio de la Alta Cultura occidental, y las condiciones de posibilidad de la existencia del Sur como Tercer Mundo, todo ello sintetizado en la figura atormentada de Pedrell.

El primero de los sentidos del Sur es el más tradicional y ligado a una cultura literaria que la novela explora, especialmente en la figura de Gauguin y los versos de T. S. Eliot y Salvatore Quasimodo (cf. 100-103) porque es el más afín a la sensibilidad de Stuart Pedrell. Pero el segundo de los significados, que la novela ensambla admirablemente con el primero, es el que le da una dimensión materialista y centra la interpretación del texto en la lucha de clases, patrón de juicio de Carvalho. Aunque la novela parece ir al encuentro del primer sentido del Sur como clave de resolución del enigma, el segundo se revela como el subtexto que, englobando al primero y sirviéndole de base insustituible, da la medida exacta de la identidad atormentada del muerto y la razón de su asesinato.

De hecho, el motivo del Sur ha sido explorado por Vázquez Montalbán en numerosos ensayos, precisamente en los dos sentidos mencionados. La metáfora es especialmente crucial para un escritor, intelectual de izquierdas como nuestro autor, porque convoca el perfil de la utopía, unido a la realidad de las clases y razas más explotadas del planeta. Vázquez Montalbán, el escritor, conoce bien la tradición literaria que ha hecho a los autores soñar con un lugar más allá de las limitaciones y sufrimientos de su realidad presente, frecuentemente ubicado en un sur más o menos real. Vázquez Montalbán, el intelectual de izquierdas, sabe que ese sur utópico es el sueño etnocéntrico del hombre de cultura del Norte, que exotiza y romantiza un espacio que cree virgen y pasivo ("como si el Sur no existiera independientemente de la poesía que le han regalado los del Norte")[43], contribuyendo de ese modo a ocultar la penosa materialidad de todos los proyectos imperialistas de todos los nortes. Solo una vez recuperada la base material e histórica sobre la que se asienta el motivo literario-artístico del Sur —la que lo convierte en el Tercer Mundo—, es posible volver a reivindicarlo como utopía de un mundo diferente. Es decir, una vez se llena del contenido que lo convierte en el lugar de la explotación capitalista por excelencia, y por ello, en el espacio privilegiado de una reacción que transforme la realidad en una sociedad más justa:

> El Sur es la material necesidad de otra organización de vida que resitúe los puntos cardinales y supere la actual división que otorga a los unos el poder, es decir, la ética y a otros la estética. El Sur no es una utopía, una metáfora o una gama de objetos de *collage* para nuestras arquitecturas exteriores o interiores. El Sur es la única posibilidad de Historia que nos queda.[44]

Los mares basa la capacidad de comprensión de su trama y resolución del enigma en un entendimiento de la articulación de esos dos sentidos complementarios de la metáfora del Sur. La huida al

Sur de Pedrell, que ha vivido durante años obsesionado con hacer un viaje a los "exóticos" mares del sur, se materializa en una estancia de un año en el barrio obrero de San Magín, también al sur de Barcelona. Si el exotismo de las islas en las antípodas tiene calidad de utopía por percibirse como el absoluto y romantizado contrario de la propia realidad, la otredad de una ciudad-dormitorio alberga una utopía mucho más comprometedora para el industrial Pedrell: es la única posibilidad de salvación personal para un hombre abrumado por el complejo de culpa:

> Le bastaba [a Pedrell] recorrer unos kilómetros para recuperar todo lo que había sido durante cincuenta años y en cambio permaneció en aquella oscuridad, noche tras noche, interpretando el papel de un Gauguin manipulado por un autor fanático del realismo socialista, un autor cabrón dispuesto a castigarlo por todos los pecados de clase dominante que había cometido. (133)

Al igual que el Jaumá de *La soledad*, Pedrell se debate en unas contradicciones insalvables a las que le enfrenta su conciencia crítica. Su afinidad con el pensamiento de izquierdas le obliga, no solo a asumir su posición social dentro del contexto de la lucha de clases, sino a sancionarlo moralmente. Pedrell se sabe clase dominante y se sabe culpable de ello. Por ello la utopía de un sur inocente en el que refugiarse no es posible para él. El refugio que proporciona un mito cultural es una falsa fachada, como insinúa sutilmente este comentario tangencial: "El señor Stuart Pedrell le quería encargar [al pintor Artimbau] una pintura mural muy importante en su finca de Lliteras. Un muro de contención enorme afeaba el paisaje, y el señor Stuart Pedrell quería que el señor Artimbau se lo pintara." (33) La labor del arte —y la metáfora del sur la inventaron artistas del norte— no es más que un breve consuelo, disfraz que disimula las barreras psicológicas y sociales —muros de contención que se quieren pintados, disfrazados— que impiden que Pedrell se enfrente definitivamente con su responsabilidad en el mantenimiento de una sociedad desigual. La única forma de expiar sus culpas que encuentra Pedrell es el sacrificio personal, la renuncia a sus privilegios de clase, y la identificación con las víctimas de las que él mismo ha sido verdugo. El camino de Pedrell es el de la salvación personal a través del sacrificio entendido en el sentido judeo-cristiano: "Era un sufridor narcisista. Sufría por sí mismo. Tenía una inquietud judaica."(69). Su proyecto de huir y trascender su complejo de culpa está condenado al fracaso por dos motivos: primero, porque plantea una solución individual a un problema que Pedrell sabe perfectamente estructural, lo cual lo condena desde el principio a la inocuidad. La caridad mal entendida no reforma nada de lo fundamental ni puede devolverle la paz a quien, como Pedrell, conoce bien los mecanismos que hacen funcionar el sistema social: "Le costaba [a Carvalho] comprender cómo un hombre puede falsificar su papel sólo para sí, sin la posibilidad de comunicarse"(133).

Los asesinados de las tres primeras novelas de la serie Carvalho, mueren por pretender transcender los límites de su posición de clase, y por ser incapaces de conceptualizar esa transcendencia de forma que implique algo más que su propia persona. Julio Chesma, el cadáver objeto de investigación en *Tatuaje* y perfecto contrapunto de Stuart Pedrell, tiene un proyecto vital y no racionalizado de salir del espacio de clase que por nacimiento le ha sido asignado. Este proyecto está inscrito en su propia piel, en el tatuaje –a diferencia de la leyenda en papel que marca la identidad de Pedrell–: "he nacido para revolucionar el infierno". El infierno de su propia condición de paria, que nunca le abandona en su camino de ascenso social dentro del mundo del crimen. Un deseo fracasado de revolución le lleva a la muerte, pues la revolución como proyecto individual es inviable. Antonio Jaumá, más afín a Pedrell, sufre sus mismas contradicciones, pero se resuelve a superarlas –parcialmente– actuando directamente contra los intereses de las clases hegemónicas. Y muere porque ese proyecto, en lugar de abrirse a una colectividad, le lleva a encerrarse más y más en sí mismo. De los tres, Pedrell es quien más conscientemente afronta la viabilidad de la utopía (el Sur) como alternativa al mundo en el que vive. Por eso la opción que asume es la más claramente insatisfactoria y su muerte aparece, no como la respuesta a una osadía (como en el caso de Chesma y Jaumá), sino al contrario, como el castigo por no haberse atrevido a buscar otra utopía, la que proporcionara la salvación no sólo para él, sino también para las víctimas que él propició. Porque el segundo motivo de fracaso de ese proyecto de realización de la utopía es el estar imbuido del paternalismo de su autor. Stuart Pedrell llega a San Magín dispuesto a hacerse perdonar en virtud de la generosidad de su gesto, creyéndose con derecho a dar consejos a una población que, en realidad, considera inferior. Y esos habitantes del sur le responden apuñalándole hasta la muerte:

Me puso una mano en el hombro el tío asqueroso, y empezó a darme consejos [...] Si no se hubiera enrollado no le habría pasado nada. Pero empezó a largar. Que si yo debía hacer esto. Que si debería hacer aquello. Que si mi hermana era libre y él no era el único hombre en su vida." (203)

Pedro Larios, el verdugo de Stuart Pedrell, descarga sin saberlo en el cuerpo de su víctima el odio de una clase oprimida y condenada de por vida a la dominación, la miseria y la explotación. Esta trágica acción, que a nadie beneficia dentro de la trama, insinúa, sin embargo, la capacidad de respuesta y agresividad de una colectividad oprimida: "el Sur ha demostrado no ser un horizonte pasivo y en su rebelión agresiva se ha percibido una amenaza de fondo contra el estatuto universal que regalaba al intelectual la posibilidad de ser distanciadamente generoso."[45]

La novela ofrece sólo atisbos de las condiciones que podrían propiciar una respuesta válida de ese Sur oprimido, canalizable hacia su conversión en Sur=utopía. En cuanto a personajes individuales, el más positivo de la novela es Ana Briongos, una mujer joven del barrio, madre soltera —está embarazada de Pedrell, que fue su amante por un tiempo—, quien, por su militancia y conciencia de clase, es el personaje con más capacidad para encarnar la esperanza de un futuro distinto —insinuado en la nueva vida misma que lleva en su vientre.

Por otra parte, las únicas escenas en las que se representa una politización (de izquierdas) de la población, o cuando menos se narra la presencia de la política en las calles, es en los momentos que Carvalho pasa en San Magín. Personajes pertenecientes a clases sociales antagónicas expresan en la novela su convicción de que la historia está condenada a un cambio progresivo: "Si la lucha entre comunismo y capitalismo continúa por la vía competitiva, pacífica, ganará el comunismo" (68), dice el Marqués de Munt, coincidiendo completamente con un militante de base del PSUC a quien Carvalho interroga en San Magín. Todos estos momentos hacen referencia a un proyecto colectivo, cuya necesidad Vázquez Montalbán ha expresado repetidas ocasiones en sus ensayos: "Y esa conciencia crítica inventora de la metáfora del Sur sólo estará en condiciones de ser energía histórica, movimiento social, si se encarna en las masas y las articula hacia objetivos de supervivencia, solidaridad, libertad"[46]. No en vano Carvalho pronuncia al final de la novela la necesidad de entender la metáfora del sur como un proyecto democrático, que interesa a todos: "Hace tiempo leía libros y en uno de ellos alguien había escrito: quisiera llegar a un lugar del que no quisiera regresar. Ese lugar lo busca todo el mundo. Yo también. Hay quien tiene léxico para expresar esa necesidad y hay quien tiene dinero para satisfacerla. Pero millones y millones de personas quieren ir hacia el sur." (218)

Para el intelectual y político MVM, los años claves de la transformación de la izquierda española, más que los años de la desilusión y el escepticismo radical, son los años del pasmo. Son los años de la exploración, de la investigación en el por qué de esa transformación de la que en el tardofranquismo fuera —valga la redundancia— izquierda transformadora. En su novelística, esta preocupación se materializa rentabilizando el uso de la estructura propia de la novela policiaca para el esclarecimiento de la identidad de esa ex-joven ex-izquierda que cada vez con mayor claridad está pasando a ocupar posiciones de poder nada revolucionarias en la nueva y democrática España. En las novelas analizadas, la investigación del detective se propone aclarar las identidades de los muertos, proceso que sin remedio lleva a la indagación en el pasado de estos personajes. La incógnita de la identidad no se da en el aislamiento del individuo, sino que se encaja en las estructuras colectivas, dándole a la problemática una dimensión abiertamente política. De forma que el desentrañar las causas de las muertes del manager de la multinacional Petnay y del industrial Pedrell es averiguar sobre una historia reciente del país, en la que estos personajes actuaron, influyendo y siendo influidos por ella.

La centralidad de estos personajes, que encarnan de maneras diferentes pero complementarias posiciones de la *ex-gauche divine* española, va a desaparecer definitivamente de la narrativa policiaca de Vázquez Montalbán en los años ochenta. La fascinación con la transformación histórica de la joven y prometedora izquierda española se diluye en sus novelas al tiempo que esta izquierda se prepara y toma el poder del Estado. La generosidad que demuestra la compleja identidad que Vázquez Montalbán concede a los personajes de los dos asesinados, Jaumá y Pedrell, atrapados fatalmente en sus propias contradicciones de clase, no encuentra paralelo en ninguna otra de sus novelas posteriores. Es decir, la estructura central de las novelas posteriores a *Los mares* prescinde de este tipo de personajes como centro de su tarea indagatoria e interpretativa. En ellas, se pone al servicio de personajes procedentes de una extracción social inferior [la asesina Marta Miguel en *Los Pájaros de Bangkok* (1983); el futbolista asesinado en *El delantero centro fue asesinado al atardecer* (1989); *el asesino y su víctima* en *La Rosa de Alejandría* (1984)], o simplemente al servicio del detective mismo (*Los Pájaros*). El espacio reservado a la representación de los que otrora compusieran la que Vázquez Montalbán llama izquierda señorita, pierde relevancia estructural y riqueza de contenido. Cada vez más se van convirtiendo en personajes-tipo, con tics repetidos, poco matizados y sin ninguna caridad entendedora que los individualice en la representación de una profundidad psicológica. Con tesón inconmovible, eso sí, la serie Carvalho identifica temáticamente a los que sin paliativos considera responsables de la traición de los ideales de la izquierda. Hasta el punto de que se convierten en un lugar común de su serie policiaca y en ingrediente imprescindible de la novela-crónica que constituyen estas narraciones. Entendida de esta manera, la narrativa de Vázquez Montalbán desde 1977 intenta el desarrollo exhaustivo de una afirmación que Juan Marsé ya había establecido premonitoriamente en 1966 con respecto a los jóvenes intelectuales comprometidos durante el tardofranquismo: "Con el tiempo, unos quedarían como farsantes y otros como víctimas, la mayoría como imbéciles o como niños, alguno como sensato, ninguno como inteligente, todos como lo que eran: señoritos de mierda"[47].

Desde *La soledad*, MVM ha utilizado en la novela policiaca el recurso de poner en el camino del investigador una serie de personajes-tipo que, introducidos con un bosquejo rápido, le permiten dar un perfil y proponer para ellos una crítica negativa o ridiculizadora. En estos casos, la crítica se mantiene al nivel del enunciado, pues estas caracterizaciones pertenecen a la periferia de la estructura novelística. La crítica adyacente a los personajes-tipo que representan a la ex-izquierda podría perfectamente haber prescindido de la estructura novelística, y viceversa. De hecho, esa crítica se encuentra prácticamente invariable en su labor ensayística y periodística. Pues bien, lo que en la novela negra montalbaniana de los setenta es una presentación adicional que complementa la preocupación central por desentrañar las contradicciones en las identidades de los cadáveres de la izquierda, desde la década de los ochenta es la totalidad a la que se reduce la aparición de estos personajes. Esta relegación de la izquierda a una posición no determinante de la estructura de la novela sugiere un desinterés progresivo del autor por desentrañar los condicionamientos históricos de la transformación de esta izquierda, al entrar en la década de los ochenta. En su lugar, empiezan a tomar protagonismo los efectos de esa transformación. Aquéllos que lucharon por derrocar la dictadura con un discurso antiburgués, para volverse servidores sumisos y sin memoria del capitalismo demócrata transnacional, cuando llegan al poder son los más interesados en imponer el olvido histórico. Desde *El pianista* (1985) y como reacción a esta situación, Vázquez Montalbán utilizará la estructura de la novela policiaca para proponer su proyecto de recuperación de la conciencia histórica.

CAPÍTULO IV
RESISTIR LA POSTMODERNIDAD (1982-1989)

I: EL ADVENIMIENTO DE LA IZQUIERDA POSTMODERNA

1: El socialismo hegemónico

La llegada al poder del PSOE puso de manifiesto progresivamente la vacuidad de su discurso de izquierda. Para cuando la social-democracia llegó al poder en España, el estado social que le correspondía históricamente defender y desarrollar era cada vez más inviable, y su papel de administrador de un capitalismo que volvía por sus fueros más conservadores le dejaba en una postura cada vez más indecorosa. Para empezar, la política laboral[1] y atlantista de su primer gobierno acabó de cancelar toda conexión con el discurso de ruptura pacífica de la transición, retórica antes capitalizable pero que, una vez en el poder, había dejado de ser funcional. Se impuso, entonces, a nivel ideológico, un reajuste que proporcionara una mayor coherencia entre ideario y praxis de gobierno. En el 30 Congreso del PSOE, celebrado en 1984, se abandonó oficial y definitivamente, hasta hoy mismo, el marxismo. Desde los círculos filosóficos cercanos al partido, se elaboró entonces el socialismo post-marxista. Dentro del contexto internacional de los ochenta, el socialismo postmarxista, como ideología nueva de una izquierda que, además, era hegemónica, pretendía fijar los límites de lo posible y lo concebible de las demandas sociales:

> el socialismo en el futuro va a ser compatible con el funcionamiento del capitalismo, es decir, con el mantenimiento de la propiedad privada y de los mecanismos del mercado para la asignación de recursos. Pero no debe renunciar a la lucha contra la explotación, es decir, contra la desigualdad de poder. Eso hará que el núcleo del ideario socialista se traslade desde la economía a la política, y

que el reto fundamental para la política socialista sea el de cómo extender los efectos democratizadores del poder del Estado a todos los niveles de las relaciones sociales.[2]

El nuevo socialismo postmarxista constituye un punto de inflexión importante en el discurso de la izquierda española. Por una parte, conecta perfectamente con las prioridades de la nueva izquierda, interesadas en la conquista del espacio público para la sociedad civil como constituyente de su radicalidad. Por otra parte, esta conexión indica tanto la respuesta socialista a un nuevo paradigma ñen cuya implantación los socialistas han tenido un papel protagonistañ, como la voluntad de seguir vinculados (o vinculables) a un proyecto de izquierda.[3]

2: La izquierda transformadora

Durante la transición, el eurocomunismo había llevado al primer plano del debate político, tanto en la teoría como en la praxis, problemáticas y constataciones históricas que estaban imponiendo redefiniciones para todo el marxismo occidental:[4] el fin de la concepción de la hegemonía de la clase trabajadora como motor de cambio histórico, la imposibilidad del "asalto al Palacio de Invierno", las crisis de los socialismos reales, el desprestigio de la rigidez en la militancia comunista, el ataque letal de la epistemología postestructuralista a la pretensión totalizadora (totalitaria) del marxismo.

La mayoría de las cuestiones que el eurocomunismo planteaba llevaban décadas formando parte del análisis de la realidad de los marxistas. La diferencia ahora radicó en que la nueva coyuntura de la segunda mitad de los setenta contribuyó a erosionar rapidísimamente la validez, e incluso la legitimidad de su proyecto de transformación social. Después del florecimiento particular de la militancia y del pensamiento marxista que en el tardofranquismo había hecho concebir esperanzas en una hegemonía socialista, ya se ha visto cómo el discurso anticomunista y antimarxista empezó a circular entre los demócratas españoles, y acabó siendo capitalizado por la izquierda más moderada. La izquierda que triunfara en 1982 había despojado a las restantes de un discurso de cambio y un espacio social progresista que les había sido propio. Todo ello vino a complicar considerablemente, tanto en España como en el resto del mundo occidental, ahora como hace quince años, el mantenimiento de una postura marxista transformadora. Ésta quedó condicionada a una redefinición a la defensiva, mientras se veía acuciada por un momento histórico de desarrollo del capitalismo que, hoy como entonces, al tiempo que desautoriza cualquier proyecto alternativo, reproduce desigualdades sociales cada vez más obvias. Esta reordenación en el espacio de la izquierda tuvo una función tan crucial en el cambio que se estaba produciendo en el país, que obligó a los que quedaban a la izquierda de la ideología hegemónica a construirse un nuevo espacio, dispuestos a darle la legitimidad que desde el discurso dominante se les negaba, pero también convencidos de que había que enfrentarse a un nuevo paradigma.

Es así que la "nueva izquierda" española se organizó con la urgencia que provocaba el clima social de los ochenta, con su creciente descreímiento y rampante pragmatismo social, con su euforia desarrollista y especuladora, con su cosecha de *yuppies* y su fiebre consumista e insolidaria. PCE y PSUC, como grandes signos cargados de connotaciones inoportunas, se diluyeron, respectivamente, en las coaliciones Izquierda Unida y dentro de ésta, Iniciativa per Catalunya, creadas en 1986. Se adecuaron las estrategias de cambio a los nuevos puntos débiles del capitalismo tanto como a los de la desprestigiada izquierda transformadora. Al imponerse la vía pacífica e institucional de transformación al socialismo, el problema teórico de la izquierda se fue decantando especialmente hacia la cuestión del Estado, y las posibilidades de romper su alianza con el capital desde la legalidad que el juego de la democracia permitía. Vista la derrota que el Partido Comunista había sufrido en su política de dar prioridad a la vía de la lucha por la transformación institucional –o de participación en las instituciones–, se impuso la conciencia de insuficiencia de la lucha institucional como vehículo de transformación del Estado. Es entonces cuando los llamados "nuevos movimientos sociales" se convierten en el centro de la política de la izquierda cuyo proyecto sigue siendo la transformación del capitalismo en socialismo (comunistas, socialistas a la izquierda del PSOE, movimientos radicales marxistas y no marxistas), que habían reaparecido con fuerza en 1986 a raíz de la campaña por el NO a la entrada del país en la OTAN. La presión de la sociedad civil pasó a considerarse elemento imprescindible como motor de cambio histórico en un contexto en el que el Estado y sus representantes se mostraban incapaces de responder a las demandas populares. Las tendencias libertarias, o de democracia directa, ofrecían formas de presión social masivamente participativas que aparecían como la mejor alternativa al callejón sin salida creado en la izquierda transformadora por el abandono de la vía revolucionaria y por la inocuidad de las vías de la democracia representativa. Se retomó entonces un protagonismo de la sociedad civil y de la concienciación ciudadana que tenía un antecedente en el pasado reciente español. Los movimientos sociales en España se habían desarrollado en los últimos años del franquismo, alentados por los comunistas y también como vías alternativas a ellos, y habían alcanzado su mayor plenitud en los primeros momentos de la euforia democrática, hasta que la izquierda institucionalizada les negara después de los Pactos de la Moncloa un espacio que ella misma había potenciado en el tardofranquismo. Sólo después de la derrota electoral de 1982, los partidos comunistas, ahora ya sin un paralelo efectivo en la política del PSOE, iniciaron su propia reconstrucción partiendo de una autocrítica que se explica en el mal trato que durante los años de la transición se había dado a los movimientos sociales populares y a la práctica de una democracia directa. La incorporación de aquéllos en el partido, la formación de plataformas comunes, se convierte desde entonces en objetivo central de su política, que, en contrapartida, permite una vía real de acceso a las instituciones para estas formaciones, sin jerarquías que privilegien a la clase obrera como sujeto histórico, al proyecto tranformador.

La sociedad civil es, pues, para toda la izquierda, empezando por la postmarxista, la protagonista indiscutible del momento político postmoderno. La diferencia entre el socialismo postmarxista y la izquierda transformadora está entonces en que esta última busca alianzas con los diferentes descontentos sociales organizados en colectivos, en la esperanza de que la conciencia en ellos de la existencia de contradicciones e injusticias particulares conduzca, tarde o temprano, a la de la contradicción del sistema en su raíz.[5]

II: (DES)USOS DE LA MEMORIA NACIONAL

En el proceso de construcción de la España democrática, donde tanta chaqueta se cambió por "el bien de la nación", la memoria histórica no tenía más remedio que convertirse en el enemigo público número uno. Como narración del reciente pasado franquista, como archivo de datos donde se registraba la identidad pasada tanto de franquistas como de socialistas reciclados, la memoria histórica era un elemento comprometedor esencial a transformar en el discurso hegemónico. Su testimonio incomodaba en el proyecto del futuro nacional, y su olvido y arrinconamiento se justificaron precisamente en la más irreprochable tradición moderna y democrática. Había que olvidar odios fratricidas[6] y pasados subdesarrollos si se quería reconstruir, de una vez por todas, una nación moderna y europeizable.

Así, el discurso de una España por fin libre del yugo fascista y de su atraso secular –y por eso nueva– fue poco a poco tomando la forma de una obsesión que insistía hasta el absurdo en una España joven y nueva, que nacía a la historia con la democracia y que estigmatizaba cualquier intento de ser relacionada con un pasado anterior a 1975.[7] En esta formulación de una nueva y joven España, el pasado era la negación misma de la voluntad democrática y europeísta.[8] Por ello, la cultura oficial se vio obligada a negociar un pasado indeseable en formas que fueron del silenciamiento a la apropiación desvirtuada. Y una vez más, en estrategia análoga a la que se pusiera en funcionamiento durante la transición, el discurso era el instrumento ideológico llamado a dar sentido democrático a una realidad servidora de intereses que no lo eran necesariamente. Escojo un ejemplo de su funcionamiento que considero particularmente ilustrativo.

En junio de 1987 se celebró en Valencia un Congreso Internacional de Intelectuales y Artistas especialmente bien subvencionado por el gobierno socialista y con gran cobertura informativa. El evento conmemoraba el que en la misma ciudad y cincuenta años antes, en plena Guerra Civil, habían celebrado intelectuales demócratas españoles y extranjeros por la defensa de la cultura y la Segunda República. En esta –que ya era tercera– ocasión se reunían intelectuales y artistas tan destacados como Guillermo Cabrera Infante, Jorge Edwards, Jorge Semprún, Antonio Tabucchi, Mario Vargas Llosa, Juan Goytisolo, Eugenio Trías y Oriol Bohigas. Durante su intervención en el discurso de apertura, Octavio Paz, uno de los intelectuales más exhibidos por el PSOE, hizo unas declaraciones que causaron un revuelo considerable. Razonaba así el premio Nobel de Literatura mexicano: "¿Ganaron la Guerra Franco y sus partidarios? [...] su victoria se ha transformado en derrota [...] Entonces, ¿quién ganó? La respuesta es sorprendente: los verdaderos vencedores fueron otros [...] Me refiero a la democracia y a la monarquía constitucional."9

Ahora bien, ¿qué sentido tiene decir que la democracia ganó la misma guerra que despojó al país de un gobierno elegido democráticamente y de sus correspondientes instituciones republicanas; que ejecutó sumariamente a 200.000 prisioneros políticos y encarceló a otros 400.000; que envió miles más al exilio; que prohibió las culturas e idiomas de las nacionalidades vascas, catalanas y gallegas; que censuró toda manifestación cultural? ¿Cuál puede ser el propósito de insistir en que la monarquía constitucional ganó la misma guerra que colocó en el poder a un dictador que engañó a sus aliados monárquicos haciéndoles creer que cedería el poder a D. Juan de Borbón una vez estuviera el país "estabilizado"; un dictador que antes de nominarle como su sucesor en 1969, mantuvo prácticamente prisionero al joven príncipe Juan Carlos para adoctrinarlo en los principios del estado fascista? Más allá de la flagrante falsedad histórica de su afirmación, la paradoja de Paz pretende, y consigue, ajustarse a los intereses del discurso hegemónico nacional que le han confiado la delicada tarea de representar.

La clave de la estrategia retórica del escritor mexicano está en establecer una relación directa, casi causal entre dos acontecimientos históricos separados por cuarenta años, la guerra civil y la democracia. El salto atrás permite el hallazgo del perfecto enemigo, la categoría más fácilmente antagonizable: el Franco asociable al fascismo de los años treinta. Y de ahí la pureza inequívoca de la dicotomía que establece: democracia-vencedora contra Franco-vencido. El franquismo como periodo histórico que dura casi cuatro décadas queda cómodamente reducido, borrándose como resultado los papeles que jugaron los diferentes actores sociales y políticos durante todos esos años.

Entre lo que la retórica de Paz convenientemente olvida está la pluralidad de posiciones antifranquistas –legales y encubiertas o abiertas e ilegales– que condicionaron el perfil que después iba a tener el Estado democrático resuelto en una monarquía constitucional. De hecho, en todo el tardofranquismo están enfrentándose dos visiones de la apertura y la modernización española: la exclusivamente economicista de los tecnócratas neoliberales y la demócrata social que sostiene desde la democracia cristiana más progresista hasta el PCE, pasando muy especialmente por los diferentes socialismos. Lo cual significa que para los años sesenta, contra Franco no estaba sólo la democracia. La vanguardia misma del capitalismo, a quien no le preocupaba la falta de democracia, estaba deseando sin embargo verse libre de la reliquia impresentable en que Franco se había convertido. Por tanto, antifranquismo no equivale a democratismo. La democracia que presenta Paz como vencedora del malvado franquismo, como término al parecer unívoco y armonizador, producto acabado y feliz –versión española del final de la historia– es más propiamente el resultado de la lucha librada durante la transición de dos proyectos modernizadores de signo ideológico opuesto. Y en este resultado se han negociado ventajosamente los intereses de clases que no eran precisamente las oprimidas por –ni las ajenas a– el fascismo. En resumen, que democracia y franquismo no son dos compartimientos estancos, contiguos pero separados, por mucho que así se presenten dominantemente en la España democrática. Y el problema mayor de esta interpretación histórica que he analizado en sus implicaciones ideológicas a través de las palabras de Octavio Paz, no es que sea una simplificación inexacta, sino que funciona para facilitar el oscurecimiento y el olvido de antecedentes históricos imprescindibles para entender la evolución de la democracia española.

El olvido histórico que se establece en la España democrática es particularmente radical porque, encima de servir los intereses de los grupos con poder político y económico, se asienta además sobre las premisas de la política de reconciliación que los grupos antifranquistas –encabezados por el PCE– habían apoyado durante todo el tardofranquismo. Para estos últimos, dar la espalda a la Guerra Civil respondía a la necesidad de desmontar una ideología que, al perpetuar un análisis de la realidad española dividida en vencedores-nacionales y vencidos-rojo-masónicos, estaba ocultando la división en clases de la sociedad española de la dictadura y, por tanto, deformando sus necesidades y aspiraciones sociales. La superación del trauma de la Guerra Civil era la superación del Estado que fue su resultado, incluyendo tanto a sus artífices político-militares, como a sus beneficiarios económicos. En ese sentido, el olvido era parte imprescindible de un proyecto moderno y modernizador, aunque perfectamente diferenciado de las tendencias "aperturistas" y modernizadoras de neoliberales y tecnócratas, a quienes beneficiaba la ideología franquista.

El análisis de la cuestión desde una perspectiva más rigurosa de clase lo llevó a cabo el PCE, elaborándolo en 1956 a partir de la consigna de la reconciliación nacional como línea política del partido. Pero los comunistas[11] compartían con socialistas[12] y liberales cristianodemócratas la creencia de que insistir en la realidad de la Guerra Civil y sus resultados anclaba al país en el pasado y –una vez establecida la dinámica internacional de guerra fría– en modo alguno podía servir para encontrar respaldo internacional efectivo contra Franco. La coyuntura internacional era distinta –se decía–, la primera generación posterior a la guerra ya alcanzaba la mayoría de edad. Era tiempo de encontrar una nueva estrategia contra la dictadura, distinta a la utilizada, sin ningún éxito, hasta aquel momento.

Esta retórica no se impuso sin traumas para los que habían constituido la resistencia activa tanto al levantamiento de Franco que inició la guerra, como después a la implantación de la dictadura. Muchos de éstos se opusieron a la –finalmente dominante en toda la izquierda– estrategia política de abandono de la Guerra Civil como punto de deslegitimación del régimen y de la necesidad del pacto entre todas las fuerzas antifranquistas, precisamente porque lo consideraban la antesala al olvido de los que sólo podían definirse como la otredad de aquel levantamiento fascista, los vencidos de la Guerra Civil. Es innegable –otra cuestión es si era evitable o no– que esta nueva orientación en la oposición antifranquista, en efecto, propició el olvido y la imposibilidad de compensación de los sectores más traumatizados y desprotegidos de aquellos vencidos.[13]

III: Centinela de la modernidad

Con su asistencia a coloquios y mesas redondas, con sus apariciones en la televisión y sus colaboraciones en la prensa local y nacional, Vázquez Montalbán apoyó en los ochenta el programa de reconstrucción y reorganización de Izquierda Unida e Iniciativa per Catalunya[14]. Y, sin embargo, su contribución a la configuración política de los ochenta españoles se compone de otras coordenadas complementarias y, en ciertos aspectos, contrarias a las que marca el cambio paradigmático del partido al que está afiliado. Durante toda la década, MVM se resiste a abandonar los principios de la herencia izquierdista de la dictadura. Su postura crítica continúa definida según un paradigma moderno residual[15] desde el que el autor juzga una evolución de la sociedad española que en todos los sentidos –cultural-artístico, filosófico, social, político, económico– ha dejado de pertenecer a este paradigma: su insistencia en la razón crítica le enfrenta al pensamiento único que intentan imponer los socialdemócratas; también lo hace su obsesión con la memoria del franquismo, que además le aleja de sus compañeros de política. Ambas posiciones, y sus correlatos estéticos, ironía y realismo, constituyen el margen que define la verdadera labor crítica de MVM en los ochenta y que revela capacidades de su crítica no subsumibles bajo la fácil rúbrica del escepticismo radical, el desencanto o la nostalgia, que tanto han circulado aplicados a su obra en este periodo para definir la reacción del autor al decepcionante statu quo. Desde esa que él mismo llama atalaya moderna produce el intelectual lo que hay de efectivamente resistente en su trabajo intelectual.

1: Razón e ironía

Ya se ha explicado que desde sus años de formación como periodista y teórico de la comunicación, el escritor barcelonés ha entendido su función intelectual como un compromiso con la realidad social para crear conciencia crítica. Esta concepción está basada en el racionalismo de quien espera/desea que del conocimiento de la verdad surja una reacción consecuente que provoque un cambio. Racionalismo perfectamente coherente con un autor que se ha formado como intelectual en los años en que el marxismo y el positivismo empiezan a influir en la renovación y la apertura del pensamiento filosófico en el tardofranquismo. Pero en tiempos de la socialdemocracia se hace más y más claro que aquella razón que se supone conquistada al fascismo ha dejado de estar en la base del pensamiento democrático dominante y que, en realidad, ha dado paso a lo que en muchas de sus manifestaciones puede presentarse como un nuevo irracionalismo: el pensamiento "débil"[16] de la postmodernidad.

Para formularse como postura crítica la razón que pretende esgrimir MVM necesita una distancia desde la que interpretar. La posibilidad/legitimidad misma de esa distancia entre el sujeto crítico y el objeto de la crítica se ha convertido en terreno de disputa filosófica en la postmodernidad, y ha tenido implicaciones políticas, no sólo diversas, sino de signo opuesto.[17] La retórica socialdemócrata de los ochenta españoles, que se autoproclama como hacedora del mejor de los mundos posibles, proyectada en todo su "esplendor" contra las sombras de un pasado antimoderno y antidemocrático, se apoya en uno de sus principios más reaccionarios, por inmovilistas: el de pregonar la inutilidad/imposibilidad/no necesidad de concebir alternativas al statu quo para imponer y perpetuar su hegemonía. La gran fuerza disuasoria a nivel ideológico de la izquierda hegemónica desde 1982 está en las implicaciones radicalmente anticríticas de su concepción de la realidad. Su carácter ex-marxista no sólo importa a un hombre de izquierdas como MVM porque implique el abandono de una utopía socialista y, con ella, de su herencia definidora, sino también porque en la práctica impide el desarrollo de una concepción dialéctica de su propia existencia, y del sentido alterable y mejorable de la historia que está pasando a protagonizar.[18] Ante esa amenaza, MVM se parapeta con la misma arma objeto de persecución. Porque la posibilidad misma de una oposición de izquierda pasa por la necesidad de revalorar una razón capaz de dar sentido a los espacios de crítica y de concebir y materializar proyectos fuera de los propuestos desde el Estado. Esta propuesta de oposición está matizada por la conciencia de neutralización y complicidad con el sistema pretendidamente criticado que ha tenido el intelectual desde los tiempos del tardofranquismo y que nunca desaparece. Esa conciencia, teorizada en sus escritos sobre comunicación y "actuada" en la literatura subnormal, no le impedía entonces colaborar eficazmente para la caída del régimen. También ahora busca MVM una forma válida y real de oposición intelectual, utilizando los medios de comunicación a su disposición, aún siendo consciente de que es utilizado por la ideología que los mantiene.

En su libro *Felípicas. Sobre las miserias de la razón pragmática*[19], texto aparecido en 1994 y que recopila sus colaboraciones semanales para el diario El País referidas al presidente del gobierno socialista entre 1982 y 1996, Felipe González, MVM da todas las claves de la estrategia intelectual que vengo enunciando:

> Diez años de seguimiento del poder felipista han dado lugar a esta crónica de perplejidades que he realizado desde mi garita de Centinela de la Modernidad. Durante estos años, algunos españoles han alimentado el proyecto felipista, síntesis de la relación dialéctica entre la Modernidad y los barones Von Thyssen. Seriamente desidentificado Felipe González, gravemente envejecida la Modernidad, ya sólo nos quedan los barones Von Thyssen...

El párrafo considera la modernidad como componente de un proceso cuya síntesis es el proyecto felipista, es decir, la realidad española desde 1982 que es el objeto de la crítica de Vázquez Montalbán. De esta forma la modernidad queda definida como un proyecto anterior que el "felipismo", para bien o para mal, integra y supera. Con su expresión "Centinela de la Modernidad", el autor viene a afirmar que su crítica se produce desde una concepción de la realidad que ha venido a ser residual: la realidad de la Modernidad, entendida como el proyecto construido con el tardofranquismo que incorporaba la promesa de un cambio en las estructuras sociales del país, y que el PSOE pretendió en su día encarnar. Su misma descripción delata que la modernidad es un estadio ya superado y con ello delata también la marginalidad en la posición de Vázquez Montalbán. Aún así, el autor quiere ser, en efecto, un centinela, un vigilante y guarda feroz de esa modernidad, y la particular posición de centinela-crítico que ocupa con respecto a la realidad "felipista" es la de atacar ésta sin tregua precisamente por haber abandonado aquélla. Abandono, por otra parte, perpetrado gracias a otro producto eminentemente moderno: la miserable razón pragmática a la que alude el subtítulo del libro. La crítica al abandono de toda razón que no sea la pragmática como arma de transformación social se sostiene en el texto citado con el ejercicio de la razón dialéctica misma que interesa desde el poder hacer residual. En ese breve párrafo la razón dialéctica se manifiesta en el uso obvio de la jerga (síntesis) y de una estructura binaria básica. Sin embargo, su alcance va mucho más allá de este uso que podría no pasar de anecdótico.

Para MVM sigue siendo imprescindible preservar un espacio de crítica, mantener la posibilidad –la necesidad– de su existencia como elemento imprescindible para que así se asegure el dinamismo de la historia en que se participa. Si ésta desapareciera, además, lo haría también su labor como intelectual. En el ejemplo que aporto, el recurso a la dialéctica se expresa a través de una estructura que debilita y socava la autoridad del propio texto: la ironía. Porque, hasta cierto punto, el texto debe negarse a sí mismo si quiere facilitar la existencia de un espacio hipotético de crítica que garantice la regeneración y el movimiento progresivo de la historia. La alusión de MVM a los barones Von Thyssen, asiduos protagonistas de las revistas del corazón, invita al lector a trivializar la dimensión política del comentario del autor. Al hacerlo matiza la autoridad del propio texto, relativiza su enjundia, pero no resulta en la total desautorización de lo que se enuncia.[20] En el apellido alemán se concentra mucho más significado del que proporcionan las portadas de las revistas *¡Hola!* o *Semana*. Conseguir la sede permanente de la fabulosa colección de obras de arte de los Von Thyssen –inversión de la enorme fortuna de una (las otras serían Krupp o Stinner) de las grandes familias capitalistas alemanas, financiadora del ascenso del Hitler– ha sido uno de los tratos más llamativos del gobierno socialista para dar a Madrid rango permanente de capital cultural europea. Por ello es un paso más, en el plano de la cultura, en la integración y equiparación española en Europa, y, en general, en las exigencias del contexto postmoderno. Al utilizar para sintetizar las coordenadas de la realidad española un acontecimiento de gran popularidad –que ha circulado en los ámbitos más pretendidamente anti-intelectuales y apolíticos–, Vázquez Montalbán invita al lector a ironizar el texto, a distanciarse de la crítica que el autor propone, a interpretarlo como un enunciado humorístico que requiere la colaboración del receptor para ser totalmente descodificado y adquirir sentido. Le invita a cuestionar su humor y su seriedad, y con ello estimula mecanismos críticos a la vez que propone un ejercicio de razón impecable. Con la ironía, el texto se abre hacia el futuro lector, como hacia un cómplice al que se incita a participar, facilitándole, retóricamente, una posición de relativa autoridad. Así escapa a la trampa del texto cerrado, autocontenido e irrefutable, autoritario y estático, objeto preferido de la crítica postmoderna. La autonegación que facilita la ironía funciona a través de una estructura enunciativa de reconocimiento de la propia posición y sus limitaciones, que hace posible la existencia de un espacio hipotético de crítica y respuesta al texto. Todo ello le da a la ironía un nuevo valor en la obra montalbaniana, pues la convierte en una aliada de la razón más que en un instrumento para su crítica y sus limitaciones –como lo había sido primordialmente en los tiempos de la "subnormalidad".

En consecuencia, la situación precaria de la crítica que escribe Vázquez Montalbán procede de la ya mencionada neutralización que resulta de poner su pensamiento en el mercado libre intelectual, pero también de la desautorización de la crítica que se impone en el pretendido paraíso de la nueva España democrática. A esta última consecuencia hay que añadir la insistencia de MVM en la memoria del franquismo, que analizo a continuación.

2: Realismo y memoria

Si la defensa a ultranza de la razón alía a nuestro autor con una modernidad residual, el empeño por recuperar la memoria del franquismo vuelve a situarle al margen. Su insistencia contesta un doble olvido: el del pasado de la nueva clase dirigente española, y el de las reivindicaciones de la España aplastada por el levantamiento franquista del 36. Por mucho que ambos olvidos responden a proyectos políticos diferentes e incluso opuestos, sus resultados se aúnan armónicamente para hacer del período modernizador español una etapa amnésica de la reciente historia nacional. Cuando, en consecuencia, la tendencia dominante de la izquierda política del país, la del PSOE y la de la recién creada Izquierda Unida, es a construir una izquierda nueva que prácticamente no utiliza para nada la memoria de la resistencia (tardo)franquista, novelas como *El pianista* (1985) o *Galíndez* (1990) insisten en recuperar la memoria y el sentido que un pasado de esperanza y de lucha tienen para el presente.

Formado culturalmente en la veneración por la cultura popular de la postguerra, y políticamente dentro del proyecto moderno de cambio radical del tardofranquismo, MVM no puede por menos que construir su voz política y estética en la democracia como una resistencia al discurso dominante que, de forma creciente, pretende abolir los trazos más importantes de su identidad, personal y de clase. MVM opone las armas de su quehacer intelectual a esta imposición. El resultado es una práctica estética —una forma de realismo— que es un ataque a la postmodernidad porque propone un entendimiento del mundo que necesita del pasado para significar.

MVM recupera historias del olvido, no como nostalgias de un pasado que no ha de volver, sino como orígenes extraviados de un presente que no se puede entender, ni criticar, ni transformar, sin ellos.

Manuel Vázquez Montalbán publica *Tatuaje* en 1974, novela que inicia la nacionalización del género negro y su particular boom en la España de los setenta y ochenta. La primera novela realista del autor. En los diez años que siguen a la publicación de *Tatuaje*, Vázquez Montalbán forja su figura de escritor *best-seller* con la publicación de seis entregas de la serie Carvalho.[21] En 1985, con la aparición de *El pianista*, su producción novelística se diversifica,[22] alternándose su narrativa no de serie con las nuevas publicaciones de Carvalho, que ya tiene colección propia. Más allá de las distinciones de género (novela negra, novela, ensayo) usualmente utilizadas a efectos de discernimiento crítico, cabe proponer una base común en toda esa producción que se inicia en 1974: su pertenencia al ámbito del modo literario y epistemológico del realismo.

El concepto de realismo contiene en sus premisas dos elementos tan contradictorios como imprescindibles, que mantienen entre sí una perpetua e irresoluble tensión: por un lado, la pretensión de reproducir la realidad de forma fiable; por otro, la evidencia de que toda representación, en cuyo proceso se encuentra la naturaleza artística de la obra, es el resultado de un artificio técnico que crea simplemente un efecto de realidad y que obedece a parámetros historizables e ideologizables. La elección del realismo se hace, pues, incorporando sin remedio sus paradojas y contradicciones.

Desde el principio, el realismo de MVM pretendió ofrecer al lector, no sólo una visión fiable de la realidad, sino un abierto comentario crítico sobre la situación política del país. Por si fuera poco, su propuesta literaria aterrizaba en un contexto nacional que había sido hostil al realismo desde 1962, especialmente al realismo social.[23] No es de extrañar, por todo eso, que la crítica de su novela girara mayoritariamente, sobre todo en los ochenta, alrededor de su uso del realismo. Mientras algunos —sobre todo la crítica producida en el ámbito anglosajón— investigaban la autorreflexividad en sus novelas que atendiera a las limitaciones del discurso literario como representación de la realidad,[24] otros le asociaban con un residual realismo social o bien defendían la oportunidad histórica de la reflexión-denuncia política que llena el contenido de sus novelas.[25] Esta crítica demuestra que el autor ha sido consciente del debate en torno a las limitaciones del realismo y que las ha asumido en su práctica literaria. Asumirlas implica saberse integrado en un contexto si no hostil, sí escéptico con respecto a la función y alcance del realismo, e implica escribir un realismo que integre y responda a esas limitaciones. Como respuesta en este sentido debe entenderse su definición del género negro, al que llama "la poética específica del realismo crítico neocapitalista", y que por eso mismo, dice en 1987, "quedará como un referente o como un injerto que ha hecho posible la continuidad de una novela realista liberada de las servidumbres de todos los realismos"[26]. Aunque la liberación de tantas servidumbres me parece discutible, es significativo que Vázquez Montalbán escoja el género negro como vehículo de una forma legítima de realismo crítico, hasta el punto de convertirlo en la estructura narrativa central de su realismo hasta 1990. Lo cual me lleva a la pregunta ¿por qué el realismo, en general? ¿por qué el género negro en particular? Y dada la naturaleza de mí análisis, ¿qué hay en la forma realista, qué hay en la novela policiaca que favorezca la intervención estético-política de este intelectual de izquierdas en la democracia?

La literatura subnormal había prescindido ostentosamente de la representación textual del tiempo.[27] La estructura principal de presentación del material literario en el periodo subnormal colocaba al lector directamente ante los hechos. De ahí la forma peculiarmente teatral o ensayística de los textos subnormales. Ofrecía con ello un modo de representación mimético —aun en la naturaleza absolutamente inverosímil y absurda del contenido de la producción subnormal—, que podía prescindir de la representación textual del tiempo real, vivencial, y su paso. Con la publicación de *Tatuaje* Vázquez Montalbán inaugura una literatura que necesita esa representación verbal, que obliga a la narrativización del tiempo desde el presente de la escritura, porque se basa en un modo diegético.[28] Sobre la base de éste se hace posible la construcción de la estructura de la narrativa realista –empezando por la policiaca– y, consiguientemente, la representación de la historia, práctica especialmente necesaria dentro de la realidad postmoderna, presidida por lo que Andreas Huyssen llama "the culture of amnesia".[29] Al rescatar a contracorriente una forma de realismo crítico, MVM reivindica la posibilidad de narrar el tiempo, requisito imprescindible para narrar la memoria. Hay que pensar, además, que tanto memoria como realismo son formas de representación de la realidad. Ambas se basan en la presentación de signos de cualquier tipo que, como tales, aparecen en lugar de y sustituyendo a un referente ausente, sea éste la realidad presente o pasada. Ambos buscan remediar una tragedia irreparable, ya sea la de la pérdida en el tiempo de la vivencia, ya sea la de la imposibilidad del acceso a la realidad que se quiere representar. Por eso, la crisis del realismo como modo de representación fiel de la realidad está fundamentalmente ligada a la crisis de la historiografía y la memoria, en la medida en que éstos son también modos de representación de la historia y el pasado en general.[30] No por casualidad Vázquez Montalbán adopta el realismo precisamente en un momento en que se intensifican los ataques a la historia desde los estamentos con poder de la joven España democrática. En la España en que se producen, sus novelas realistas pueden ser una contestación al presentismo del discurso hegemónico que se impone con la evolución de la transición.[31] En este sentido, esta narrativa realista desafía la ideología de la España democrática-y-tendiendo-a-postmoderna que predica la amnesia y la alienación de sus ciudadanos como *modus vivendi* preferible. En este sentido también, la narrativa montalbaniana en la democracia abandona el proyecto subnormal de textualizar la imposibilidad de intervención del intelectual –en este caso relacionada con la representación de la conexión entre pasado y presente–, para lanzarse a un proyecto de intervención que resiste y contrarresta una amnesia colectiva que ha pasado a ser dominante.

Cuando hago alusión a la textualización del tiempo como constituyente crítico en un contexto nacional progresivamente amnésico, no me refiero a la expresión abierta de una denuncia que utiliza el texto como medio transparente. Ni tampoco a la representación nostálgica de un ayer perdido. Estoy hablando de estructura narrativa, de una forma capaz de establecer una conexión indisoluble entre presente y pasado, de forma que en estas novelas ninguno de los dos puede significar de forma aislada, sino únicamente en relación dialéctica, modificándose mutuamente.[32] Estoy diciendo que el realismo de Vázquez Montalbán es la expresión formal de su concepción de la historia. En el concepto de historia que aparece repetidamente en la novela realista de Vázquez Montalbán, el pasado importa y se representa en la medida en que clarifica el presente –lección que enseña la narrativa detectivesca. La representación del pasado es pertinente porque da armas para comprender el presente, para convertir al lector en sujeto histórico. Es decir, para hacerle entender su identidad como el producto coherente de una serie de acontecimientos pasados. Todo ello en la creencia de que esa conciencia es insustituible en el proceso de crear potenciales agentes de cambio de la realidad. En el camino se desvelan necesariamente los mecanismos y materiales de la historia y la realidad interesados en mantener la opacidad del presente.

Es así que el realismo encuentra su puntualidad histórica como instrumento del artista para crear un espacio de intervención pública/política. El realismo de Vázquez Montalbán es literatura abiertamente política, una intervención y una resistencia simbólica ante la urgencia que imponen los ataques en la postmodernidad tanto a la historia como a la necesidad de historizar. Por eso la representación del pasado se va a convertir en el objeto principal de esta novelística, en un intento de esclarecer su relación política con el presente. La representación del pasado se propone desde la narrativa negra como aclaración a un enigma, no como proyecto imposible para el sujeto moderno, ni como nostalgia de un pasado irrecuperable. Obedece a una visión materialista de la realidad y se propone desde el convencimiento de que su ocultamiento favorece intereses concretos en el presente. Lo que busca es revelar las consecuencias hoy de la ignorancia del pasado, representar lo que se ha hecho con éste y las repercusiones que tiene en el presente. El realismo de Vázquez Montalbán es la expresión formal/estética de su concepción de la historia,[33] y sus obras realistas una propuesta alternativa para entender esa historia.

IV: LA NOVELA NEGRA Y EL PRINCIPIO DE LA NARRATIVA HERMENÉUTICA

It is the ceaseless dialectic of past, present, and future that sustains historical consciousness for the social actor as well as the historical spectator, and it is the construction of such actors within a viewing context that provides the present focus. It is a question of form and the content of form. Political art needs to 'convey the sense of a hermeneutic relationship to the past which is able to grasp its own present as history only on condition it manages to keep the idea of the future, and of radical and Utopian transformation, alive'.[34]

[La dialéctica incesante de pasado, presente y futuro es lo que sostiene la conciencia histórica tanto para el actor social como para el espectador histórico, y la construcción de esos actores dentro de un contexto visual es lo que proporciona el enfoque presente. Es una cuestión de forma y del contenido de la forma. El arte político tiene que "transmitir la sensación de una relación hermenéutica con el pasado que sea capaz de captar su propio presente como historia, a condición de que consiga mantener viva la idea del futuro, y de la transformación radical y Utópica."]

Ya se ha establecido que la intervención política del realismo de Vázquez Montalbán, iniciada con su serie negra, no se encuentra sólo en las alusiones a la situación contemporánea que desbordan sus novelas. Es decir, que va más allá del enunciado de una crítica para insertarse en la estructura de la novela. Ésta presenta la realidad inicial como una incógnita, un enigma, un cúmulo de acontecimientos sin sentido. Pero éstos –promete la narrativa negra, cumpliéndolo en la novela de Vázquez Montalbán en todos los casos– se explican en el pasado. La ilustración de ese camino que va del presente al pasado para volver siempre al presente, constituye la novela.[35] O sea, la narrativa policiaca se desarrolla a través de un ejercicio interpretativo que precisa volver al pasado para avanzar con éxito. La resolución del crimen es un proceso regresivo cuyo éxito depende del esclarecimiento del pasado como causa y explicación del presente. Esta concepción se traduce textualmente, al nivel de la trama, en una cronología inversa de la historia, en la cual el detective va en busca de la historia perdida, la historia oculta que precede a y culmina en el principio de la novela: el hallazgo del cadáver. La novela es un proceso de indagación que nos lleva como lectores a la comprensión de los hechos. Saber quién ha matado a quién no es el único placer que nos proporciona esta novela. Entendido únicamente en este sentido, el proceso de lectura significaría una fatigosa carrera de obstáculos con la vista puesta en la meta. Alcanzada ésta, podría darse por superada –consumida– la mercancía cultural. Igualmente gratificante en la reproducción de esta fórmula literaria –e importante de señalar como valor de uso de la novela policiaca– es el proceso de desvelamiento al que prepara de antemano al lector la fórmula de la novela negra, y que le tranquiliza en la seguridad de la posibilidad de saber y entender.

Si tomamos esta estructura como metáfora de la historia, tenemos una concepción dialéctica de ella. El desarrollo progresivo de la historia depende de su relación con el pasado, integrado a su vez –por ser su causa– en el presente. Esa recuperación del sentido del presente, el cual coincide siempre con la contemporaneidad del autor, es, a mi entender, el verdadero hallazgo de la novela realista de Vázquez Montalbán, el que le va a proporcionar más eficazmente la estructura textual básica de intervención artística en su realidad. Aunque se inaugura con *Tatuaje*, y tiene su expresión más clara en la forma del género policiaco, no se limita a éste, sino que se extiende por toda su producción realista hasta la década de los noventa. A esta estructura de ahora en adelante la llamaré narrativa hermenéutica, porque la novela realista de Vázquez Montalbán en este periodo se propone siempre explícitamente como un proceso indagatorio e interpretativo del presente a través del pasado.[36]

1: Ideología del género negro

Las víctimas son consecuencias.

Pepe Carvalho en *Los Mares del Sur*

La publicación de *Tatuaje* en 1974 le ha valido a su autor el título de pionero de la novela negra española, convirtiéndole en referencia indispensable de todas las antologías y estudios críticos de esta modalidad literaria en el país. Mi propósito aquí no es refutar la validez de tal creencia, ni insertar esta obra policiaca de Vázquez Montalbán en una historia nacional e internacional de las formas que ha adoptado el género.[37] Antes bien, siendo mi objetivo valorar el alcance político de la novela de este autor, lo que pretendo es situarla en relación a los estudios críticos que se han hecho con respecto a las implicaciones ideológicas de la forma de este género tan popular.

La novela policiaca de Manuel Vázquez Montalbán se inserta en el tipo duro o *hard-boiled*, que en español, por influencia del francés, se ha traducido como novela negra. Sus modelos son los escritores norteamericanos de los años 20 y 30 de este siglo, sobre todo Dashiell Hammett y después Raymond Chandler. Por lo que al *género* se refiere, surge como explícita respuesta a la anterior novela policiaca de enigma que tiene su origen en Poe y entre cuyos representantes más conocidos podemos citar a Conan Doyle o Agatha Christie. La oposición entre ambos tipos de policiaca parte del hecho de que la novela negra quiere ser una crítica al sistema en el que se inserta la trama, frente a la voluntad reafirmadora de aquél que tiene la novela de enigma. Sus escenarios son fundamentalmente distintos también, la campiña británica en la novela de enigma y la urbe norteamericana en la negra. No se trata, en este último caso, de demostrar la capacidad de ingenio del/la protagonista, ni la eficacia y equidad del sistema de Justicia, ni la creación de la ilusión de que el malvado es siempre castigado, ni la celebración de los valores burgueses que organizan su Justicia en torno al valor supremo de la propiedad privada. Al contrario, el crimen y el robo muestran la ineficacia del sistema, lo ponen en duda, y el protagonista no forma nunca parte del brazo armado de la ley, más bien mantiene relaciones hostiles con él.

Aunque lo que se acaba de decir hace aparecer las dos vertientes del género tan diferentes como la noche y el día, estudios más atentos de la novela negra –especialmente la norteamericana–, demuestran que no es oro (o crítica) todo lo que reluce. Ya en 1962, Ernst Kaemmel, alemán de la ex-RDA, afirmaba que la novela detectivesca dependía de las convenciones de un sistema narrativo en el cual se hallaban codificadas las premisas ideológicas de la sociedad capitalista, lo cual hacía imposible el género en un país socialista.[38] Aunque el autor sostenía tal cosa con respecto a la novela que hemos llamado de enigma, otros trabajos han extendido el argumento a la novela norteamericana.[39] Según estos últimos, la narrativa detectivesca refuerza una forma de ver el mundo patriarcal y capitalista, que ratifica la idea de que el individuo es el lugar donde radica el conocimiento y la verdadera unidad social; que justifica a través de una figura masculina o masculinizada el uso de la violencia, la vigilancia, las técnicas de detección y la necesidad de constreñir los excesos que se producen en el espacio social. Todas estas prácticas pertenecen a una disciplina codificada ideológicamente bajo el capitalismo.

En esta misma línea, críticos desde Dennis Porter hasta Ernst Mandel o Joan Ramon Resina (referido al propio Vázquez Montalbán) han negado toda capacidad llámese crítica u opositora o resistente de este género popular. Por mucho que en la novela negra se critique el sistema de justicia y la corrupción de sus artífices, dicen estos autores, subyace la creencia en el valor último de la valentía y la audacia del individuo, capaz de luchar contra la adversidad, vencer toda dificultad e imponer el Bien –los mismos principios que mueven la sociedad burguesa. Sin duda, también la serie Carvalho es susceptible de crítica en este sentido, desde el momento en que utiliza al detective privado como motor de resolución positiva de la narración, aunque nunca sea capaz de implementar ningún cambio fundamental, ni de restaurar ningún orden social. Es más, este individuo ayuda a perpetuar el patriarcado[41] especialmente a través de una visión claramente machista de la realidad.

A pesar de la importancia de estas críticas, su validez es matizable.

2: El género negro responde

Vigilar, detectar, utilizar la violencia, no son –necesariamente– actividades con monopolio del patriarcado capitalista. Son prácticas que éste se apropia para reproducir su hegemonía. La autoridad del héroe puede, a través de la mediación literaria, rentabilizarse a favor de una lucha por la transformación de la realidad. Esto se demuestra en el caso de Vázquez Montalbán, donde el procedimiento de desenmascaramiento de la verdad no culmina en la adjudicación de culpabilidad en un individuo corrupto que desvía la atención del lector de que el sistema es el que crea todas sus anomalías y excesos. Tampoco las novelas de Carvalho pretenden resolver las crisis y contradicciones del patriarcado capitalista a título personal, o sea, como si el problema se resolviera en el individuo y no en el sistema que lo crea, para así restablecer un orden ficticio después de encerrar al supuesto elemento corruptor del perfecto orden social. Por ejemplo, si algo queda claro al final de *La soledad del manager* es la complicidad de todos unos intereses internacionales dominantes –imposibles de individualizar– en el crimen del ejecutivo Jaumá y, como consecuencia, la imposibilidad de subvertir esos intereses individualmente.

Por otra parte, cuando se indaga en los orígenes históricos del género –que se remontan a principios del s. XIX–, se descubre una relación fundacional con la crisis de la memoria que me interesa especialmente. El desarrollo del capitalismo, como es sabido, trae consigo un vertiginoso proyecto de progreso que exige transformaciones radicales y precisa desarmar y controlar a sus ciudadanos. La consiguiente alienación del sujeto moderno la producen complejas y relacionadas causas de las que voy a destacar sólo la que importa a este análisis. Se trata de la dificultad creciente de concebir el pasado, fenómeno que implica desde los orígenes y causas de la realidad presente del individuo hasta su relación orgánica con la historia personal y colectiva.[42] Las mutaciones de la realidad son experimentadas como sufrimiento por un individuo que ha dejado de sentirse sujeto histórico y pasa a ser objeto pasivo de una realidad que no puede manipular porque no entiende sus mecanismos. La memoria personal misma se cosifica, en el sentido marxista del término, al perderse la relación vivencial con un pasado que se presenta como extraño y ajeno. Richard Terdiman ha definido este fenómeno de pérdida y fracaso de la "memoria natural", perteneciente a la experiencia de la modernidad en Francia como "fracaso de la diacronía": "the mutation of time's difference into disparity, into abstract otherness, in which the element of relation is eclipsed and something like disconnection comes to replace it –such situation really figures a divorce between past and present in which diachronicity is set adrift." [la mutación de la diferencia temporal en disparidad, en otredad abstracta, en la cual se eclipsa el elemento de relación y algo parecido a una desconexión viene a reemplazarlo. Esta situación toma la forma de un divorcio entre pasado y presente en el que lo diacrónico queda a la deriva].[43]

La aparición en este momento del género policiaco es una entre las respuestas culturales a esta experiencia de la modernidad. La novela de detectives, según lo que se ha argumentado sobre su estructura, materializa la preocupación por la falta de transparencia del mundo, por la imposibilidad de descifrar sus signos crecientemente cosificados y alienantes, al tiempo que textualiza la dificultad del ejercicio hermenéutico en la labor investigadora del detective.[44] Por tanto, si bien es cierto que en el origen del género se encuentra una fórmula de contención y manejo simbólicos de los nuevos problemas sociales ocasionados por una clase trabajadora y marginal en ocasiones contestataria[45], también lo es que su aparición responde y supera –simbólicamente– el problema nuevo de la opacidad de la realidad.[46] Y si la crítica parece haber asumido que la una ha pervivido hasta los usos contemporáneos en su función conformadora, ¿por qué razón no habría de haberlo hecho la que contesta una imposición que sigue siendo dominante? Con esta idea en mente, vuelvo al proceso investigador que pone en marcha este género para afirmar que la detección no favorece directa ni automáticamente los intereses de un sistema capitalista. Antes al contrario, los mandatos ideológicos de éste más bien pretenden la obliteración de la causalidad que explica el presente –que siempre se encuentra en el pasado–, prefiriendo mantener, por sus propios intereses, un mundo de objetos y sujetos alienados de cualquier entendimiento de sus orígenes.

Por todas estas razones es importante entender el proceso de indagación en el que se basa la estructura de la novela policiaca en su dimensión transgresora, desafiadora –al menos potencialmente– de una de las premisas fundamentales del orden capitalista del que es producto. Por mucho que el texto policiaco se resuelva en una clausura conformadora, no se puede olvidar que al ajustarse a las premisas del género reproduce un germen de contestación susceptible de ser explotado por sus autores.[47] Entendida en el momento histórico en el que aparece y contra el que se pronuncia y, en el caso presente, integrada en el proyecto vital de un intelectual de izquierdas que entiende su contribución al desarrollo progresivo de la historia –su historia– como creación de conciencia crítica, para estas novelas cabe un análisis que relativice las críticas a la inutilidad de su propósito crítico y valore su relevancia para la creación de conciencia histórica. En mi análisis de Vázquez Montalbán, la narrativa hermenéutica revela al lector una posibilidad de comprensión de la realidad que de otras muchas maneras le está vedada y que es absolutamente pertinente y aplicable a su experiencia vital. El concepto de hermenéutica que rige la estructura de la narración negra coincide con la piedra angular de la labor del intelectual orgánico que propone Vázquez Montalbán para sí mismo y como *conditio sine qua non* para encaminar la transformación social: crear conciencia crítica. En este caso, conciencia histórica. El que esta revelación acabe fatalmente en inmovilismo es discutible. También puede contribuir al desarrollo de una conciencia crítica en el lector sobre su realidad.

En suma, mi análisis de la novela realista de Vázquez Montalbán parte de dos supuestos. Primero, su dimensión política no se basa en una representación ingenua, imposiblemente transparente de la realidad, ni se encuentra simplemente en su contenido crítico. Este último, entre otras cosas, denuncia la situación contemporánea del país y ofrece un panorama sistemáticamente negativo y sin escapatoria. Pero por otro lado, la estructura de estas novelas abre la puerta a la interpretación como garantía más fiable del texto. Y segundo, es necesario rescatar la dimensión crítica de lectura que propone la narrativa policiaca en general para entender su funcionamiento en el contexto de la España democrática y el proyecto intelectual de Vázquez Montalbán.

A continuación, analizo *El pianista* (1985) a la luz de estos presupuestos. La novela, en mi interpretación, se centra en el tema de la memoria histórica para demostrar la conexión de un pasado construido alrededor de la Guerra Civil, con un presente amnésico, y la relevancia de ese pasado para explicar el presente contemporáneo al autor. Partiendo del hallazgo de la narrativa hermenéutica, la novela se convierte en un proceso positivo de representación del pasado franquista en diferentes momentos, en tanto que pertinente para el presente. En mi análisis se verá que *El pianista* representa de forma diáfana el entendimiento de la historia de Vázquez Montalbán, su concepción de la necesidad de historizar como "the narrative reconstruction of the conditions of possibility of any full synchronic form" [la reconstrucción narrativa de las condiciones de posibilidad de cualquier forma sincrónica completa].[48] De esta forma su novela deja de basar su disidencia en la crítica a los responsables del olvido histórico –que había centrado su primera narrativa policiaca–, para pasar a proponer una alternativa real de aprehensión comprensiva de la realidad con inclusión del pasado.

V: *EL PIANISTA* Y LA DIALÉCTICA DE LA MEMORIA

En el lapso de dos años, 1985 y 1986, Manuel Vázquez Montalbán saca a la luz –entre otras– la obra periodística *Crónica sentimental de la transición* (1985); la recopilación de su obra poética desde 1963, *Memoria y deseo* (1986); y la primera de sus novelas realistas no de serie, *El pianista* (1985).[49] Los tres textos son distintos en género pero tienen un común denominador. Ninguno de ellos se sostendría con coherencia sin el concurso de la historia como elemento estructurador. Los dos primeros lo contienen en su mismo título: crónica y memoria, como los dos polos de un mismo proyecto: la voluntad de contar y la necesidad de salvaguardar el espacio de los recuerdos para hacerlo. Dos polos que se relacionan dialécticamente en la ficción de *El pianista* para dar forma literaria a una concepción de la historia a contracorriente.

El pianista está dividido en tres partes que reconstruyen tres historias. Al igual que en la estructura de la novela policiaca, la narración retrocede en el tiempo, de forma que la novela se inicia en 1983 y acaba en julio de 1936, habiéndose detenido en el segundo capítulo en 1942. En cada capítulo un coro protagonista de personajes configura y recrea la situación político-social y/o intelectual-artística de la España del momento. Los protagonistas de la primera parte desarrollan en una noche en la zona del Distrito V barcelonés el entramado de relaciones y frustraciones de una ex-izquierda acomodada en la nueva España socialista y/o derrotada en sus ideales de juventud. La segunda, sin variar sustancialmente el espacio urbano, retrocede cuarenta años para narrar en una tarde las relaciones de supervivencia que establece un grupo de barceloneses vencidos en la reciente Guerra Civil. Por último, la tercera parte sale del país para centrarse en el París de las últimas vanguardias artísticas y en su conexión con la agitación frentepopulista y antifascista de mitad de los años treinta. Un grupo de artistas y bohemios catalanes convive durante cinco semanas inmerso en la conciencia de estar en el ojo del huracán de la historia, para encontrarse al final con que la urgencia histórica tal vez les esté reclamando en otra parte, su propio país. La novela termina con las diferentes decisiones de cada uno de ellos y ella frente a ese dilema que les ha obligado a poner en práctica —de formas encontradas— la defensa de unos ideales que hasta entonces habían sostenido sólo teóricamente.

La articulación de las tres partes de la novela es posible por la utilización de elementos formales que crean un enigma desde el primer capítulo, el de la identidad del viejo pianista en el club Capablanca, que la segunda y tercera partes se encargarán de desentrañar —estructura que MVM puede recoger de la novela negra. Este suspense es el que produce las expectativas en el lector, expectativas que contribuyen a construir la difícil totalidad de la novela. En la disparidad aparente de los tres momentos históricos en que se centra el libro, el lector busca necesariamente una conexión, con el propósito de resolver la incógnita inicial. Exactamente del mismo modo que en la novela negra, los capítulos II y III no pueden dejar de leerse como respuesta y en función del planteamiento de una situación inexplicable en el presente de la narración (que se ofrece en el capítulo I) constituyéndose así la presencia de lo que he llamado narrativa hermenéutica. La diferencia en esta ocasión es que la diégesis no necesita la excusa física del cadáver para movilizar los mecanismos sociales de investigación de las causas de la muerte. La justificación del proceso indagatorio es externa a la historia, viene impuesta sin más por el autor, lo cual no es gratuito, como se verá inmediatamente. En cualquier caso, la asociación del pianista con la muerte se convoca en repetidas ocasiones a lo largo del primer capítulo. Ventura –personaje enfermo de muerte– siente fascinación por él, fascinación que explica por reconocer en el viejo a un "superviviente" (96). La frase que concluye el capítulo contiene las mismas características de clave enigmática que encontrábamos en *Tatuaje* y *Los mares del Sur*.[50] Esta vez será la frase surrealista: *Le cadavre exquis boira le vin nouveau*, convocando una vez más, y en ésta de forma directa, la presencia del cadáver.

La incógnita de la identidad del viejo pianista y su compañera enferma, el enigma de la frase en francés con que concluye la primera parte, construye un puente significativo con la segunda, que encuentra un primer punto de llegada con la aparición del joven pianista Albert Rosell en un terrado de la calle de la Botella. Las conexiones se refuerzan al constatarse la identidad entre el piso que habita el viejo pianista con Teresa en 1983 y el de la cupletista Manon Leonard –que resulta ser la misma Teresa– cuarenta años antes. El clímax cuasi-folletinesco del encuentro entre Albert y Teresa con el que concluye el segundo capítulo toma el relevo como mecanismo creador de la incógnita. El capítulo tercero se abre con la garantía implícita de que se va a desvelar la naturaleza de la relación entre los dos personajes. Y con ella, la de la personalidad del joven Rosell, su conexión con Doria, y finalmente, la solución satisfactoria al enigma que intrigara a Ventura en el capítulo I. Aunque estos mecanismos estructurales puedan considerarse como meros detalles que ayudan a sostener el contenido central de la novela, de hecho tienen un peso excepcional. Constituyen la base principal sobre la que se construye su significado. Así, el proyecto de la novela cobra sentido apoyándose necesariamente en la creencia de que la incógnita en el presente la produce el desconocimiento del pasado. En consecuencia, el pasado es convocado –al igual que en la narrativa policíaca– en función del presente, y para hacer éste comprensible.

Establecido este primer punto fundamental, hay que aclarar que *El pianista* no es una novela de la serie Carvalho. Las prioridades difieren de las de la novela detectivesca. Por ejemplo, *El pianista* pierde interés totalmente por la reconstrucción de las identidades individuales de víctimas o de asesinos. Por eso no se explican en ninguna parte las razones del fracaso y la ruina definitivos de Rosell que vemos en el primer capítulo. ¿Por qué no salió del país acabada la guerra?, ¿por qué abandonó definitivamente su carrera? Este tipo de causalidades no interesan a la novela, como tampoco interesan los motivos particulares del fracaso de Ventura, ni las particularidades de la carrera meteórica de Doria. La característica más sobresaliente de la gama de caracteres y tipos que MVM crea en su novela es su radical historicidad. La historia se hace carne en estos personajes, su identidad individual está conformada intrinsecamente por una historia de la que, por mucho que derrotados o víctimas, han sido y son sujetos. Tampoco se exploran las causas de las derrotas históricas en que están inmersos los personajes (en un caso el fascismo, la guerra civil, el abandono internacional de la causa republicana por parte de los aliados, las luchas intestinas en las facciones de izquierda..., en el otro el proyecto de ruptura convertida en reforma en la transición, los Pactos de la Moncloa, el eurocomunismo...). Estas causas constituyen las elipsis que el lector debe llenar del significado que más convenga a su propia interpretación histórica. El proyecto hermenéutico de la novela está fundamentado en la recuperación de la memoria histórica como fuente de causalidad supra-individual, pertinente a la colectividad, porque conectada con procesos históricos.[51]

Así, la problemática de la recuperación del pasado se introduce en la diégesis de la novela ligada a la representación de una memoria colectiva común –en el capítulo I, la de la ex-izquierda combativa del tardofranquismo; en el capítulo II, la de la España vencida de la primera postguerra–, pero no puede funcionar sólo con la que tienen los personajes que crea. Es decir, el proyecto novelístico de representación de memoria trasciende el horizonte de memoria de ambas colectividades representadas en el capítulo I. La izquierda señorita entiende su presente y su propia memoria en el radio de los veinte años que la preceden y en la exclusividad de su grupo social universitario. Por su parte, el viejo pianista se presenta en ese mismo capítulo con una característica dominante: su absoluta indiferencia ante el mundo que le rodea, indiferencia que el mundo le devuelve, con la única excepción de Ventura, que se siente fascinado por él.[52] Hay una incapacidad absoluta, pues, en estos dos grupos de personajes para conectar entre sí sus respectivas realidades, y por extensión, sus memorias, en el momento en que entran en contacto, tanto como de entenderlas más allá de sus limitaciones de grupo. Para compensarla, el autor se hace responsable de la reconstrucción de esas relaciones frustradas por inconcebibles para los personajes de la primera parte: entre la memoria del tardofranquismo y la de la Segunda República, entre la memoria de los intelectuales y la de las clases populares. En este doble movimiento, diacrónico y sincrónico, es donde está la imposición autorial más obvia y significativa de la novela, que de esta manera se presenta abiertamente como un esfuerzo de conexión que los personajes mismos son incapaces de realizar. Cuando la memoria de los personajes no existe, es la narrativa misma la que debe reconstruir esa relación orgánica con el pasado. A continuación estudio cómo la elección del punto de vista narrativo en cada uno de los capítulos transmite al nivel formal la propuesta montalbaniana para solucionar las limitaciones de la memoria, así como la concepción que tiene de su alcance.[53]

Aunque siempre presidido por una narración en tercera persona, el punto de vista novelístico varía en los tres capítulos. El primero y el último cuentan con una afinidad que los distingue del segundo: los unos proporcionan una visión del mundo limitada a la perspectiva de un solo personaje (Ventura y Rosell, respectivamente), mientras el segundo cuenta con un narrador omnisciente. Esta diferencia es clave y nos permite aislar este capítulo con respecto a los otros dos, que mantienen entre sí un diálogo mucho mas intenso. *Strictu sensu*, el capítulo tercero es suficiente para resolver la intriga que plantea el primero: la relación entre Doria y Rosell, entre Rosell y Teresa, la maestría del viejo pianista en la interpretación de Mompou entre dos actuaciones de cabaret. Es más, el primer y el último capítulos son diametralmente opuestos en más de un sentido. Mantienen entre sí una simetría de contrarios. Por lo que se refiere a los personajes, Fisas es a Ventura lo que Doria es a Rosell: la imagen del vencedor histórico y de lo que hay que pagar para conseguir serlo. El espejo que devuelve la propia figura en toda su crudeza: la del fracasado que conserva la gloria dudosa de no haber aceptado comprometer su ética. Por otro lado, la esperanza y el optimismo histórico en la izquierda de los años treinta es exactamente opuesta a su desesperanza y escepticismo en los primeros ochenta. La ilusión y capacidad creadora de los jóvenes Rosell y Doria, que abarca tanto su arte como su compromiso político, es opuesta por el vértice a la esterilidad de Ventura y sus amigos. Pero sobre todo se ensaña en Ventura, enfermo de muerte, apolítico y escritor que no puede escribir. Es decir, incapaz de crear nada positivo, ni artística ni políticamente hablando y, tal vez por ello, abocado a una muerte segura. Tanto un capítulo como el otro se centran en una intelectualidad dotada del privilegio de la palabra y la cultura como portadora de un proyecto de izquierda (a través de la filiación al POUM en el caso de Rosell, y al Sindicato Democrático y al PSUC en el de Ventura y sus amigos). De forma correspondiente, la narración les otorga el privilegio de narrar la realidad desde su perspectiva. Rosell y Ventura, aunque incapaces de establecer una comunicación válida en el momento en que se encuentran, rodeados de transvestidos que encarnan con especial claridad lo equívoco y cambiante de las identidades,[54] están unidos por su capital cultural. Lo que fascina definitivamente a Ventura del pianista es la genialidad subrepticia que es capaz de identificar en su interpretación al piano. El capítulo III, al ofrecer la visión de la realidad y su papel en ella del joven Rosell, está contestando implícitamente la visión del mundo y su papel en él que Ventura proyecta en el capítulo inicial. Está explicando el desdén amargamente burlón con el que rechaza toda conversación con Ventura en la barra del club Capablanca.

El capítulo segundo, que da indiscutible protagonismo a las clases populares, está mediando y en cierto sentido, estorbando ese diálogo. Su justificación al nivel de la trama es bastante débil: verifica un dato que el lector podría haber supuesto sin dificultad conociendo el final de Rosell y el final del proyecto histórico que él defendía. Rosell pierde la guerra, haciendo parecer inútil con ello el sacrificio de su carrera musical que hizo al volver desde París a una España en guerra. Sin embargo, si se atiende al punto de vista, su necesidad se hace más clara y reveladora del proyecto de *El pianista*. Los requisitos de la trama, básicamente planteados y resueltos entre los capítulos I y III, están construidos a través de unos personajes particulares, intelectuales ambos, incapaces de incorporar en su entendimiento de la realidad la presencia de "las masas populares". En la primera parte es asfixiante la atmósfera de complejo de culpa de clases medias traidoras de sus compromisos revolucionarios de juventud. Ventura critica ferozmente su fracaso y el de sus iguales, y hace aparecer la realidad decepcionante como el resultado exclusivo de esa ya vieja traición de los intelectuales. Por su parte, el joven Rosell, igualmente comprometido políticamente, no puede evitar un complejo de superioridad y desprecio hacia los grupos populares de españoles que encuentra en París. Para él, como para Doria, el compromiso político parece pasar por una comprensión teórica y abstracta de la realidad, y vive tormentosamente sus contradicciones de clase:

La conciencia pequeñoburguesa de sus padres, de sus maestros, partía de una doble decisión, la de no comprometerse con nada que implicara cualquier riesgo de autodestrucción y la de venderle ideas de solidaridad, salvación, redención. Y se reconocía hijo de esa contradicción. [...] La política, para quien vive de ella, decían los filisteos que le rodeaban desde que había tenido uso de razón, mientras que más allá de los cristales empañados de sus casas madrigueras, un puñado de hombres estaba dispuesto a morir por ideales que implicaban a la totalidad del género humano. (263)

El capítulo dos se sitúa entre las representaciones de estos dos proyectos, o fracasados (cap. I) o condenados a fracasar (cap. III), para contestarlos y, en cierto sentido, desafiarlos. Ventura y Rosell nos proporcionan una visión de la realidad que se quiere autosuficiente, al venir acompañada de la capacidad de análisis y autoconciencia de los intelectuales que la proporcionan. El contraste del capítulo central con éstos, ofrecido por un narrador omnisciente, los ilumina con una luz nueva. Permite entenderlos como una visión limitada y privilegiada del mundo. Facilita la idea de que el compromiso y la conciencia histórica no son patrimonio de los intelectuales, y de que la derrota del propio proyecto político lleva a diferentes formas de supervivencia, y no directamente al escepticismo y al cinismo. Con ello, el capítulo contribuye tanto a ampliar como a corregir la visión del compromiso político y su derrota de las otras dos partes. Esta "iluminación", como he mencionado más arriba, es una imposición autorial que se manifiesta formalmente a través del punto de vista omnisciente, y que refleja el proyecto político de MVM, tanto porque recupera una memoria olvidada, como porque señala las causas políticas que han llevado a este olvido en la realidad contemporánea del autor.

Este segundo capítulo tiene especial importancia política si recordamos la arraigada conciencia de sus orígenes de clase que tiene MVM y a la que me refería en el capítulo dos de este trabajo.[55] Su sentimiento de responsabilidad frente a las clases oprimidas, unido al convencimiento de que el lenguaje es un arma que da poder, y cuya ausencia condena, no solo al silencio, sino a la opresión, están indudablemente detrás del sentido de esta parte de *El pianista*. Memoria y lenguaje son partes inseparables en el proyecto de hacer entrar a estas clases en la historia. Sin lenguaje se les arrebata la capacidad de mantener la representación de su memoria, y sin ésta su lugar en la historia desaparece. Los personajes de la Barcelona de 1942 que protagonizan el capítulo dos se enfrentan ya a la realidad del olvido y la discriminación de su memoria. En varios momentos del capítulo los personajes muestran, implícita o explícitamente, su angustia ante esta realidad. La desaparición de la memoria de estas clases está relacionada con su participación en la historia, como masas vencidas por el franquismo, como futuras víctimas del proceso modernizador. En la angustia implícita o explícita que esta seguridad les produce, se encuentra la acusación del autor a la naturaleza política de todo proyecto de olvido,[56] a la relación entre olvido y derrota, a la alienación a que el olvido condena a sus víctimas:

> Estoy quemando fotografías viejas. [...] Mi madre se murió el lunes y me dejó la casa llena de álbumes de fotografías. Cada santo o cumpleaños se regalaba a sí misma álbumes de fotografías que compraba en Almacenes Capitolio, y les iba metiendo miles de fotografías. [...] Pero de cada diez fotografías reconozco a una persona. Estos álbumes están llenos de desconocidos. Nunca sabré quiénes son. No quiero volver a bajar a la calle hasta mil novecientos cincuenta y nueve, hasta que se cumpla el veinte aniversario del fin de la guerra. No puedo saber quiénes son. Nadie puede decírmelo. He probado de convivir con estos álbumes en estos últimos días pero ha resultado imposible. (155-6)

El hijo de la señora Remei, personaje fugaz, creado casi exclusivamente para decir estas palabras, expresa de forma dramática la imposibilidad de convivir con un pasado incomprensible pero omnipresente. La imagen justifica perfectamente el propósito de la narrativa de MVM y contra qué fenómenos se escribe. Expresa impecablemente la existencia de una dialéctica entre pasado y presente y cómo la desaparición de cualquiera de ellas afecta radicalmente a la otra. Este personaje es la encarnación del individuo incomunicado, sin un nombre propio, sin relación con el exterior, que corta conscientemente sus raíces con el pasado indescifrable al quemar las fotografías y al negarse a salir a una realidad que podría ofrecerle algunas claves. Lo que traumatiza al hijo de la señora Remei es el carecer de una narrativa que dé sentido a esos objetos del pasado familiar, y en la pérdida de esa narración está la pérdida de parte fundamental de su identidad. Al tiempo que está manifestando esto, expresa su decisión de permanecer aislado durante veinte años de la realidad presente que le rodea. El personaje no conecta explícitamente esas dos cuestiones, y por ello aparecen yuxtapuestas en su discurso, sin relacionarse mutuamente en ningún tipo de estructura subordinada compleja. Sin embargo, la guerra es uno de los causantes principales de la pérdida de su relación con el pasado. La muerte y destrucción ocasionadas por la Guerra Civil, y que son causa directa de la situación político-social en que no quiere vivir, han cortado radicalmente la relación del individuo con su pasado. Es el franquismo el que, aislando a los vencidos, privándoles de sus relaciones cotidianas con el mundo, en el presente, les aliena, y además crea las condiciones de su futuro olvido. Privado de pasado y presente, privado del privilegio de una identidad coherente construida en la comprensión del pasado –destrucción análoga a la que el franquismo obliga a los vencidos–, el personaje se niega a enfrentarse con la realidad. Al quemar el pasado personal el personaje se imposibilita para enfrentarse activamente al presente. Su negativa a salir a la calle es el resultado de la pérdida de su relación no traumática con el pasado. Y viceversa, su aislamiento y alienación bloquean cualquier conexión con el pasado.

El compromiso del autor de dar voz a estos sectores sociales que han sido privados de ella se resuelve formalmente en la narración omnisciente. La omnisciencia revela la voluntad autorial –revela a MVM–, negándose a ocultar su papel mediador, dador de voz, textualizando la convicción de que el mantenimiento de la memoria depende en una parte significativa del autor y otros poseedores del lenguaje. Así se nos razona además a través de un personaje central en esta parte de la novela:

Me gustaría saber escribir como Vargas Vila o Fernández Flórez o Blasco Ibáñez para contar todo esto, porque nadie lo contará nunca y esta gente se morirá cuando se muera, no sé si usted lo habrá pensado alguna vez. Saber expresarse, saber poner por escrito lo que uno piensa y siente es como poder enviar mensajes de náufrago dentro de una botella a la posteridad. Cada barrio debería tener un poeta y un cronista, al menos, para que dentro de muchos años, en unos museos especiales, las gentes pudieran revivir por medio de la memoria. (138-9)

En el afán del personaje Andrés que esto dice descubrimos dos formas encontradas y contradictorias de entender la memoria: por una parte, la creencia en su capacidad de hacer revivir el presente, de replicarlo y repetirlo; por la otra, la aceptación de su carácter textual, dependiente de la narración. Por un lado, la expresión de la nostalgia por un cronista de la comunidad, figura pre-moderna que mantiene la relación orgánica de la colectividad con su pasado; por el otro, delatando una conciencia moderna, la función de este cronista entendida sólo en el espacio del museo.

Parte importante del capítulo se dedica a la representación del ejercicio de memoria que hacen los personajes, que devuelve la narración una y otra vez a las vicisitudes de la guerra. Andrés mismo, quien "siempre [ha] tenido mucha memoria"(127), ejerce más que nadie esa labor de cronista, se alimenta de contar historias sobre la vida del barrio y la participación de sus vecinos en la guerra. Esas narrativas mantienen a la comunidad unida contra el enemigo común: los franquistas. La memoria es una estrategia de supervivencia, una forma de adquirir una dignidad que la realidad del franquismo les niega. Sin embargo, este personaje, al expresar sus temores sobre la pérdida de la memoria de su gente, no expresa únicamente un temor por la pérdida del contenido de ésta. Su alusión al museo está implicando –anacrónicamente, es decir, desde el presente de la escritura de MVM– la pérdida de su función. La preocupación de Andrés por la pérdida de las historias de los vecinos del barrio, que propone como solución su conservación "congelada" en el museo, contradice el uso mismo que él hace de ellas durante el capítulo. Es con la ayuda de la desaparición segura de figuras como la suya misma, que se ocupen de mantener el sentido de la colectividad a través de la narración oral, que va a resultar, en los años ochenta, la erradicación de todo vestigio del pasado popular, de toda memoria colectiva. Momento en el cual, a falta de un Andrés, habrá que recurrir al museo –o al escritor– para establecer la conexión imprescindible con el pasado, y corregir la amnesia de los contemporáneos del autor. Esta recuperación de las voces del pasado no puede dejar de ser un acto de memoria, ejercida desde el propósito abierto de señalar las razones de la silenciación de estos personajes vencidos. El pasado que se representa pretende ser tanto la recuperación de unas historias sepultadas por la Historia oficial, como un modelo de uso de la memoria y la historia.

En el final del capítulo I aparece por primera vez la narración omnisciente. Hasta ese momento, toda la narración se ha vertido en una tercera persona que ofrecía el punto de vista de Ventura. Pero el final cambia a un narrador omnisciente que sigue al viejo pianista cuando Ventura lo pierde de vista. La transición de un modo narrativo a otro contiene los elementos principales del aludido proyecto montalbaniano:

A Schubert se le habían acabado las ideas antes de que se acabara el milenio y para evitar contestar a una pregunta que *me implica* acelera el paso, alcanza a las mujeres, les dice algo que las excita, se vuelve hacia mí:
–Corre, Ventura. El mar espera. Hay que llegar hasta el final.
Tal vez ilusión óptica, pero diría Ventura que Ramblas arriba, ya muy lejos, el vaivén de la marcha blanca de la gabardina del pianista señala la ruta del norte. *El pianista no seguirá esa ruta.* (97)[énfasis añadido]

El uso dominante del estilo indirecto (tercera persona, tiempo pasado) a lo largo de esta primera parte ha contribuido a difuminar el carácter limitado y personal del narrador. La forma verbal "me implica", introducida al final del capítulo, devuelve la narración de forma inequívoca a su dueño, Ventura. Y la devuelve además al presente. Este momento de revelación y subrayado especial de los mecanismos del texto, resalta especialmente porque anuncia un cambio de punto de vista. Mientras su amigo le emplaza a una lucha hasta el final de naturaleza ambigua, Ventura sigue presumiblemente de espaldas a esa realidad, aferrado a la imagen del pianista que se aleja calle arriba. De hecho, no vamos a saber de la resolución final del personaje, si acabará, como le vemos en la imagen final, de espaldas a ese mar que espera, o enfrentándolo. Para los lectores la solución está en la opción que adopta la narración misma, rescatando a Ventura de la parcialidad y limitación de su posición como sujeto histórico. "El pianista no seguirá esa ruta" es la frase inicial que toma el relevo de Ventura, imponiendo su saber con rotundidad, frente a la indeterminación e intriga que han presidido todas las apreciaciones de Ventura sobre el pianista hasta el momento. La descripción de la ruta del pianista hasta su casa, y toda la narración hasta el final del capítulo, van a mantener un presente verbal que se ha introducido, como se ha visto, con el último pensamiento de Ventura, y que subraya la voluntad más importante del texto: conectar en el presente las realidades de esos dos personajes (Ventura y Rosell) que no han podido/sabido comunicarse. A esta empresa precisamente van a estar dedicados los dos restantes capítulos.

Siguiendo la transición que marca el final del capítulo I, el II continúa con un narrador omnisciente que da voz y pensamiento a una serie de personajes de la Barcelona de postguerra. A través de él entramos en una realidad de supervivientes anónimos y heroicos, un cuadro patético de tonos neorrealistas. Toda la acción se desarrolla en los terrados de los edificios de la calle de la Botella. En una protesta implícita, los personajes evitan la calle porque ésta no les pertenece, está ocupada por los franquistas y en las azoteas ha venido a refugiarse toda posibilidad de diálogo, de crítica y de memoria. Esa visión de la realidad desde las alturas de la miseria y la marginación, que se les concede como único privilegio, es correlativa con la omnisciencia de la narración. Ofrece una oportunidad de atisbar la totalidad desde la desposesión, la misma oportunidad que aspira a dar la narración omnisciente. Ambos se ponen al servicio de una comunidad injustamente vencida con el objetivo de darle voz. Desde la terraza, los vecinos —comunidad solidaria— recorren la geografía del barrio y la memoria de su compromiso derrotado, a salvo del miedo a la represión. El pianista recupera sus voces y la función que tienen, señalando su relación con el presente. La estructura de la novela entra aquí en juego de nuevo para marcar el contraste entre la memoria de la generación de los ochenta y la de los cuarenta. Un contraste que ilumina sus diferentes funciones y la significación para el presente de la ausencia de la memoria popular.

La colectividad que sueña y sobrevive en la Barcelona de 1942 se sitúa exactamente en el mismo barrio donde viven Ventura y Luisa, ajenos a la memoria de ese espacio urbano, donde son vecinos del mismo Rosell. Estos se sienten forasteros en una casa que perteneció a los padres de Ventura y que conservaron, repiten dos veces como disculpándose, "por sentimentalismo" (32 y 33). No conocen la historia del espacio que habitan, prueba inequívoca de que la consideran extraña a su propia identidad. Con su ignorancia contribuyen a borrar la historia de la ciudad de las clases populares. Los amigos de Ventura, especialmente Schubert, son incapaces de reconocer los monumentos más significativos, los *lieux de memoire* donde se concentra la memoria de la Barcelona vencida, que es además la obrera: "–¿Y esa iglesia? [...] –Es la iglesia del Carmen. La construyeron después de la Semana Trágica, sobre el solar de un antiguo convento de jerónimas que quemaron los revolucionarios" (32-3). Por contraste, los personajes se sienten atraídos por Las Ramblas, "donde cabe una visión cósmica", o sea, donde se concentran las coordenadas de su visión de un mundo antes espléndido y ahora degradado. Ni la plaza del Padró, ni la calle Obispo Laguarda, ni la de la Riera Alta, ni la del Carmen ni la plaza de los Angeles, detienen al grupo de expedicionarios en su camino hacia las cosmopolitas Ramblas. Son espacios vacíos, vaciados de su historia, o sea, de su participación en la formación de la ciudad tal y como ésta se presenta en 1983. Forman un paisaje ajeno y mudo para esta intelectualidad proveniente de zonas más afortunadas de Barcelona. La amnesia de estos barceloneses es claramente selectiva, pues su lectura de las Ramblas como espacio social es impecable.[57] La historia que se está olvidando entonces, que la misma izquierda culturizada ha desechado, es la de las clases populares.

Esta ausencia se inscribe en la estructura misma de la novela, contribuyendo a un desequilibrio análogo al que se quiere representar al nivel del contenido. El capítulo dos está situado estratégicamente en el corazón mismo de la novela. Atendiendo al momento histórico que representa, se relaciona sobre todo con el tercer y último capítulo, al ofrecer el reverso al optimismo histórico que se elabora en éste. Sin embargo, nunca se nos representa el anverso del escepticismo histórico que vemos en el capítulo inicial. Entendido de esta manera, el capítulo dos descompensa la novela, provocando un desequilibrio que es esencial. El capítulo dos es la respuesta fatal a la incógnita que mueve a Rosell a abandonar París al acabar el capítulo tres y el libro. Sus ideales políticos y artísticos han sido machacados por la Historia. Pero al mismo tiempo, como apuntábamos más arriba, ese capítulo segundo amplía el alcance del tercero al dar entrada al pueblo como participante activo e incluso protagonista de la misma situación histórica que convence a Rosell a hacer la heroicidad de abandonar su carrera artística. Semejante relación no existe con respecto al proyecto derrotado de Ventura y sus amigos. No se representa ningún pueblo que se relacione con ellos, completando el sentido de derrota histórica de esa ex-izquierda señorita. No queda nada de ese sentido de comunidad en la barriada que comparten los personajes de la calle de la Botella de la segunda parte con Ventura y Luisa en la primera. Estos últimos no parecen conocer a nadie a su alrededor, son intrusos que, a diferencia de Rosell y Teresa, no han conseguido o podido o querido integrarse en la comunidad. Ese vacío que descompensa la novela estructuralmente delata una ausencia enormemente significativa en el presente contemporáneo del escritor. Este vacío adquiere sentido por el contorno que le dibuja su contrario, la presencia del pueblo y su memoria en el capítulo II. Esta representación recoge la función de la memoria como creadora de colectividad y vehículo de su conciencia histórica. La desaparición de ambos —pueblo con conciencia histórica que le proporciona su memoria— que la estructura de la novela nos hace sentir precisamente en su descompensación y desequilibrio, apunta a una causa importante de la situación contemporánea del autor. La amnesia colectiva, causa del inmovilismo y alienación general para la propia generación del autor, encuentra en esta representación de pasado y presente el señalamiento de sus motivos y posible solución.

En efecto, esa función nutriente de la memoria se ha perdido en la España contemporánea que representan los personajes de la pri-

147

mera parte, en contraste con los de la segunda. En aquella, la memoria es un espacio de disputa y revisionismo político. Para los habitantes de la calle de la Botella la memoria es la única posibilidad de mantener una identidad colectiva coherente que les permita sobrevivir en el terror de unas calles que consideran ocupadas y de las que han sido expulsados. Para el grupo que recorre la noche barcelonesa y sus conocidos, la memoria colectiva es un estorbo, un archivo embarazoso, el delator inoportuno de una identidad que ya no reconocen como propia: "¿Os habéis enterado de lo de Ripoll? Le han convocado cátedra. [...] ¿Sabéis lo que me dijo el otro día? Estábamos hablando de la catástrofe del PSUC y yo le comenté: ¿Recuerdas cuando ingresamos? [...] ¿Pues no tiene el tío la cara de decirme que nunca había estado en el PSUC?" (26).

A lo largo de todo el capítulo primero se desata una ofensiva feroz contra la memoria, la cual queda totalmente desautorizada y carente de ningún valor enriquecedor de la comunidad fugaz que forman los amigos. La memoria es un arma arrojadiza que destruye, y de la que sus víctimas se defienden ofreciendo infinitas versiones de ella. El carácter irreversiblemente abierto de la memoria, supeditada siempre al presente desde el que se enuncia, adquiere así sus connotaciones más negativas, cayendo en un relativismo o revisionismo del que es imposible sacar un sólo elemento enriquecedor. Lo que hace imprescindible y positiva la memoria para los vecinos de la calle de la Botella no es tanto su valor testimonial como su capacidad cohesiva, de dar poder a los desposeídos. Esa necesidad de colectividad ha desaparecido en la generación de Ventura. Y esa pérdida planea sobre el capítulo como un estigma del que sus portadores no son capaces de librarse. De ello resultan una serie de individualidades resentidas, insatisfechas de sí mismas. La peregrinación nocturna a lo largo de las Ramblas que estructura el capítulo primero contrasta con la expedición de los vecinos de la calle de la Botella en el segundo, en busca de un piano para el realquilado Albert Rosell. El motivo de este viaje surge de la solidaridad de los vecinos con el recién llegado, con quien comparten una memoria común de vencidos, y que de esta manera lo adoptan como a uno de los suyos. Es, pues, un viaje integrador. Por el contrario, el itinerario a través de las Ramblas con final en el club Capablanca sirve para marcar diferencias irreconciliables entre el grupo de expedicionarios y como consecuencia acaba en total desbandada. En el establecimiento de estas diferencias en la existencia y uso de la memoria en las dos generaciones de vencidos, está la insinuación del autor de la necesidad de recobrar la memoria como fuente de reconstrucción y no de discordia y destrucción. La comparación entre las diferentes partes de la novela deja al lector con una representación del presente (cap. I) más pesimista y desilusionada que la de los momentos del pasado (capítulos II y III). La reconstrucción de las diferentes propuestas de cambio histórico que encarnan los personajes es vista desde una perspectiva privilegiada de presente que incluye sus subsiguientes fracasos o victorias. Las derrotas históricas de una generación se miran en las de la otra, produciendo un efecto de pesimismo que permea toda la novela. El presente desde el que se narra no relata únicamente el nuevo fracaso de un proyecto de cambio, sino una situación de impasse en la que se han perdido todos los elementos de reconstrucción que caracterizaron proyectos y tiempos anteriores, principalmente la función de la memoria colectiva.

Todos estos elementos de *El pianista* han favorecido su lectura en clave de nostalgia. De hecho, así la categorizó la crítica española quien, por cierto, se volcó en una unánime valoración positiva cuando apareció publicada la novela en los primeros días de marzo de 1985. En los artículos de estos tempranos reseñadores[58] recurre el elogio a una práctica del realismo rescatada de las garras del populismo de la serie Carvalho y plenamente justificada en una novela que recrea el compromiso del intelectual con las fuerzas progresivas de la historia. Pero en la valoración ideológica de la novela se considera el compromiso intelectual como una práctica que se sabe fracasada y presumiblemente imposible en el presente del escritor y, por tanto, su evocación narrativa sólo puede ser interpretada como un ejercicio de nostalgia.[59]

La lectura nostálgica del texto favorece un entendimiento de la realidad que une la perspectiva vital del escritor a la de sus personajes de la primera parte, y a una dominante postmodernidad:

cualquier tiempo pasado fue mejor, el compromiso se ha decretado imposible, el futuro no existe (el único futuro que le espera a Ventura es la muerte). Convierte al autor y su novela en parte de ese mal de desencanto en medio del que ésta última se produce. Pero lo que la novela ofrece no es una representación desencantada y nihilista del presente y nostálgica del pasado, sino una crítica de esa visión de la realidad. Por mucho que represente, haciendo bien pocas concesiones críticas, las consecuencias de las dos grandes derrotas históricas de la izquierda española de este siglo: la de la Segunda República y la del proyecto de transformación democrática del tardofranquismo y entre ellas no haya más remedio que hablar de desengaño y de escepticismo.

Rentabilizando la estructura novelística que domina en su serie detectivesca, MVM nos presenta de nuevo una realidad en la que pasado y presente son categorías que se necesitan mutuamente para tener significado, unidos en la dialéctica de la memoria,[60] puestos aquí al servicio de la representación/recuperación de la memoria histórica como elemento fundamental de oposición explícita a los efectos de la amnesia colectiva dominante. El pasado no es autosuficiente, sino que cobra su sentido en relación hermenéutica con el presente, y sin éste no tendría razón de ser. El hecho de que la historia narrada comience en el presente y sólo a instancias de éste se convoque el pasado, es una traducción estructural de la forma en que actúa la memoria. El pasado se recuerda y conserva pero al mismo tiempo se supera y transforma como referente al reconocerse sus conexiones con el presente. Y viceversa, el presente queda transformado al desvelarse su relación con el pasado. Sin estas conexiones estructurales la novela no podría funcionar como un todo. Cuando el libro termina produce un saber histórico, una totalidad que es más que la suma de sus partes, es la integración de todas ellas en el todo que proporciona una comprensión superior de la historia, tanto la del 36 como la del 42 como la del 83. A pesar de la resolución final del enigma de la relación Doria-Rosell, el final no es conclusivo. La incógnita que deja abierta la marcha a España de los jóvenes Rosell, Teresa y Larsen nos obliga a volver hacia atrás en el libro para saber su final, para poder cerrar el imaginario "círculo hermenéutico"[61] que devuelve la representación del pasado a la del presente. Este movimiento desde el final al principio de la novela a que nos obliga su contenido, es el proceso contrario y complementario al que nos ha conducido su forma a través de una narrativa hermenéutica, planteando desde el principio el enigma en el presente y obligándonos a la búsqueda de su resolución en el pasado. El resultado es la representación dialéctica,[62] que se opone a una visión lineal de la historia para quien la memoria colectiva es escenario de división y enfrentamiento y el pasado un obstáculo irrelevante en la reconstrucción de un proyecto futuro. Visión que personifican los personajes de la primera parte de la novela y que les hace entenderse como sujetos terminales de una historia que les ha derrotado para siempre. Futuro y pasado se necesitan para dar sentido al presente, y se representan exclusivamente en su función, y no para cuestionar las fronteras entre historia y ficción o para satisfacer un deseo nostálgico de volver a un ayer irrecuperable.

Por eso la particular representación de la memoria histórica y su conexión con el presente que leemos en El pianista va más allá de la desorientación y el fracaso de todos los personajes de la novela, más allá de una denuncia nostálgica y regresiva de la pérdida de la función de la memoria colectiva. Porque hay que distinguir entre el esfuerzo de memoria que es la novela misma de la representación de la memoria en la realidad de los personajes. La estructura de la novela ejercita una dialéctica de la memoria que supone una representación alternativa y en gran medida resistente a una situación de amnesia histórica generalizada. A través de la comprensión del presente proporcionada por esta dialéctica, se abre la puerta a una concepción progresista y esperanzadora del futuro. Por eso es erróneo hablar de El pianista como novela nostálgica, o postmoderna. Por mucho que la narración vuelva inexorablemente al pasado, el proyecto del autor está siempre anclado explícitamente en el presente, para insinuar la posibilidad de un futuro. La única forma de mantener la posibilidad de la utopía que encontramos en El pianista es a través de la creación de conciencia histórica en el lector que favorece la narrativa hermenéutica. El único germen positivo de la novela deja clara una vez más la concepción marxista de la historia y la utopía del autor. Recogiendo las palabras de Fredric Jameson, el proyecto de MVM en *El pianista*: "convey[s] the sense of a hermeneutic relationship to the past which is able to grasp its own present as history only on condition it manages to keep the idea of the future, and of radical and Utopian transformation, alive" (177) [transmite el sentido de la relación hermenéutica con el pasado capaz de concebir su propio presente como historia, a condición de mantener viva la idea de futuro, y de una transformación radical y Utópica.].

En un informe manuscrito del autor redactado en febrero de 1985 con el título de *Galíndez o los vascos del siglo XX*, MVM explica un proyecto suyo de hacer una novela y una película sobre el tema en cuestión. El escrito resume una trama perfectamente reconocible para cualquier lector de la novela *Galíndez*, publicada en 1990. El objetivo del texto parece ser el de solicitar fondos para financiar el guión de la película.[63] La justificación que MVM ofrece del interés del producto que está intentando vender no sorprende. Al contrario, sirve como testimonio explícito de lo que he analizado en este capítulo, su tratamiento político de la memoria en los ochenta: la función del texto, por un lado como recuperador de una memoria olvidada, y por el otro, como conexión iluminadora con el presente del autor. Las conexiones del autor con la figura y labor del detective son también obvias:

> A lo largo de dos años me he hecho con bastante material documental bibliográfico y con una pista de supervivientes que aún pueden hablar del Galíndez que conocieron, tanto en España como en el Caribe o en Nueva York. Se corre el peligro que [sic] estos supervivientes desaparezcan dada su edad y la figura de Galíndez quede para siempre en la penumbra. Por eso me decido a trabajar en este asunto. [...] Hay en esta aventura un doble interés cultural y estratégico de primer orden. Recuperar una parte entrañable de la memoria resistente de la España democrática y asumir el vasquismo de su significación, asunción oportuna en estos tiempos de radicalización de las reticencias entre *el centro* y las nacionalidades históricas del estado español. (4) [énfasis en el original]

Pero lo singular de este texto breve no es que confirme en las palabras del mismo escritor una posición que he analizado en sus textos literarios. Lo más interesante es la descripción argumental que MVM hace de su proyecto, y que coincide con los objetivos políticos que en el mismo texto señala y que acabo de citar. En su resumen el autor se centra en una síntesis de la trayectoria vital y política de Galíndez hasta su asesinato. Las alusiones a Muriel, el personaje de la estudiante que investiga su vida y muerte, se centran en cómo "la estudiante al recuperarlo ha recuperado parte de la dignidad de la historia, de la suya propia, de la nuestra, de la colectiva." (5). O sea, se centran en su función como recuperadora de una historia que corría peligro de extinción. Lo significativo aquí es que, desde una perspectiva privilegiada actual, que permite comparar el resumen de este manuscrito con la novela publicada cinco años más tarde, se observa un desplazamiento de enfoque entre los puntos que en 1985 MVM escoge destacar de su proyecto y los que después desarrollará en la novela. En el origen de ese desplazamiento se encuentra un cambio fundamental en el tratamiento textual de la memoria en MVM, que se inicia en sus publicaciones de los noventa y que, según mi análisis, supone una toma de postura nueva frente al problema de la memoria y la función de la novela con respecto a ella. Un análisis de la naturaleza de este desplazamiento y sus causas centra el último capítulo de este libro.

CAPÍTULO V
DESDE LA POSTMODERNIDAD (1990-1995)

I: Espacios de utopía, espacios de distopía: de la ciudad libre al planeta de los simios

Sordas sibilas de saber tan triste
Pusisteis plazo de muerte a la evidencia
Y condenasteis la vida a no ser geométrica
Si acaso una limosna de compasión
Nadie sabe tu nombre ni pronuncia tu muerte
Ni responden los nombres que musitas culpable
Ni rezas palabras que te adueñen del tiempo
Sólo cantas perplejo el desordenado horizonte

Porque Vázquez Montalbán entra al mundo intelectual con la modernidad española, es la experiencia de esta nueva realidad la que va a marcar su intelectualidad. Para el joven de familia pobre y republicana que llega a la universidad y se politiza inmediatamente, el irracionalismo del fascismo es un hecho evidente, tanto como la lucha antifranquista por derrocarlo. Y lo que es más importante, ofrece la oportunidad de una lucha unificada por un futuro tangible. La democracia es una utopía al alcance de la mano, la lucha por ella tiene metas y caminos conocidos y practicables. El intelectual, el periodista, es miembro útil de una sociedad transformable. El intelectual de izquierdas en la democracia postmoderna ve la utopía de sus años de formación saltar hecha pedazos. No únicamente porque el proyecto socialista se malbarate, sino porque el intelectual de izquierdas pierde acceso a toda evidencia. Franco había sido una antiutopía indiscutible, la democracia no lo es, especialmente cuando el proceso de su estabilización está basado en un discurso antifranquista y que proclama haber creado el mejor de los mundos posibles. Por añadidura, el intelectual tiene que aceptar su complicidad en la perpetuación de la antiutopía, papel que ya había entrevisto en la pesadilla de su literatura subnormal. La conciencia de esta complicidad provoca la obsesión con la propia función. Desde los años setenta la vemos materializada repetidamente en la metáfora del escriba sentado, privilegiado manipulador de la realidad al servicio del poder.[1] En todos los textos en que aparece se utiliza la misma cita, supuestamente la transcripción de una carta que un padre del Antiguo Egipto dirigió a su hijo, aprendiz de escriba. La cita sirve como emblema de la función del intelectual porque en ella el escriba reflexiona sobre el estatuto privilegiado de su profesión, especialmente apreciada por los que mandan. La clave de la metáfora está en el participio que la acompaña, "sentado", que indica que el intelectual se doblega a los deseos del amo a cambio de un trato de favor. Si se extiende la metáfora al propio MVM, se entiende el sentido de su lucha por "levantarse". Tarea, por otra parte, en gran medida inútil. Ni siquiera el espíritu crítico del intelectual es garantía incontestable de su posición, cuando quien lo ejerce recibe buenos dividendos del mismo sistema que es objeto de su crítica.

En el primero de los textos montalbanianos en que aparece la metáfora del escriba sentado, *La palabra libre en la ciudad libre*, publicado en 1979 pero escrito en 1974, aún se atreve Vázquez Montalbán a imaginar la realidad de la utopía. La ciudad libre utópica que Montalbán propone en 1974 es la de un joven comunicólogo marxista: la libertad en ella viene dada por el fin del monopolio en la propiedad de los medios de comunicación social, que pasan a ser de acceso libre y popular. En la ciudad libre los intelectuales se redimen y encuentran un papel emancipador: "Los profesionales de la comunicación en la ciudad libre no manipulan la realidad global por las facilidades de acceso de que disfrutan, ni por la técnica lingüística de trasmisión de cada una de sus especialidades. Cualquier tentación en este sentido sería inútil frente al potencial de respuesta de los receptores." (120)

Después de este momento, la textualización de la utopía desaparece totalmente, síntoma de la creciente imposibilidad, de MVM y de toda la izquierda, de concebirla. Pensemos si no en la ironía que propone el centinela de la modernidad como refugio de la dialéctica. ¿Qué es esta manía, si no un espacio en blanco, reservado para cuando, al fin, podamos imaginar cómo llenarlo? O si no, pensemos en Carvalho, concebido inmediatamente después del texto sobre la ciudad libre. En el detective no sólo hay un alter ego especialmente significativo del intelectual de izquierdas, sino un personaje con una dimensión utópica, teniendo en cuenta el contexto que le produce. He hablado del espacio que ocupa Carvalho como de un más allá superador de una situación sin salida,[2] pero, ¿qué lugar es ese en el que se encuentra, por delante de los demás? Es una perspectiva gracias a la cual Carvalho adquiere autoridad para el diagnóstico y capacidad para el ejercicio de un método indagatorio en el que el presente se clarifica a través del pasado. La clarificación sin descanso es su única arma. En cada una de sus aventuras Carvalho es capaz de desentrañar el misterio que le han encargado que resuelva, al tiempo que la narrativa deja claro una y otra vez que la solución del enigma no contribuye en absoluto a la restauración de un orden justo. Antes al contrario, más bien ratifica la idea de que el desorden está inscrito en las mismas reglas que rigen la sociedad en la que vive. La solución del crimen —y la confianza que esa garantía de que hay una verdad que será descubierta genera en quien lee— son una concesión y un testimonio de perseverancia: el crimen se ha cometido, se está cometiendo cada segundo, y renunciar a solucionarlo es abandonar la lucha.

A pesar de ello, la eficacia y utilidad de la voluntad clarificadora del detective quedan seriamente cuestionadas en cuanto pensamos en su nula capacidad para implementar un cambio positivo en la realidad, para jugar un papel social activo. Como hemos visto, su competencia para restaurar la verdad nunca revierte en una transformación del orden establecido. Todo lo contrario, viene a confirmar la corrupción y maldad sin esperanza del mundo. Después de resolver sus casos, la realidad permanece intacta, inalterable, como si el detective jamás hubiera tocado o intervenido en el mundo. En un sentido muy importante, Carvalho carece de la capacidad de actuar como sujeto histórico. Ha sido protagonista de la historia en el pasado, pero se ha quedado sin armas para seguir protagonizándola. Sólo conserva el conocimiento de ésta y de ahí su capacidad de crítica certera. Al igual que la izquierda que Vázquez Montalbán representa, no sólo a nivel nacional, sino occidental, el detective se encuentra incapacitado para la transformación, o para conectar de forma positiva con la sociedad que disecciona y conoce como nadie. Su función es, como máximo, la de preparar el terreno para un futuro incierto y distinto que jamás se materializa en sus novelas. El sentido positivo que puede desprenderse de las posiciones irónica o investigadora no llega nunca a ser la utopía en sí, sino la posibilidad de concebir la utopía

Por si esto fuera poco, desde nuestra perspectiva real de "post-Guerra-Fría", es claro que ha periclitado la dimensión utópica imaginable que había enunciado en el personaje de Carvalho en los años setenta y primeros ochenta. El nuevo orden mundial resultante de la caída del muro de Berlín y del desmoronamiento de los socialismos realmente existentes en el este de Europa no acerca precisamente a ninguna utopía y, desde luego, no a la que podía aspirar un hombre de izquierdas como MVM. La decepción y dificultad de la izquierda a que Vázquez Montalbán pertenece de reconstruir la utopía en el nuevo orden mundial donde el capitalismo reina como señor absoluto se pueden apreciar en el artículo "El escriba sentado", publicado en *Revista de Occidente* precisamente en 1989, y que está muy dentro del espíritu "final de una era" que provocó en la izquierda la situación en el este de Europa. En él, MVM pasa revista a la historia del intelectual comprometido, para acabar con las posibilidades del compromiso en el presente del texto. En un tono desencantado, pero aún buscando desesperadamente un papel digno para ese "escriba", que no sea el de estar "sentado", el autor destaca, criticándolos, el posibilismo y el corporativismo de los intelectuales, incluido el suyo propio, que nunca irán en su crítica contra su propia casta, uniéndose para negar la radicalidad como disposición y procedimiento. El desánimo y la desesperanza del texto se acentúan en la constatación de que ninguno de los problemas que plantearon los intelectuales de entreguerras se ha resuelto, pero que, a diferencia de entonces, se ha perdido la certeza del lugar del Bien (el proletariado como sujeto histórico), extendiéndose la convicción de esa pérdida y la conciencia de que todos los intelectuales están implícitos en el mismo juego de poder:

> Obsoleta aquella gran pose del intelectual comprometido, habrá que [...] tal vez, tal vez, resignarse a la pose de una definitiva autoeliminación. La del escriba sentado, con el añadido cansancio de un viaje de ida y vuelta. ¿Refleja la forma la diferencia de escribir desde la conciencia del limbo o desde la conciencia de infierno? (28)

El artículo acaba precisamente con esta dramática llamada a la autoeliminación para escapar esa posición del intelectual, la de ser escriba sentado, atrapado entre el limbo y el infierno. La interrogación final es tan angustiosa como la incertidumbre misma que provoca en el intelectual de izquierdas haber perdido el sentido de su papel histórico. En este contexto de pérdida de todos los asideros, y volviendo al significado de la figura del detective en MVM, no es de extrañar que las novelas de MVM en los noventa, tanto *Galíndez* y *Autobiografía del general Franco* como las carvalhianas *Sabotaje olímpico* (1993), *Roldán, ni vivo ni muerto* (1994) y *El Premio* (1996),[3] difuminen el proceso indagatorio y la capacidad clarificadora de la labor detectivesca. Como se verá un poco más adelante, la narrativa hermenéutica pierde en *Galíndez* la centralidad política que le he atribuido a la novela realista de MVM en los ochenta, para acabar desapareciendo en *Autobiografía del general Franco*. En su lugar se incorporan cuestiones como la imposibilidad del acceso al pasado como referente, la intervención/condicionamiento ineludible del historiador/escritor en la reconstrucción de este referente y la dificultad de distinguir entre historia y ficción.[4] En las novelas de Carvalho de los primeros noventa se favorece una visión farsesca y anti/irracional de la realidad. Otra novela de la época, *El estrangulador* (1994),[5] vuelve a formular la imposibilidad de escapar a un sistema que integra todo intento de resistencia o subversión. La obra es el monólogo de una voz incierta, de identidad confusa –tal vez un psicoanalista, tal vez un psicópata asesino– situada en una ciudad fantasma –con casi todo de Barcelona aunque se llame Boston– donde todos los personajes son máscaras, impostores, y que finaliza como empieza, con el confinamiento del protagonista ordenado por las autoridades de una ciudad "para siempre a salvo de la asechanza de la SUBVERSIÓN" (267) [énfasis en el original]. Las tres novelas "post-realistas" vuelven a una estrategia –el texto radicalmente irónico– que Vázquez Montalbán no había utilizado desde la literatura subnormal de los primeros setenta, precisamente cuando elegía pertenecer –por mucho que críticamente– al paradigma moderno. Se trata de "actuar" la misma crisis de credibilidad de la vida pública y política que se quiere criticar, textualizándola en la representación de las realidades de sus novelas.

En definitiva, todas son (por supuesto, no exclusivamente) manifestaciones estéticas de un nuevo momento en la crisis de la izquierda que marca todo el periodo histórico que cubre este estudio. Para la intelectualidad de izquierdas española que MVM encarna en los noventa, se acabó hace mucho tiempo la esperanza de la lucha antifranquista y, en una nueva España a estas alturas ya sin remedio construida sobre el olvido de lo más radical de su pasado reciente, ha perdido efectividad política la protesta por la traición sucesiva de los protagonistas de la transición y de los socialdemócratas. En la década en que se desmorona la propuesta –política y moral– de cambio socialista del PSOE, cuando dentro y fuera del país rige un discurso –una política, una economía, una ética– neoliberal en avance agresivo, ¿qué espacio queda para la utopía, es decir, qué espacio queda para la respuesta, para la resistencia, para concebir la posibilidad de otra realidad? Y por extensión, ¿qué puede o debe hacer el intelectual para avanzar esa posibilidad? ¿Existe en las obras que he citado de este autor, o en otras de esta misma época, la elaboración de una respuesta posible a estas cuestiones?

En la primavera de 1995, y con solo un mes de diferencia, aparecen dos obras ensayísticas de MVM, *Pasionaria y los siete enanitos* [6] y el ya mencionado *Panfleto desde el planeta de los simios*, ambos con un tono político que no oculta su procedencia ideológica. *Pa-*

sionaria es una revisión histórica de una de las figuras principales del comunismo español de este siglo, Dolores Ibárruri, Pasionaria, que le da espacio al autor para recorrer la trayectoria del comunismo español de todo el siglo. En el contexto dominante de menosprecio, rechazo u olvido del comunismo en que se publica el libro, este documento de recuperación es casi un desafío. MVM sigue atreviéndose (pudiéndose atrever) a dejar claro dónde están sus fidelidades. *Panfleto*, por su parte, es un ensayo sobre la realidad contemporánea. Su título define un espacio, ni más ni menos, el de la realidad que le niega como intelectual crítico:

> Es como si, ahora, unos simios supervivientes a la civilización humana temieran recordar a un peligroso antepasado que desafió excesivamente a dioses excesivos y mediante la Razón, creó más monstruos que arcángeles. [...] Se nos está transmitiendo el mensaje de que el racionalismo ultimado por el cordón umbilical que une la Revolución francesa con la soviética, nos obliga a expiar las quimeras utópicas e instalarnos en el planeta de los simios resignados y culpabilizados. (10-11)

Y el título mismo de este ensayo es prueba de cuán interiorizado está ese sentimiento de culpabilidad, aún cuando se critique abiertamente. A diferencia de aquel ensayo sobre la ciudad libre de 1974, que, después de haber descrito la penosa y antiutópica situación real, anunciaba, imaginándola, su confianza en la posibilidad de la utopía, en este caso sólo la distopía en que se encuentra inmerso el autor encuentra textualización. La utopía sigue siendo el tabú innombrable para la —nueva— izquierda y el debate sigue centrado en la descripción de la realidad y la búsqueda de una posición transformadora eficaz dentro de ella. Eso no ha cambiado desde 1989, ni desde 1975. Por eso no nos sorprende ver repetida la ya familiar narración sobre el escriba sentado, que ha acompañado a Montalbán como incómodo compañero de viaje, como la sombra de lo que no quería ser, como el espejo inoportuno que ha acicateado su continuada inconformidad e incomodidad consigo mismo. Y, sin embargo, *Panfleto* es probablemente el análisis político de Montalbán más positivo de los últimos diez años. En él se reitera una vez más la necesidad del intelectual de continuar cuestionando y cuestionándose, de continuar interviniendo históricamente. Vuelve a afirmarse con claridad el camino del cambio para la izquierda: la incorporación a toda estrategia política de la conciencia pública –la misma que Vázquez Montalbán considera haber dedicado su vida intelectual a fomentar– en forma de movimientos sociales. Y, de nuevo, racionalista impenitente, Vázquez Montalbán termina su libro clamando por la evidencia como única arma de movilización: "No. No hay verdades únicas, ni luchas finales, pero aún es posible orientarnos mediante las verdades posibles contra las no verdades evidentes y luchar contra ellas. Se puede ver parte de la verdad y no reconocerla. Pero es imposible contemplar el mal y no reconocerlo. El Bien no existe, pero el Mal me parece o me temo que sí" (145)

Nada, pues, ha vuelto a ser un supuesto evidente pasado el periodo de resistencia antifranquista. La posibilidad de imaginar y textualizar la utopía desaparece entonces, quedando en suspenso a la espera de recibir su adjudicación de evidencia. Porque sin recurso a ésta cualquier discurso crítico corre peligro de derrumbarse, cualquier propuesta de un futuro mejor deja de ser fiable. Es precisamente la implicación ideológica de MVM con un proyecto de transformación social lo que trae una obsesión permanente con la evidencia, como espacio estable para sí y para cualquier proyecto emancipatorio. Búsqueda que reproduce, a escala individual, la lucha y los debates en el seno de todo el movimiento progresista por reencontrar un discurso defendible de emancipación y justicia social. Desde esta condición, al intelectual no le queda más remedio que luchar por re-establecer alguna evidencia, y de ahí en los ochenta el interés por la estructura indagatoria de la novela policiaca, de ahí la ironía como tabla de salvación de la razón dialéctica. En los amnésicos ochenta, la narrativa hermenéutica era estrategia formal de recuperación del pasado (memoria, historia) como evidencia. En la indagación resultante sus protagonistas se enfrentaban a la labor de desenterrar, desvelar y, finalmente, reincorporar al presente fragmentos olvidados/ocultos del pasado. En estas novelas no se juzgaba la validez de esa verdad revelada, sino que se aceptaba ésta como elemento indispensable para contrarrestar la alienación causada por la incapacidad de entender el presente en conexión orgánica con el pasado. La llegada de los noventa va a introducir una modificación fundamental en la dinámica que relaciona la tríada utopía-evidencia-historia en la producción montalbaniana. Mi última cita de *Panfleto*, en su afirmación de que el Bien absoluto no existe, pero el Mal sí, me sirve para introducir un contenido que exploraré en profundidad en la última sección de este trabajo. En los noventa la búsqueda de evidencias se centra en la indiscutible del Mal. Y la forma que va a tomar ese Mal, con mayúscula porque es absoluto, imposible de relativizar, es la forma de la Historia, también con mayúscula, esta vez no porque sea absoluta o imposible de relativizar, sino porque así pretende construirse, como narración inapelable del pasado, dispuesta a pagar no importa qué precio en dinero o en sangre por imponerse y silenciar cualquier versión diferente a la suya. El futuro y, con él la utopía, dejarán de existir cuando se decrete la existencia de una sola versión de la historia, es decir, cuando se imponga la Historia. En la revelación de los mecanismos que posibilitan la imposición de la Historia encuentra su naturaleza política fundamental la producción de MVM en los noventa. Y en la constatación de que existe una lucha –desigual y, según los datos, siempre perdida por los mismos– por desbancarla, por contestarla, se mantiene –débil– la esperanza, la utopía.

II: RECUPERAR LA UTOPÍA, LUCHAR POR LA HISTORIA

Si los ochenta son en España los años del olvido, la década siguiente va a ser la de la reconstrucción histórica. No se había producido un momento semejante de revisión, de recuperación del pasado nacional, desde los primeros momentos después de la muerte del dictador, cuando proliferaron las memorias e interpretaciones históricas, sobre todo las de los que lucharon por o favorecieron la Segunda República. Momento que había sido silenciado en una coyuntura histórica que construyera la Guerra Civil, la República y el franquismo como significantes opuestos a, o por lo menos altamente contraproducentes para, la democracia. De ahí en los ochenta la conocida consigna de no hablar del pasado y mirar obsesivamente hacia adelante. En los noventa la historia que precede a la muerte de Franco ya es –por el paso irreparable del tiempo– y ya se ha construido –por el distanciamiento impuesto desde el presente– en un material lo suficientemente lejano como para ser manipulable sin que explote en la cara de nadie, ni ex-franquista ni ex-subversivo antifranquista. Los niños de la transición son ya en los noventa jóvenes adultos educados bajo la influencia de la política de olvido y reconciliación histórica dominante en los primeros quince años de democracia. Con ello, una mayoría de la población motora que desconoce el pasado nacional[8] está en posición de hacer definitivo el discurso de la joven, europea España que buscara imponerse desde los últimos setenta.[9] Por ejemplo, mediante la aceptación de revisiones de la historia que presentan la Guerra Civil como una contienda en la que ambos bandos fueron igualmente culpables,[10] o que glorifican a los protagonistas de la transición como paladines planos y sin sombra de la democracia.[11] Si la reescritura de la historia es una estrategia más a manipular en la perpetuación del statu quo, también es cierto que su promoción crea un espacio para la aparición de versiones y reescrituras subversivas, desestabilizadoras de aquél, y que convierten la historia en territorio abierto de lucha.[12] Si en los ochenta se trataba de producir la presencia de la historia para resistir o contrarrestar el *yuppismo* presentista socialdemócrata y tendiendo a neoliberal, en la última década del milenio nacional la cuestión política en materia de historia para la izquierda es: qué versión de ella recibimos como aceptable, por qué, y cómo generar otras diferentes, más justas.

MVM contribuye decididamente en la década de los noventa a reavivar el debate político sobre la historia. Tres de sus libros en los noventa incorporan centralmente, empezando por sus títulos, el pasado nacional y a sus protagonistas: dos novelas, *Galíndez* y *Autobiografía del general Franco* y un ensayo, *Pasionaria y los siete enanitos* textualizan versiones del pasado que abiertamente contrarrestan las de la Historia. Evidentemente la incorporación de la historia olvidada, concretamente la de los vencidos de la Guerra Civil, no es ninguna novedad en la obra del barcelonés. Como avanzaba al final del capítulo anterior, lo innovador y significativo en estas nuevas representaciones de la historia es que ya no basan su propuesta política en el hallazgo de datos ocultos, susceptibles de ser revelados. Y consiguientemente, ya no se basan formalmente en la estructura de la narrativa hermenéutica. Tampoco se trata de que la historia y su conexión ineludible con el presente hayan dejado de ser el centro de estas novelas. La diferencia radica en que lo que pasa ahora a primer plano es el proceso de construcción de la historia. Y en este momento la cuestión de la labor a realizar con la historia y la memoria para Vázquez Montalbán deja de ser la de completar un cuadro incompleto, recuperar las piezas convenientemente perdidas de un rompecabezas. Primero, porque tan construida está la historia oficial como la silenciada a la que se pretende devolver la voz. Segundo, porque, una vez aceptado el problema de que toda historia se mueve en el terreno de la representación, hay que complicarlo con lo que ya se sabe de sobras: que existe una jerarquía de historias. Y por ello, no basta representar para recuperar, cuando ciertas representaciones gozan de todos los medios para extenderse como la única representación posible de la historia. Como testimonio de la asimilación de estas dos problemáticas políticas de la historia, las novelas de Vázquez Montalbán empiezan a textualizar la presencia de los mecanismos del poder como agentes creadores y destructores de realidad y, por extensión, de historia. Este es precisamente el desplazamiento en el tratamiento de la memoria al que me refería en el final del capítulo anterior, y que no se aprecia en el resumen que en 1985 Vázquez Montalbán escoge hacer de su entonces aún proyecto de novela (y de película). La novela acaba siendo no solo un espacio donde se vierten otras, silenciadas versiones de la historia, sino además donde se escenifica la lucha por ella.

En *Galíndez* y *Autobiografía* la historia, la memoria son consideradas narración, texto, que los protagonistas de las novelas intentan (re)escribir. Los protagonistas de las dos novelas, Muriel y Marcial respectivamente, son escritores de historias, con biografías y posiciones sociales e históricas que condicionan su relato del pasado. Sus vidas durante las novelas giran alrededor de la escritura del pasado, de la representación textualizada de la historia, de una historia. Solo a través de sus perspectivas recuperamos el pasado, en el entendimiento de que es "su" versión lo que se nos relata. Una versión que defiende su veracidad con la presentación de pruebas que van desde el testimonio personal al documento de archivo. Al admitirse la textualidad de la historia se la hace cuestionable, pues la narración señala implícitamente a un narrador, y con él a una subjetividad y por tanto, a unos intereses necesariamente parciales. Vázquez Montalbán ha expresado en diversas ocasiones su conciencia de que la memoria —incluyendo la que él ha escogido como centro de su labor intelectual y artística en los últimos veinte años— es, hasta cierto punto, una falsificación.[13] El carácter limitado de la focalización en momentos clave de sus novelas realistas (lo he señalado en *El pianista* y volveré a hacerlo en estas dos novelas), su limitación al punto de vista de unos determinados personajes, atestigua esa conciencia.

Esta reorientación invoca sin remedio los planteamientos epistemológicos postestructuralistas y postmodernistas de la historia, que niegan la posibilidad del acceso al referente y, en sus versiones más conservadoras, acaban entendiendo la realidad, y por ende la historia, como un sistema de signos flotantes de significado cambiante e imposible de fijar. En el caso de MVM, como analizaré con detalle, a la incorporación de esta problemática se le une el desvelamiento de unas relaciones de poder beneficiarias, de unos intereses materiales que se sirven de la adopción de cada posición filosófica, de cada perspectiva sobre el mundo. *Galíndez* y *Autobiografía* aceptan la inestabilidad del hecho histórico, no centran su argumento en la evidencia del pasado, sino en la política del presente que necesita una determinada representación de ese pasado. En estas novelas se encuentra como premisa, más que una preocupación por la imposibilidad de fijar la memoria, o de distinguir entre historia y ficción, una aceptación de su existencia. En otras palabras, se reconoce el carácter textual, y por tanto abierto a especulación, de la historia, pero esta constatación no bloquea el planteamiento de la política de la historia, verdadero tema de estas novelas. Esta reconsideración de los términos de la memoria es signo, en mi análisis, de una posición diferente de la literatura de este autor frente a la realidad postmoderna. Indica un proceso abierto de diálogo con las premisas postmodernas que asume la necesidad de integrarlas para oponerles una crítica válida. Frente al prurito de centinela de la Modernidad que define su posición en los ochenta, con voluntad de marginado –si no de excluido– del nuevo dominante postmoderno, su escritura en los noventa está permeada por las premisas de una realidad a las que parecía incombustible su producción en los ochenta. Como consecuencia, se abren nuevas posibilidades para una postura crítica que nunca desaparece, pero también se cierra la puerta a la marginalidad residual moderna que había definido su posición una década antes.

Revelar la verdad en el pasado para devolverle un lugar en el presente deja de tener sentido como objetivo político en estas novelas. En su lugar aparece la representación de la historia como campo de lucha en el que se enfrentan –en el presente– intereses encontrados. Lo que interesa principalmente mostrar es esa lucha entre versiones de la historia impuestas y otras que intentan resistir su absolutismo y proponer versiones alternativas. El poder dominante impone una determinada narración de la historia que favorezca su visión de la realidad en el presente, y sepulta sin dejar rastro lo que no le conviene. En ambos libros encontramos a MVM representando esta realidad, al tiempo que construyendo protagonistas que se pasan la novela luchando contra ella. Al poner énfasis en esa lucha, en el carácter situacional del significado de toda representación del pasado, el proyecto político de la novela se desplaza de la representación de una versión diferente de la historia, al de hacer visible que la existencia de otra, diferente versión de la historia, es una lucha que importa al presente, precisamente porque la representación del pasado es elemento crucial en el establecimiento del poder presente. El desvelamiento de una cierta verdad sobre el pasado pone en funcionamiento los mecanismos del poder presente, para asegurarse de su eliminación. El hallazgo de la verdad es materia imposible, pero lo más grave y urgente es que hay una verdad que se ha impuesto como la única válida y real, y está dispuesta a matar y silenciar a quien se lo discuta. Al insistir en este desenmascaramiento de los intereses del poder hegemónico en mantener una determinada lectura del pasado como verdadera, Vázquez Montalbán está marcando un cambio importante con respecto a su narrativa realista anterior.

En *Galíndez* y *Autobiografía del General Franco* se difumina en su búsqueda la labor indagatoria propiciada por la estructura que hemos llamado narrativa hermenéutica. Sus hallazgos pierden peso específico y adquieren importancia exclusivamente como amenazas contra el poder establecido. La investigación de Muriel y el careo de Marcial con Franco están constantemente amenazados y son finalmente eliminados porque representan otra versión de la historia. La presencia material en estas dos novelas de esa amenaza a las otras versiones de la historia, las que representa la izquierda, hace hincapié en lo que Foucault llama "the status of truth and the economic and political role it plays" [el estatus de verdad y el papel económico y político que juega],[14] y no en el descubrimiento de una verdad incontestable que ha sido suplantada por otra. Lo que estas novelas demuestran es el estatus político al que obedece una cierta versión (verdad) del pasado, de la historia nacional, en el presente de su escritura. La imposibilidad de recuperar la verdad del pasado no elimina la existencia de jerarquías de verdad, no elimina el carácter privilegiado de ciertas versiones de la realidad, y aquí en concreto, del pasado. Y entonces, la pregunta clave, la más urgente, sigue siendo: ¿en interés de quién se acalla o se alza la voz de la historia?

En el *El pianista*, especialmente en su capítulo central, la novela se convierte también en espacio de recuperación de la historia, donde los que han perdido la voz encuentran una forma de representarla. En *Galíndez*, y mucho más obviamente en *Autobiografía*, el propósito de reconstrucción del pasado que ha sido ocultado se hace más complejo al tomar conciencia estos textos de que la representación de esas voces recuperadas exige un enfrentamiento directo con las estructuras de poder. El objetivo original de la estructura hermenéutica se complica entonces, haciendo explícita su naturaleza política en el contexto en el que se desarrolla. El enfrentamiento, la lucha, pasan a centrar la trama de estas novelas. En *Galíndez* ese poder lo constituyen los intereses mismos de un orden internacional que aún no puede permitir que se aireen los trapos sucios del imperialismo estadounidense. En *Autobiografía* el enfrentamiento es con el más sutil poder de las instituciones culturales para crear realidad, para construir una determinada versión dominante de la historia. En ambos lo amenazador es su capacidad para borrar definitivamente ciertas historias, las que Vázquez Montalbán agrupa bajo el título de memoria histórica, refiriéndose a todo aquello que la versión oficial de la historia descarta, según un criterio particular y, por supuesto, interesado. Los motivos para descartarla son diferentes en estas dos novelas, y en ambas es objetivo central el desvelarlos. Es especialmente notable que para expresar temáticamente la labor de recuperación de la memoria como un acto explícito de resistencia a un antagonista personificado, se escojan hechos históricos y documentables. En el enfrentamiento novelístico al que me he referido anteriormente, la línea que separa la ficción de la historia, de la realidad, es imposible de trazar.[15] La concepción de la tarea del historiador/a como recuperador de textos y narraciones se incorpora a la diégesis de la novela en la figura de sus protagonistas principales. Sus limitaciones y prejuicios, sus partidismos se hacen explícitos, en el contenido tanto como en la utilización de un punto de vista narrativo limitado a sus perspectivas. Pero estas limitaciones son utilizadas para revigorizar la propia crítica al sistema establecido y hacerla más eficaz. Una vez admitida la naturaleza textual de la historia, mezclarla con la narración de ficción novelística vuelve a ser legítimo como recurso realista. La politización de la historia abarca así al género de ficción también, recuperando para él su capacidad de intervención, también política, en la cultura.

1: Galíndez y la ética de la resistencia

No es la historia, es el tanque[16]

Denominada por algunos críticos, y por el mismo escritor, como novela en cierto sentido policiaca,[17] *Galíndez*[18] tiene indudables conexiones con la serie Carvalho.[19] El proceso indagatorio de

Muriel Colbert, una estudiante de historia que escribe su tesis doctoral sobre el nacionalista vasco Jesús de Galíndez, estructura toda la novela, y es la que da pie a la recreación paralela de los últimos momentos de la vida de este personaje histórico. La estudiante americana sigue la pista del político desde su pueblo natal y hasta su misterioso final en la República Dominicana, perseguida cada vez más tenazmente por agentes de la CIA que acaban haciéndola matar cuando llega a saber demasiado. Una vez más, Galíndez puede leerse como una búsqueda en el pasado que interesa al presente, y que quiere reconstruir las peligrosas conexiones entre esos dos polos.

En dos momentos del desarrollo de la novela se transcriben los versos de una canción popular vasca que señalan indudablemente la importancia de esa búsqueda. El primero está en la primera sección de la novela (26), durante la visita de Muriel a Amurrio, el pueblo originario de Galíndez, donde la oye cantar y se conmueve hasta las lágrimas. Estos versos le vuelven a la memoria al personaje femenino en la última etapa de su viaje, Santo Domingo, cuando su secuestro y asesinato son inminentes:

> No, no debe asustarte el invierno, aunque ahora sea verano, porque el presente permanece en el futuro, como una cadena, como una cadena quieta, y tampoco deben asustarte los futuros fríos, al amanecer, los campos encharcados, cuando todo parece una naturaleza sin vida, porque el corazón conserva la luz de los soles que se fueron y en los ojos permanecen los recuerdos del pasado, tampoco debe asustarte la muerte porque los sarmientos traerán el vino nuevo y nuestro presente asentará el mañana de los otros. (240)

Estos versos repiten una vez más la obsesión montalbaniana: la conexión temporal como vía de esperanza y de cambio para el futuro. La única esperanza para ese futuro que se sabe frío y encharcado, en el que el narrador se sabe condenado a morir, es el confiar en que allí, en la vida de esos otros descendientes, se habrá incorporado la semilla de la propia labor presente. Esa conexión —esa cadena quieta— se sabe truncada y su restauración es urgentísima, no sólo porque la ruptura hace desaparecer el pasado, sino porque impide el advenimiento de un futuro diferente.

El ejemplo más claro de la ruptura de esa cadena en la novela es el personaje de Ricardo, el joven amante español de Muriel. Las alusiones a su carencia de memoria son constantes. Ricardo es tan desmemoriado como toda su generación, y "está muy tranquilo sin memoria o con muy poca memoria histórica"(12). Tiene que ser una extranjera, alguien en principio totalmente ajena a la memoria histórica nacional, la que llegue tan cerca de la vida de Galíndez que sus muertes acabarán confundiéndose.[20] Muriel guarda de la figura del detective el carácter marginal, ajeno al caso que la ocupa. Pero sólo como elemento inicial, que acaba dando paso a la total comunión entre investigadora y objeto de estudio. La comprensión histórica que el estudio de la figura de Galíndez proporciona a Muriel, y viceversa, la coherencia e integridad humanas que Muriel sabe interpretar en Galíndez, pasan por encima de particularismos generacionales, de nación, de género sexual y de religión, en su propósito de reintegrar a su lugar los eslabones perdidos de esa cadena quieta de la canción de Mikel Laboa. Cada uno de ellos que se recupera ayuda a reinstaurar la comunicación entre el pasado de Galíndez y el presente de Muriel, para llegar finalmente a integrar al gran desmemoriado. La magra victoria con que termina la novela es que Ricardo acabe comprendiendo la necesidad de la investigación, de la indagación, para recuperar esos eslabones perdidos que le separan de la verdad de la muerte de su amante americana. Una investigación que le llevará a saber más de su propia historia, y con ello a restaurar la maltrecha cadena quieta.

Aunque el objetivo de reivindicar una historia silenciada conecta la novela con toda la producción anterior del autor, las vías de su cumplimiento han cambiado. El desvelamiento de la verdad sobre la identidad y asesinato de Galíndez no es, como en la serie policiaca, lo que centra la representación de la novela. No es esa reconstrucción la que interesa.

Cerca del final de su investigación, a punto de ser sacrificada por sus torturadores, Muriel se pregunta angustiada por el destino de los desaparecidos en la narración de la historia: "Pero, ¿y los muertos sin sepultura y sin memoria? ¿Esa fosa común universal y secular que jamás se alza contra los asesinos, que sólo pagan por los muertos con rostro, nombre y apellido?" (334). La protagonista teme su eliminación, semejante a la de Galíndez, que llevará a la desaparición, sin rastro, de su existencia, y que impedirá que su labor tenga ningún fruto en el futuro. En el terror que motivan estas preguntas se concentra la diferencia de problemas que plantea *Galíndez* con respecto a la serie Carvalho y la narrativa hermenéutica montalbaniana en general, y por extensión, la diferencia en la solución de ellos que las novelas proponen. En la novela policiaca de este autor el proceso indagatorio se pone en marcha y se justifica con la presencia inicial del cadáver, llegando gracias a él a averiguaciones que al final adquieren el estatus de verdad revelada. También en *El pianista* la figura del viejo Rosell, especie de cadáver, desencadena toda la narración posterior. El cadáver, en todas estas novelas, es la evidencia, la justificación de la causalidad, de la conexión de pasado con presente. No hay modo de pensar en él (especialmente si lo ha producido una muerte violenta) si no es como una consecuencia, un resultado, el producto de unas acciones que lo preceden y lo causan. A diferencia de lo que sucede en estas novelas, el cadáver de Galíndez ha desaparecido definitivamente. De hecho, a efectos de conocimiento público, nunca existió. Perdido el cadáver, se pierde la necesidad de conectar pasado y presente, o más exactamente, se pierde la obviedad de esa necesidad, y para justificar la investigación habría que empezar por probar que el crimen se ha cometido. Este problema es análogo al que plantea todo proceso de representación, por ejemplo el de la memoria y la historia. Desaparecido el pasado como referente incuestionable, no queda más que la narración para recuperarlo, y ésta es siempre refutable, manipulable. ¿Cómo demostrar que existieron otros sujetos históricos para conseguir que se acepten otras versiones de la historia? En contraste con la irrebatibilidad que proporcionaba la presencia del cadáver, la ausencia de toda prueba que delate una acción pasada hace ahora mucho más radical el problema de la recuperación del sentido del pasado como condicionador del presente. En lugar de devolver a unos acontecimientos pasados y ocultos su estatus de causa de los presentes (proyecto básico de la novela policiaca), el interés debe centrarse ahora en la representación de unas estructuras de poder interesadas –en el presente– en producir y mantener una cierta verdad histórica, y resueltos a silenciar todo lo que no encaje en ella.

Esta reorganización del objetivo político de la novela responde, pues, a una nueva concepción de la historia, que afecta tanto a los que imponen la Historia Oficial, como a los que se resisten a esa imposición. Es por ello que en *Galíndez* la recuperación del pasado se liga por primera vez a su textualización. Muriel es una estudiante de historia que escribe una tesis doctoral cuyo título es "La ética de la resistencia: el caso Galíndez". Su implicación personal en la investigación, su identificación con el objeto de su estudio, están marcados en la novela tanto temática como formalmente. La mujer persigue tan sañudamente las razones de la muerte y el final mismo de Galíndez, que acaba compartiendo su trágico destino de torturado y asesinado. El punto de vista narrativo, por otra parte, otorga tanto a Muriel como a Galíndez –que aparece también como personaje– el privilegio de su perspectiva sobre la realidad, que se expresa mediante una segunda persona narrativa. La totalidad de la novela ofrece un punto de vista limitado a alguno de los personajes. Pero a diferencia de las perspectivas de Robards y Voltaire, los agentes de la CIA, que aparecen en la tercera persona narrativa, el empleo de la segunda para Galíndez y Muriel les concede el privilegio de la íntima distancia de sí mismos, nunca la omnisciencia. Por último, la identidad de Galíndez, que Muriel persigue, nunca queda suficientemente aclarada, su personalidad permanece ambigua y contradictoria, abierta a las diferentes versiones de ella que proponen los entrevistados elegidos por la autora de la tesis, y que contribuyen a su fascinación por él. El interés de la investigadora puede ser el de aclarar, dar coherencia a ese perfil humano, pero desde luego ese no es el de la narración en su totalidad. La misma Muriel se pregunta en un momento determinado, "¿hasta qué punto no te estarás contando una película?"(238). Cuán fiables sean cada una de esas representaciones es cuestión pertinente en la novela, aunque menor. La gran cuestión es la forma en que la historia del desaparecido Galíndez incomoda a importantísimos responsables del orden mundial contemporáneo, a Muriel –y al escritor MVM. Esta incomodidad pone de manifiesto la participación de los que la sufren en la construcción de la historia (en la medida en que la destrucción de memoria es una forma de construirla), en la imposición de una determinada verdad. Hay una labor política detrás de cada narración del pasado, que ha requerido un trabajo de manipulación al servicio de unos ciertos intereses. El desvelamiento de estos intereses es el meollo de la cuestión, especialmente el de los más poderosos de éstos, los de la política internacional imperialista de los EEUU. Un momento de la novela en que se expresa con especial claridad esta politización en la representación de la historia lo tenemos en la carta que Norman, el director de tesis de Muriel, presionado por el chantaje de Robards, le escribe a su alumna, y en la que le sugiere un giro especial en el enfoque de su trabajo:

> Según el comité asesor de la [beca] Holyoke, tu planteamiento introductorio, el que justifica la primera parte del título, "La ética de la resistencia", es muy válido y sugerente y en cambio la concreción en el caso Galíndez ha perdido interés e incluso saben que hasta en España y en el País Vasco, Galíndez es un perfecto desconocido. En cambio, [...], considerarían de sumo valor académico, científico y, cómo no, becario, es decir inversor, que culminaras tu investigación comparando la ética de la resistencia tal como se entendía en la moral civil y política de los años treinta y cuarenta con las filosofías postmodernas actuales que cuestionan la naturaleza ética misma de la resistencia... (75-76)

A lo cual Muriel contesta:

> Es cierto que de Galíndez no se habla, sorprendentemente, ni siquiera en España después de la muerte de Franco y la llegada de la Democracia [...] ¿Acaso el olvido de Galíndez no es consecuencia de esa voluntad de ahistoricismo que lo invade todo, que quiere librarse de la sanción moral de lo histórico? (77)

Esta visión del postmodernismo en su acepción más agresivamente conservadora y servidora de los intereses dominantes explica la posición crítica de la novela, que, una vez más, nos urge a una recuperación del pasado en función del presente. Desde el momento en que se enuncian en la novela estas ideas, cuando Muriel decide descartar las taimadas sugerencias de su jefe académico, queda establecido explícitamente que llevar adelante esa tesis es en sí mismo una actualización de esa ética de la resistencia que es su objeto. Es más, el desarrollo mismo de la novela desmiente la inutilidad del compromiso que, en la visión que ofrece el libro, es característica dominante de la postmodernidad. Por mucho que fracase, al final queda clara la pertinencia de la investigación a contracorriente que constituye ese proyecto de tesis, pues su capacidad de afectar al presente es precisamente lo que pone en marcha todos los mecanismos para neutralizarla. Entonces, la labor de la intelectual no es inútil, en primer lugar, porque no es inocua. Muriel muere en el intento de textualizar, de narrar, de hacer visible con ello otra versión de la historia. Y no es la primera en morir por motivos semejantes, pues los del secuestro, tortura y asesinato del personaje histórico Jesús de Galíndez están ligados al contenido intolerablemente crítico de su propia tesis doctoral sobre el dictador dominicano Trujillo. Pero además, y especialmente, no es inútil porque hace posible el movimiento continuo de la historia. La dialéctica que cualquier resistencia establece con el poder mantiene viva la esperanza de un cambio. La existencia de ese "ruido", como se le va a llamar en *Autobiografía del general Franco*, garantiza que la historia no se ha terminado, que sigue siendo un campo de batalla en el que se enfrentan intereses capitales del presente.

Vista la complejidad de la textualización de la historia en la novela, queda claro que *Galíndez* ya no puede ser una novela como las de Carvalho. Y, sin embargo, quisiera poder serlo, necesita serlo. Lo que hace peligroso el proyecto de Muriel es que se empeña en establecer la existencia de Galíndez, cuando todos le han olvidado. Muriel se busca enemigos desde el momento en que su intento de reconstrucción textual del pasado amenaza con topar con alguna evidencia. Y muere sin haberlo conseguido. Y es su muerte misma la que consigue lo que su investigación no pudo. Como mencionaba antes, la narración ha construido un paralelo entre las voces de Muriel y Galíndez, expresadas ambas con el uso de la segunda persona. Sus destinos se funden al final, pero no para indicar la circularidad de la historia, la total imposibilidad del avance histórico. Muriel constituye con su muerte lo que Galíndez no pudo con la suya: un cadáver.

En la escena final de la novela, Robards, el agente de la CIA, ha interceptado una carta de Ricardo dirigida a la hermana de Muriel en la que el novio español de la difunta explica las circunstancias que conoce de la muerte de ésta. En la elaboración de la carta Vázquez Montalbán introduce los ingredientes básicos para construir un enigma de novela detectivesca: el muchacho ha tenido noticia del hallazgo del cadáver de Muriel, –"al parecer ahogada por un súbito mareo y sin pruebas externas de violencia, sanción que fue aceptada por el forense oficial y por un informe anatómico especial que pidió un ciudadano dominicano, José Israel Cuello..." (352)–, pero tiene fundadas sospechas de que hay algo más, lo que le inquieta hasta tal punto que termina su misiva "deja[ndo] constancia escrita de que me pongo en marcha"(354), y anunciando que va a empezar a hacer averiguaciones por su cuenta. Con esta última frase vemos a Ricardo tomando el relevo de Muriel, incorporándose al grupo de investigadores de la historia. Pero Ricardo tiene una ventaja sobre su antecesora, una ventaja que es el único aspecto esperanzador con que termina la novela, porque es el único que indica un progreso con respecto a la situación inicial. La novela ha narrado el fracaso de Muriel y la victoria de unos poderes fácticos omnipotentes, pero éstos no han podido evitar el producir la presencia del cadáver de Muriel, una evidencia de la que ella careció con respecto a Galíndez. De esta forma la novela termina abriéndose a otra posible novela, en este caso, una novela policiaca, cuyas claves están en el texto que acabamos de leer. El agente de la CIA, al apoderarse de esta carta, constata la imposibilidad de cerrar el caso Galíndez, y, por extensión, de cerrar la historia. La única manera de mantener abierta la historia es manteniendo la sospecha de que existe una versión diferente de la realidad presente que radica en el pasado. La sospecha de Ricardo está fundamentada en una interpretación del pasado que le hace observar incoherencias inadmisibles en la explicación de la muerte de Muriel. Pero es la evidencia del cadáver lo que le pone en marcha, lo que acciona los mecanismos de su capacidad interpretadora. Galíndez acaba así con una insinuación de que la lucha por establecer una verdad diferente depende de un trabajo hermenéutico, pero se desencadena impulsado por una evidencia innegable. El cadáver de Muriel es el motor que transforma a Ricardo desde su presentismo y desmemoria, al darse cuenta por primera vez de la necesidad de la memoria para actuar como sujeto histórico, para entrar por fin en la lucha por la historia. El recuerdo que él guarda de Muriel puede ser falso, o parcial, lo mismo que el informe oficial sobre su muerte, que Ricardo encuentra tan intolerablemente incongruente. Ambas son versiones disputables, y su "base real" puede discutirse hasta el infinito. Pero lo innegable es que van a entrar en conflicto por ser sostenidas por intereses contrarios. Y sobre todo, porque su antagonismo lo origina la presencia ineludible de un cadáver con nombre, apellidos e historia.

El nuevo enfoque en el tratamiento de la historia que abre *Galíndez* coincide en plantear las perspectivas postestructuralistas más candentes en el tratamiento de la historia, y las avenidas de historización que éstas permiten. Toda aprehensión del pasado es textual, discursiva, parcial, rebatible. Porque así se entiende en estas dos novelas, podemos afirmar que ambas superan lo que de nostálgico hay en la proposición de la existencia de un pasado absoluto, absolutamente conocible, del tipo que se deducía en la narrativa hermenéutica. La desconstrucción a la que asistimos en la novela de los mecanismos de poder que persiguen imponer su Historia, no se detiene en una textualización que relativiza, y por tanto iguala, el valor de todas sus versiones. Por primera vez en *Galíndez*, y después en *Autobiografía*, MVM plantea y se enfrenta a una problemática que, si bien irresoluble desde el punto de vista filosófico-epistemológico, exige una respuesta urgente desde un punto de vista político y ético. Porque hay "textualizaciones" que matan. Esta materialidad inescapable es la que MVM pretende establecer en todas sus reivindicaciones literarias de los noventa. El Bien tal vez no exista, pero el Mal seguro que sí. Y la evidencia del mal es motor de la historia.

2: Historias contra la Historia: el fracaso de *Autobiografía del general Franco*

El director de una prestigiosa editorial madrileña, Ernesto Amescua, propone a un escritor de segunda, militante comunista y antifranquista de toda la vida, la escritura de una "autobiografía" del dictador Francisco Franco, que aquél acepta acuciado por sus problemas económicos. Marcial Pombo, que así se llama el desafortunado, decide resolver la papeleta que el siniestro cometido le plantea introduciendo en su obra, además de la narración en primera persona del propio protagonista, otras voces contrarias a su visión de la realidad. Estas otras voces recogen desde la historia personal de Pombo, cuya familia sufrió los rigores de la represión franquista, hasta los testimonios de personas cercanas a Franco. Gran parte del corpus de *Autobiografía* (más de seiscientas páginas, de las 663 que completan el libro) lo forma el enfrentamiento textual de esas diferentes versiones de la historia española de los últimos casi cien años, la del general Franco por un lado, y las que aporta su "biógrafo", Marcial Pombo, por el otro. Finalmente, cuando entrega su manuscrito al editor, éste le anuncia que piensa eliminar todo aquello que no sea la narración en primera persona de Franco. Pombo abandona el despacho de Amescua, con un cheque de tres millones de pesetas en el bolsillo, tan resignado como derrotado por la Historia.

Recurren en *Autobiografía* los dos elementos innovadores que habían aparecido por primera vez en *Galíndez*. Primero, la textualización explícita de la recuperación de la memoria histórica –la versión de los vencidos de la historia– como resistencia contra un poder presente y personalizado dentro de la novela. Segundo, la introducción de la desbordante erudición histórica del autor como elemento central de la narración. El *tour de force* que es en *Autobiografía* la narración literal de la biografía política de Franco, ocupando la práctica totalidad de la novela, desequilibra la representación fictiva en favor de la histórica. La única justificación de esta estructura es considerar que el espacio de la novela es el único en el que se puede concebir una contestación directa a la voz de Franco como la que realiza Pombo. La novela pasa a ser así un espacio de libertad textual en el que se puede ejercer más eficazmente una labor de oposición intelectual. Ernesto, el editor de la autobiografía que Marcial escribe, espera alcanzar con ella ventas de veinte mil ejemplares sólo en la primera edición. Vázquez Montalbán, con *Autobiografía*, había vendido 40.000 ejemplares al mes de su publicación, e iba ya por la tercera edición, unas cifras que nunca hubiera alcanzado con un texto presentado dentro del género del ensayo histórico.[21] Se puede afirmar, como con *Galíndez*, que Vázquez Montalbán adopta en esta novela nuevas estrategias narrativas de intervención política, que surgen de una nueva conciencia narrativa de la textualidad de la historia.

La consideración de la representación del pasado (memoria, historia) como texto, como discurso inserto en un sistema de fuerzas sociales, permite hablar de *Autobiografía* como una obra que integra directamente las preocupaciones postestructuralistas para intensificar su contenido político. Voy a estudiarlas en tres estrategias diferentes: primero, en la introducción en la novela de la metatextualidad; segundo, en la aceptación de la dificultad de distinguir entre narración histórica y de ficción y, por último, en la representación de la historia como campo de batalla en el que se enfrentan poderes desiguales.

1.–METATEXTUALIDAD: Narrar la construcción de un texto (la autobiografía de Pombo) dentro de otro (*Autobiografía*) le permite a Vázquez Montalbán atender a la representación de los elementos metatextuales que intervienen en la fabricación de una narración. Es interesante observar que la incorporación del proceso de escritura dentro de la diégesis no agota la metatextualidad de la novela. En ella, como estudiaremos, no es central, aunque se reconozca, el problema epistemológico –la imposibilidad de acceso al referente en la narración. Amescua admite cuando le plantea su idea a Pombo sobre una autobiografía de Franco que ésta va a ser tan falsamente objetiva como lo habría sido una escrita por el dictador mismo. Pombo, por su parte, manifiesta abiertamente haber intentado con su autobiografía, no una obra de conocimiento –que permita a sus lectores acceder a la realidad pasada–, sino de interpretación de ese pasado.

Vázquez Montalbán está indudablemente interesado en hablar

del texto como un proceso de fabricación, pero atendiendo al sistema social que condiciona primero su producción y más tarde su circulación y descodificación, dando así una versión diferente al concepto de metaescritura.[22] En lugar de entender la metatextualidad únicamente como la autoconciencia narrativa de los condicionamientos filosóficos que intervienen en la representación textual, Vázquez Montalbán incluye la autoconciencia de los condicionamientos sociales y políticos que intervienen antes y durante esta representación y que, una vez concluida ésta, condicionan su circulación como producto cultural. Pombo no se enfrenta en el vacío al proceso de escritura, a la angustia por la imposibilidad de aprehender la realidad y la pérdida del pasado. Se enfrenta desde su posición social de escritor de obras de divulgación que anda mal de fondos, y que se siente por ello empujado y condicionado a aceptar una oferta profesional que abomina. Por otra parte, la idea de producir la obra parte de un hombre de negocios, cuyo objetivo es obtener beneficio económico: "te propongo que escribas una supuesta autobiografía de Franco que será el número uno de una colección titulada: A los hombres del año dos mil [...] Dos millones de anticipo a cuenta de derechos de autor, tres millones a la entrega del original y te garantizo una primera edición de veinte mil ejemplares".[23] La aceptación de la escritura de la novela supone el establecimiento de un contrato laboral, por el cual Pombo vende sus habilidades de escritor como fuerza de trabajo a cambio de una remuneración económica. Y lo que produce —por muy creador que sea— está sometido a las reglas del mercado y al arbitrio del capitalista que lo ha comprado. Pombo deberá resignarse a aceptar la mutilación de su obra, urgido por la necesidad de dinero, perdiendo así el control de su propia producción:

> El cheque [por valor de tres millones de pesetas] ya estaba doblado en el bolsillo interior de mi chaqueta, es decir, habría mucho que hablar sobre la teoría del ruido, porque mientras mis labios trataban de oponer algún ruido al mensaje del cheque, mis dedos lo habían doblado casi sin que yo me diera cuenta y me lo había metido en el bolsillo desde donde enviaba señales, mensajes por lo tanto, de seguridad. (653)

La representación de las circunstancias en las que Pombo acepta y escribe su autobiografía es tan metaescritural como la de la dificultad de acceder al referente. Vázquez Montalbán pone de relieve las condiciones de creación de una obra considerada, no en el aislamiento del momento creador, sino como producto de consumo en un campo cultural específico. Le interesa entonces representar la concepción, producción y circulación de la autobiografía de Pombo en la sociedad capitalista española de 1991, en plena democracia, dieciséis años después de la muerte del dictador, y a las puertas de la celebración de los Juegos Olímpicos y la Exposición Universal. En este contexto la producción de una autobiografía de Franco sirve unos determinados intereses (económicos, políticos, ideológicos), y sus beneficiarios están dispuestos a pagar por que la obra se cree: "Por este libro tendrás pasta larga, Marcial, ya verás tú como pegará y promoción escolar tras promoción escolar, tal vez no inmediatamente, pero a partir de los próximos cinco años, será un libro de lectura aconsejada" (653)

2.–Historia y Ficción. La dificultad de distinguir entre el campo de la ficción novelística y el de la historia está inscrita de entrada en la composición misma del título de la obra. La confusión de límites impide, o cuanto menos, obstaculiza, la cómoda clasificación del libro dentro de un determinado género. El contexto en el que aparece el título niega inmediatamente su fiabilidad: el término autobiografía está en contradicción flagrante con la autoría de Vázquez Montalbán, y por añadidura niega la pertenencia real del contenido del libro a ese género. Sin embargo, el título guarda validez como indicador del contenido del libro. Pero, ¿hasta qué punto? MVM es escritor conocido tanto por su labor novelística, como de ensayista y periodista.[24] El título alimenta esa "indecidibilidad", esa inestabilidad, provocando desde el principio la incomodidad por la dificultad/imposibilidad de colocar la obra en un compartimento genérico preestablecido.

La confusión de la frontera entre ficción e historia aumenta con el uso de ciertos marcadores que le dan al libro supuesta categoría de "historia". El más claro se ofrece al final en la forma de un índice onomástico de personajes reales, del que oportunamente se ha excluido a Marcial Pombo y su familia tanto como a Julio y Ernesto Amescua. La fiabilidad de este índice refuerza la idea de que el libro está ofreciendo en gran medida información histórica, idea que se suma a la reputada veracidad de muchos de los acontecimientos que se narran a lo largo de la autobiografía de Pombo.[25] Por otro lado, de forma más confusa, a lo largo de esta autobiografía aparecen citas a pie de página donde el editor aclara algún punto confuso del texto. La más problemática llamada aparece después de una aclaración del narrador Marcial Pombo, que alude a episodios confusos y comprometedores de las que en un día fueron destacadas personalidades franquistas, pero sin nombrar a sus protagonistas. En nota del editor al pie de página puede leerse: "El autor se ha negado a concretar los nombres de los responsables para no merecer querella judicial de sus descendientes" (373). La atribución de la cita es decididamente ambigua. ¿Es ese el editor del libro de Vázquez Montalbán o del de Pombo? ¿A cuál de ellos alude la categoría autor? ¿Pertenece la cita al contenido de la novela de MVM, o la está puntualizando desde el exterior? En definitiva, ¿es la posible querella motivo de preocupación sólo para el mundo fictivo del personaje Marcial Pombo o también para el escritor Vázquez Montalbán? Y si admitimos la posibilidad de que lo sea para Vázquez Montalbán, ¿no estamos admitiendo al mismo tiempo la posibilidad de considerar el texto *Autobiografía del general Franco* dentro de la categoría de historia? ¿Puede –o desea– salvarse el autor con la famosa frase de descargo "cualquier parecido con la realidad es pura coincidencia"?

Por último, los testimonios de personajes que se oponen a la visión de Franco de los hechos o la realidad, están sacados de libros realmente escritos y existentes en el mercado.[26] Sin embargo, como habría sido de rigor en un trabajo "científicamente histórico", el libro carece de una bibliografía rigurosa, y se aprecia gran inconsistencia en la cita de fuentes, que en cualquier caso nunca se ofrecen completas (año de publicación, editorial, lugar de edición, página de las citas transcritas).

En definitiva, es imposible afirmar la total "historicidad" del libro, pero también lo es su descalificación como obra de ficción que no se reivindica como intervención en la realidad.[27] El texto juega –sin que le interese decidirse– con su pertenencia a estas dos categorías, manteniendo un alto nivel de fiabilidad "histórica" en el texto pero insistiendo en los elementos que socavan su fijación como verdad irrefutable. El texto discute esta fijación con su inclusión problemática y ambigua en el género novelístico. Pero también, dentro de la estructura misma de la novela, al desvelar la inestabilidad y revocabilidad del texto –discurso– histórico.

Por otra parte, la misma diégesis de la novela incluye una discusión de este carácter textual, y por tanto rebatible, de la historia y la memoria. El discurso de Franco es doblemente discutible como texto de fiabilidad histórica. Para empezar es una falsa autobiografía, cosa que la novela, naturalmente, no oculta en ningún momento. El prólogo (Introito) nos pone en los antecedentes necesarios para saber en qué clave descifrar la autobiografía que vamos a leer. Conocemos a su autor, su posición vital e ideológica, las condiciones en que acepta la escritura del texto, su relación con el objeto de su trabajo. Es imposible leer la autobiografía de Pombo sin tener en cuenta esos condicionamientos. El prurito de objetividad, de imponer una verdad sin discusión en el espacio de la novela está, por ello, vedado. Las intervenciones de Franco están condicionadas por las réplicas de Pombo, dan pie al desbordamiento de todo su sarcasmo y resentimiento. La narración en primera persona del general Franco, y las réplicas de Pombo, que se presentan físicamente separadas en el espacio del libro y enfrentadas en cuanto a contenido en el texto, tienen en último término el regusto de un desdoblamiento esquizofrénico, que llega a su extremo cuando Pombo no sólo se permite criticar el contenido de las memorias de Franco, sino su estilo mismo: "Lo siento, pero su prosa, por lo leído hasta aquí me parece redaccional, retórica y bachilleril..." (408).[28] Por si esta naturaleza "falsa" de la autobiografía de Franco ha pasado desapercibida para el lector al final de su lectura, el epílogo nos define el fenómeno en la boca del personaje Ernesto Amescua:

Pues bien, cuando Franco habla, se explica, aunque está cohibido por ti, por tu vigilancia... sí, sí, no te sorprendas, ese defecto se produce constantemente. Franco habla presionado por ti, incluso si no tuviéramos en cuenta tus interrupciones constantes [...] Franco seguro que hubiera dicho cosas diferentes sin tu *pressing*. Pero bueno, este riesgo ya lo asumía y pensaba que iba a fortalecer la musculatura de la obra, sabiendo que eras lo suficientemente inteligente como para no caer en la parodia.(650)

En efecto, la voz de Franco busca un difícil equilibrio entre la credibilidad –evitando la interpretación de su discurso como parodia– y el reconocimiento de su "falsedad" –revelando al ventrílocuo antifranquista que le da la voz.

Pero la fiabilidad histórica de la voz de Franco no se pone en peligro o en entredicho únicamente por la falsedad que le adjudica la autoría de Pombo. Es decir, la autobiografía de Franco no es sólo sospechosa por no ser tal en realidad. La autobiografía misma, como memoria personal, está sujeta a la misma sospecha, a la misma susceptibilidad. Es "falsa" porque es parcial y está condicionada por la particular posición de su emisor: "El libro lo firmarás tú, no lo firmará Franco [...] Tú has de tratarlo con la misma falsa objetividad con la que Franco se trataría a sí mismo"(20). La novela misma acepta la imposibilidad de la objetividad en la narración del pasado, sin importar el papel que el narrador jugara en su realización. Pero esa constatación no detiene a ninguno de los personajes, mucho menos a Vázquez Montalbán mismo, porque aunque la verdad objetiva sea imposible de establer, lo cierto es que hay una verdad que se va a construir como tal verdad objetiva, prevaleciendo sobre todas las otras. Esa es la gran problemática del libro:[29] mostrar cómo ciertas versiones de la historia pasan a representar la totalidad del pasado, constituyendo la verdad objetiva. Versiones que se construyen como únicas con un argumento que las reviste de objetividad. La novela desvela la interesada construcción que sostiene a la supuesta objetividad, levantada a costa de la silenciación de otras versiones de la historia, las que constituyen la memoria de los vencidos. Lo que hace perniciosa la memoria de Franco es su estatus actual, su elevación a la categoría de Historia, de voz única y permanente. La voz que en la autobiografía de Pombo contesta a Franco es condenada a la tijera, a desaparecer como texto público, y por tanto a desaparecer sin más: "Me quedo la obra. [...] Pero creo que sólo voy a hacer uso del monólogo del general, es decir, voy a quitar todos los ruidos."(652)

Este concepto de ruido con el que Amescua rechaza las otras versiones de la historia es clave en la novela. Lo encontramos por primera vez en el epígrafe, que consiste en una definición teórica de comunicología de este término. Esta definición señala precisamente la normalidad de la producción de ruido en la comunicación y, más importante, que para eliminarlo "[los circuitos electrónicos] son artificialmente puestos a temperaturas extremadamente bajas, lo más próximas posible a ese límite imaginado por físicos bajo el nombre de *cero absoluto*" [énfasis en el original]. La lectura del libro permite una interpretación polisémica de esta definición científica —y por científica, con tanta vocación de univocidad. La definición destaca que la eliminación del ruido es un acto artificial que requiere para cumplimentarse un trabajo de silenciación, trabajo que en la novela se encarga a Amescua, para quien los ruidos se definen como todo obstáculo que se interpone en la perfecta comunicación entre emisor y receptor. La definición del epígrafe, por su colocación estratégica, tiene capacidad para modificar la del impasible hombre de negocios Amescua, llamando la atención sobre la violencia que debe ejercerse sobre los "circuitos electrónicos" para obtener una comunicación "ideal".

El lingüista Juri M. Lotman[30] ya había establecido en 1974 que el ruido, entendido como el conjunto de causas que impiden o dificultan la comunicación, no es simplemente un obstáculo, sino una condición de la comunicación humana: "Non-understanding, incomplete understanding, or mis-understanding are not side-products of the exchange of information but belong to its very essence" [No entender, entender de forma incompleta o entender mal no son efectos secundarios del intercambio de información, sino que pertenecen a su esencia misma] (302). Lotman entiende la comunicación como el enfrentamiento dinámico de diferentes códigos personales y culturales, en continua proliferación y desaparición, donde el éxito del intercambio de información se debe a la capacidad y esfuerzo de traducción de los participantes. En este modelo dinámico, la supresión de diferencias (ruidos), es una imposición antinatural y perniciosa, porque está suprimiendo la diversidad misma de códigos: " The use of one and the same code, and the circulation of one and the same message unaltered in the process of transmission, would result in the collective being composed of semiotically uniform individuals, that is, in the loss of one of the most essential features that distinguish one personality from other. A collective composed in such a way would suffer extreme loss of stability and viability." [El uso de un mismo código, y la circulación de un solo mensaje inalterado en el proceso de transmisión, resultaría en un ser colectivo compuesto de individuos semióticamente uniformes, o sea, en la pérdida de una de las características más esenciales que distinguen una personalidad de otra. Un colectivo compuesto de esa manera sufriría pérdida extrema de estabilidad y viabilidad] (303).

La suerte de la autobiografía de Pombo –con su representación de multitud de voces contradictorias– a manos de Ernesto Amescua –que suprime esa pluralidad conflictiva para dejar solo la voz de Franco–, puede leerse como un caso particular de ejecución de esta violencia uniformadora en la hipótesis de Lotman. Esta supresión, en el ejemplo que proporciona *Autobiografía*, es posible desde posiciones de poder, que utilizan la coartada de la objetividad para ocultar los intereses que se esconden detrás de la imposición de una determinada versión de la historia. El destino del libro que escribe Pombo ilustra ese proceso, al que el mismo Pombo da sentido. El historicismo objetivo, en el nombre que Pombo le adjudica (326), equivale a reducción interesada, que al silenciar, condena al olvido necesariamente todo aquello que no se objetiva:

le estamos olvidando general y olvidar el franquismo significa olvidar el antifranquismo. [...] [Los historiadores] le objetivarán y nos objetivarán: guerra de crueldades equivalentes, posguerra de autoritarismo a cambio de desarrollo... en fin la Historia es biplana y en ella no caben los ruidos, sean gemidos o gritos de rabia y terror. Y cada vez que un ciudadano del futuro lea esa Historia objetivada o presencie esos vídeos reductores, será como si usted emergiera del horizonte conduciendo un fantasmal bulldozer negro dispuesto a cubrir con una capa más de tierra a todas sus víctimas de pensamiento, palabra, obra y omisión. (662-3)

El problema con esta versión objetivada de la historia que Pombo/Vázquez Montalbán denuncian, no es su falsedad, que sea una mentira frente a la verdad inmaculada y autosuficiente de las voces que Pombo incorpora en su autobiografía. Lo amenazante es que convierte a la historia en Historia –entendida ésta como discurso dominante de representación del pasado–, reduciendo la complejidad de la representación del pasado, aplastando lo que no encaje, en este caso las voces de los vencidos por el franquismo. El libro termina con una lamentación de Pombo, consciente de haber perdido la Historia desde el día en que terminó la guerra civil con el triunfo de Franco: "Tengo ganas de autocompadecerme. No sé desde cuándo. Probablemente desde aquel día en que nos vi, a los tres, en el salón donde al juzgar a mi padre, también nos juzgaban a mi madre y a mí por haber perdido la Historia, aquel salón al que me había llevado mi madre para inspirar compasión." (663). El uso del verbo perder tiene aquí dos sentidos complementarios, uno que implica al pasado y otro un período de tiempo indefinido que comprende presente y futuro también. El primero y más obvio, es el sentido de pérdida como derrota, que convirtió a los que lucharon por la Segunda República en vencidos al acabar la Guerra Civil. Por otra parte, al estar situado al final del libro, este comentario sobre la pérdida de la Historia adquiere un segundo significado: el de pérdida como despojo. Los vencidos por Franco y por los que continúan en el poder ya en la democracia, han sido expulsados de la Historia, donde no cabe la representación de sus voces. Han perdido la Historia porque están literalmente fuera de ella, al no estar en absoluto representados en ella. Con razón (de cínico) sentencia Amescua:

Franco es el que hizo la Historia y vosotros la sufristeis. Mala suerte. Eso es todo. Dentro de cien años vuestras sensaciones de odio, impotencia, fracaso, miedo, no estarán en parte alguna y Franco al menos será siempre, para siempre una voz de diccionario enciclopédico, unas líneas en los manuales o en los vídeos o en los disquets, en cualquier soporte de memoria seleccionada para el futuro. Y en esas pocas líneas no cabrá vuestro sufrimiento, vuestra rabia, vuestro resentimiento. (652)

La autobiografía de Pombo no es una alternativa a esta visión historicista objetiva. Es decir, no se escribe con propósito sustitutorio que anule la representación de la historia del antagonista. Si así fuera, estaría en realidad reproduciendo el monolitismo reductor que dice atacar. El prurito de verdad –y por tanto de objetividad– en la narración del pasado no representa los intereses de Pombo en la escritura de su libro: "Yo leía y releía los textos, recordaba de pronto algunas lagunas que seguramente me reprocharán los historiadores incapaces de entender que en nuestro caso [en el de Pombo y Franco, su interlocutor] no era lo exhaustivo de los hechos el empeño, sino lo exhaustivo del sentido de los actos. Los hechos no tienen sentido. Los actos sí" (647). La diferencia que Pombo quiere establecer entre hecho y acto es la distancia que separa el objetivo epistemológico de representar la realidad (el hecho), del hermenéutico de interpretarla (el acto). MVM no está interesado en ofrecer una representación del pasado como verdad incontestable y fiel a la realidad, sino en representar las diferentes posiciones que en la actualidad ocupan las diferentes representaciones de la verdad. Lo que enfatiza Pombo como relevante en el concepto de acto es que implica la realidad una vez interpretada, una vez se le ha otorgado una categoría significativa. Este paso del hecho al acto obliga a integrar la representación del pasado en un campo dado de fuerzas, donde cada sentido de cada acto responde a una determinada posición social. De ahí la importancia de ser exhaustivo en la definición del sentido de los actos, porque con cada definición se está localizando a cada una de las fuerzas que integran y luchan en el espacio social por imponer su particular sentido, su particular verdad. Una vez más, esto es lo que da sentido político a la representación del pasado en la novela.

3.–HISTORIA COMO LUCHA DESIGUAL. Frente al monolitismo unívoco e incontestable que impone el "historicismo objetivo", se propone una visión de la historia que promueve la representación de diferentes y encontradas versiones de ella, y que no descarta la historia privada. Es decir, propone una visión de la historia como campo de batalla, y en la que se valoran como pertinentes y signicativos materiales de procedencia dispar y discutible desde el punto de vista "científico". Estos materiales constituyen la memoria, en la acepción que Vázquez Montalbán utiliza en el libro, segundo término de la dicotomía que la opone a la Historia. Así pues, Ernesto se equivoca al final de la novela (651) cuando acusa a Pombo de querer anular en su libro la voz de Franco con la introducción de otras voces. La representación de todas las voces es crucial porque lo que importa representar es su enfrentamiento, y los intereses a que cada una de las voces obedece. Hacer hablar a Franco es primordial, porque su discurso testifica su propia historicidad, de forma que Pombo no necesita parodiarle para descalificarle: "Mientras volvía a casa pensaba que tal vez sin las notas críticas sin duda, usted [Franco] mismo, ya que por la boca muere el pez, se bastaba y se sobraba para autocondenarse al infierno de la memoria del futuro." (653) Las palabras de Franco, con el paso del tiempo y el cambio de su posición dentro de las relaciones de poder, no necesita sino manifestarse, reproducirse para autodescalificarse. Lo que demuestra, pues, que el discurso no tiene un valor ahistórico, y puede, por ello, manipularse en provecho de intereses diferentes e incluso contrarios. Una de las principales estrategias de Pombo consiste precisamente en enfrentar a Franco los testimonios de otros franquistas cercanos a él, sin ningún respeto a la ideología de fondo que los hermana. Pombo, interesada y abiertamente, como en un collage, corta y reorganiza, descontextualizándolas, las voces de muchos de sus testimonios. La manipulación de los discursos es un arma que se legitima, desde la ausencia total de veneración por la inviolabilidad de la unidad del texto. Con esta estrategia consigue poner de manifiesto las contradicciones en el propio discurso del dictador.[31] Pombo, cuyo partidismo conoce el lector desde el principio, opta libremente por ciertas versiones de la historia sin sentirse obligado a respaldar sus elecciones con argumentos de objetividad: "Perdone [Franco] que prolongue mi diserción con respecto a la historia oficial más pedreste [sic] de las relaciones entre usted y la Alemania nazi. Lo siento, general, pero la versión que aporta su cuñado me parece más veraz, además desde la sincera confesión de germanofilia que asume, hace extensiva a usted y a la plana mayor militar y política del Movimiento." (378) La autobiografía es un espacio de confrontación entre dos bandos, separados físicamente en la página y distinguibles por el uso de diferentes tipos de letra. Por oposición a la Historia objetiva, la autobiografía da protagonismo a lo personal, a lo cotidiano, tanto en la voz de Franco como en las de sus antagonistas. La voz de Franco es también memoria, en ese sentido, descartable en la futura representación que la Historia hará de él. Franco es en la autobiografía un sujeto, un individuo de carne y hueso, lleno de mezquindades. Esta representación del dictador contribuye a rellenar la historia de vida, y hace la figura de Franco más vulnerable.

Frente a esta memoria, la que le opone Pombo es literalmente una contramemoria, y su representación es sólo posible como respuesta, como oposición. La memoria de los vencidos, que constituye su identidad, no puede escapar de su naturaleza reactiva, que le ha sido otorgada por el vencedor histórico, y sólo en relación con él cobra sentido su discurso y su posición.[32] Las intervenciones de Pombo ante la voz de Franco pueden definirse como correcciones, desmentidos, acusaciones, reproches, contradicciones, precisiones, puntualizaciones. Su objetivo no puede dejar de ser el de completar, revocar, desacreditar. Su naturaleza es necesariamente "relacional", y sólo como tal es política. El discurso de Pombo no puede actuar como discurso central, como discurso patrón, pues eso sería ignorar su posición con respecto al discurso dominante, y con ello su propia especificidad como discurso es reprimido y borrado. Tiene que actuar conscientemente desde los márgenes, porque sólo así cobra sentido político su discurso. Esta es la forma en que *Autobiografía* se convierte en una intervención en el presente contemporáneo del autor, y no en un acto desesperado de nostalgia por un pasado irrecuperable.

EPÍLOGO DESDE 1998:
ESTÉTICA Y POLÍTICA

Preparado ya el manuscrito de este libro llega a mis manos otro de Manuel Vázquez Montalbán con el título de *La literatura en la construcción de la ciudad democrática*[1] que me allana oportunamente el camino de salida de este trabajo. *La literatura* es una recopilación de artículos unidos por el denominador común de la reflexión sobre arte y política. Algunos de estos ensayos historifican la relación entre los intereses de ambos, dando ejemplos tanto nacionales como internacionales; otros exploran la viabilidad de esa relación entre arte y política hoy, y aún los hay que incluso afirman la necesidad de su existencia, además de para hoy, para el futuro. *La literatura*, en pocas palabras, es un libro sobre el compromiso del artista (el intelectual, el escritor). Por eso, tiene necesariamente que girar también en torno a la finalidad de ese compromiso: la construcción de la ciudad democrática, esta ciudad que es, ni más ni menos, una vez más, el espacio de la imaginada y deseada utopía.

Tiempo y espacio han marcado desde siempre las coordenadas del pensamiento político montalbaniano, con predominio del primero desde la aparición de la serie Carvalho, según se ha analizado en este estudio la importancia de memoria e historia en la producción del autor. Pero el espacio, materializado consistentemente en la ciudad,[2] no ha dejado nunca de aparecer entre sus obras. Ciudades reales, ciudades del deseo, ciudades de la memoria han sido y siguen siendo en la producción del autor encarnación de la utopía (la ciudad libre, la ciudad democrática) o de la imposibilidad, existencial o histórica, de alcanzarla (Praga, Moscú, Barcelona(s) y últimamente, Ciudad). No es de extrañar, por tanto, que el motivo central de la ciudad democrática que recorre *La literatura en la construcción de la ciudad democrática* sirva una vez más para conectar con la preocupación por describir y alcanzar la utopía. Es más, en el deseo renovado de MVM de describir una realidad diferente y el posible camino a seguir –en el ámbito de lo cultural– para alcanzarlo, este nuevo texto casi devuelve al lector a una capacidad de concebir la utopía que no le transmitía desde *La palabra libre en la ciudad libre* más de veinte años atrás. Pero hay algo nuevo, además de renovador, en *La literatura*.

En mayo de 1997 fuimos convocados en Madrid unos cuantos lectores amigos y críticos de la obra de MVM para celebrar los veinticinco años del detective Carvalho. En los tres días que duró el congreso, MVM asistió paciente a los debates que se dieron en torno a su serie dectectivesca, interviniendo frecuentemente con puntualizaciones, las más de las veces requeridas por los mismos participantes. Esa imagen del escritor escuchando y respondiendo a sus críticos es apropiada para comprender, me parece, la motivación de este nuevo libro de MVM. Como en aquel congreso que le reconocía el objeto de su estudio, por primera vez en *La literatura,* MVM se coloca sin intermediarios en el centro del texto para pensarse y explicarse como escritor y como intelectual, ante el público y ante una crítica a la que ha sabido y querido escuchar y responder.

No es que antes no hubiera respondido el autor a algunos de sus críticos. Lo había hecho, numerosas veces con los que le encasillaban como escritor de novelas policiacas, con los que atacaban su realismo, con los que cuestionaban su insistencia en la memoria. Pero en este nuevo texto se trata, sobre todo, de responder a quienes, según el autor mismo dice, lo metemos y lo sacamos de la postmodernidad. Y responsable mayoritaria de esta tendencia a llenarlo todo de postmodernidad es la crítica anglosajona, de la que, hasta cierto punto, es ejemplo el estudio que con estas páginas finaliza.

El intento de relacionar a MVM con la postmodernidad puede querer descartarse atribuyéndolo a veleidades teóricas, a pretenciosas modas universitarias –el debate sobre la postmodernidad lleva

más de 15 años presente en la academia estadounidense. En definitiva, a vanos intentos taxonómicos que no trascenderán los muros de los muy aislados campus USA –doblemente aislados de un
público español en su percibido elitismo y su americanidad. Sin
embargo, y eso es lo que ha intentado demostrar mi estudio, mayor
relevancia conceptual que otorgarle el adjetivo postmoderna a una
determinada producción literaria porque reúne una serie de características formales, tiene el considerar la postmodernidad como
definidora del momento histórico actual y calibrar las implicaciones político-estéticas que permite esa consideración. Al hilo de las
críticas asumidas –que no necesariamente aceptadas– sobre su trabajo, esa es precisamente la dimensión de la postmodernidad que
MVM rentabiliza y con la que se enfrenta en *La literatura*, utili-
zándola para, una vez más, insertar su literatura en el mundo.[3]

Según se desprende de este nuevo libro, MVM encuentra en el
debate sobre la postmodernidad la oportunidad de rehistorizarse,
de reinscribirse en el mundo –no sólo en España– como el escritor
intervencionista que siempre ha dicho y practicado ser. La reflexión
sobre la postmodernidad ofrece aquí a MVM una perspectiva nueva
desde la que (re)pensarse, (re)pensar su inscripción en el mundo, y
(re)pensar en éste la labor de la literatura/el arte y los intelectuales.
De ahí que se vuelvan a convocar en este libro temas que ya le
conocen sus lectores, desde la evolución y muerte de la utopía
soviética y sus intelectuales hasta la interpretación de la función
del detective en la sociedad moderna y en la literatura realista. Pero
todas estas consideraciones aparecen ahora integradas en su relación con la postmodernidad.

A MVM no le gusta la postmodernidad, no nos confundamos. Se
diría que más bien le irrita profundamente. Pero esa irritación es
enormemente productiva en este nuevo texto. Porque de esa antipatía sale una rebelión mucho más relevante que la pataleta del
escritor discrepando ante las críticas recibidas por su obra. En la
respuesta, a veces irónica, otras apasionada de MVM ante la postmodernidad hay la rebelión del intelectual ante el statu quo. Como
tal, no puede dejar de ser la respuesta política y el desafío de un
hombre de izquierdas que encuentra en la postmodernidad el nue-

vo rostro/término del viejo antagonista ideológico al que hay que destruir, sobre todo en lo que tiene de callejón sin salida de la historia. Desde este entendimiento surge su propuesta y reivindicación de un cambio que recupere de la modernidad, sobre todo, la posibilidad de concebir el espacio del cambio.

> [las palabras de Fernández Buey] nos resitúan en la inmediata necesidad de rehistorificar la postmodernidad, de volver a la dialéctica de la historia en el punto justo en que la postmodernidad se ha convertido en un inventario de los fracasos de la razón impaciente y en una constatación de la necesidad de la razón paciente para seguir en pos de los sueños de la modernidad. Si realmente la postmodenidad ha sido o es una situación y no una ideología economicista y neodeterminista, recuperemos la insumisión, discreta pero empecinadamente, desde ese punto de partida y propongamos que artes y letras se apliquen a analizar, deconstruir y construir. (110-111)

Importante observar aquí que ya no se trata, como he analizado al referirme a los años ochenta, de aferrarse a los términos residuales de una modernidad que había sido proyectada en el tardofranquismo. La modernidad por la que se aboga debe superar la postmodernidad, pero esta superación debe ser integradora, y en tanto que presidida por la razón dialéctica, afincada en la habermasiana modernidad inconclusa.

> Los constructores de cultura de España, los escritores entre ellos, no pueden permitirse instalarse en la decadencia cultural a la espera del milagro de la modernidad. Desde la postmodernidad no hay otra salida que la post-postmodernidad y volver a subir al tren de la modernidad inconclusa. (105)

Desde esta posición integradora retorna un MVM más abiertamente combativo de lo que ha sido en años, en una línea de reivindicación de cambio social que lo entronca directamente al *Panfleto desde el planeta de los simios* de tres años antes, pero que ahora se atreve a definir sus orígenes teóricos de una forma mucho más abierta y a dar forma a la apuesta por un futuro diferente, a definirlo como libertario, igualitario y solidario. En los ensayos que componen este libro hay una reflexión sobre el marxismo y la historia de acoso y derribo a que se le ha sometido, en un recuento que para MVM es colectivo y es personal; se ofrece de forma abierta una interpretación marxista de la literatura que se atreve a mencionar —¡en el fin del milenio!— términos tabúes como reflejo, modo de producción, superestructura, en una jerga que le define sin ambages. Finalmente, y desde esta reflexión sobre sus fuentes ideológicas, MVM llega a alinearse con un izquierdismo suficientemente revisado, que no revisionista, y que el autor rastrea desde Manuel Sacristán hasta Francisco Fernández Buey, para terminar asumiendo como propia la autodefinición de éste último: insumiso discreto. Y aunque la historia del socialismo realmente existente obliga a adjetivos como discreto para matizar la propia insumisión y para defender la necesidad de su existencia, no se rechaza, antes bien se reivindica, el proyecto transformador social. En esta retórica hay el ejemplo de una actitud renovada frente a los que, en el contexto propicio de la postmodernidad, colocan a toda la izquierda en el anti o postmarxismo, nuevo frente a los que nos sitúan en el final de la historia —posthistoria— y nos describen el entorno como sociedad postindustrial idílica. Será que por fin se vislumbra la posibilidad de expresar —sin que tenga que ser a la defensiva como lo ha sido en prácticamente todo el periodo que cubre este estudio— que se suscribe un proyecto de transformación social y, sobre todo, que no se ha acabado la historia.

Por mucho que la crítica tenga algo que ver en el reordenamiento (o aclaración de posiciones) de MVM frente a la postmodernidad y a su propia función intelectual, lo cierto es que no salimos bien parados los críticos en el recuento y adjudicación de papeles que para la construcción de esa ciudad futura de la utopía hace MVM. En el ensayo nuevamente titulado "Literatura en la tercera fase", y después de asociar la función crítica con la del parásito en poderosa e inequívoca metáfora, el autor hace válida para el crítico una cita de Steiner, el mismo cuyas afirmaciones —respetadas pero elitistas— rechaza como válidas para valorar las posibilidades en el futuro de la literatura. Dice Steiner, y suscribe MVM:

En virtud de su naturaleza misma, la crítica es personal. No es susceptible ni de demostración ni de pruebas coherentes. [...] Y si es honrado consigo mismo, el crítico literario sabe que sus juicios no poseen validez duradera, que pueden almacenarse mañana. Sólo una cosa puede dar a su vida la medida de la permanencia: la fuerza o la belleza de su estilo. (174)

Por qué se encierra al crítico en el ámbito estéril del juego formal, el subjetivismo extremo y en el peor de los casos, el parasitismo, por qué se le niega la posibilidad de una función comunicacional y reveladora, la capacidad para "analizar, deconstruir y construir" el mundo que se promociona para el escritor es cuestión oscura para ésta que escribe. Porque lo cierto es que el sofisticado crítico literario y cultural que conforma importantemente al intelectual MVM no se ajusta ni se reconoce ni puede sobrevivir en esa estrechez definidora. El texto mismo en que se inserta el mencionado comentario es producto de tal crítico literario y cultural y el conjunto de sus reflexiones tiene una capacidad de trascendencia que excede la derivada de su estilo. Sus reflexiones demuestran que entiende la literatura –la suya, la de sus contemporáneos, la del género de aventuras en la literatura occidental– como un producto de, a la vez que una respuesta a su tiempo. Por eso su análisis no es una elucubración gratuita (otra cosa es que sea rebatible). Es más, aunque *La literatura en la construcción de la ciudad democrática* no esté llamada a entrar ni a permanecer en el siempre –por mucho que se niegue– parcial y político canon de la crítica literaria, es, como el resto de la obra montalbaniana, una intervención intelectual en su realidad.

Cuando el manuscrito de MVM vea la luz, se situará en un contexto nacional de integración europea prácticamente concluida –el sueño de la modernidad nacional hecho realidad postmoderna– en una nación gobernada por una derecha que se ha reciclado con innegable éxito y en el patrimonio de una izquierda (pienso en Izquierda Unida) una vez más dividida. Ninguna de esas realidades es irrelevante para comprender la forma y el alcance de estos ensayos. La reflexión en ellos sobre la postmodernidad suscribe su entendimiento como expresión de un momento de mundialización

195

capitalista y avance consecuente del neoliberalismo político y económico. Y al denunciar el afán totalizador postmoderno –su vocación de producir un pensamiento único–, apunta a sus repercusiones para la España "felizmente" integrada y seducida por el Partido Popular. Contra el pensamiento único, *La literatura* está escrita desde el convencimiento de la necesidad de una transformación social y desde la voluntad del autor de afirmarse partícipe en ese proyecto. Pero esa afirmación se hace en un momento de división –en la que el propio MVM ha tomado conocido partido– y luchas intestinas en la izquierda española que amenaza incluso con hacerla desaparecer del mapa parlamentario. ¿Qué aportan los ensayos de MVM a este debate? Sin duda su reflexión a lo largo del texto en torno a diferentes procesos históricos de evolución del pensamiento y la praxis de izquierda insiste en reconocer los errores del socialismo realmente existente, a la par que garantiza la aparición política de nuevos agentes potenciales de cambio social. Nada de esto es nuevo. Más nueva parece la abierta afirmación de la herencia marxista y la firme voluntad de transformación, que no de reforma, social. Lo que no aborda el texto –limitaciones de la crítica literaria– es dónde se ubica hoy día esa apuesta de cambio que va configurando el texto, qué partido o colectividad la representa.

MVM sigue teniendo una capacidad de absorción, asimilación e interpretación intelectual que colocan su contribución en la vanguardia del pensamiento de izquierdas. Cierto, es el novelista que más vende en España, o casi, y en ese importante sentido, está por encima del bien y del mal. Pero igualmente cierto es que su escritura ha venido generando las preguntas fundamentales de la izquierda desde los años sesenta. Incluidas las más impopulares, como por ejemplo ahora: cómo convertir la literatura –o cualquier forma estética– en motor de cambio social, cómo conciliarla con otras prácticas y tomas de postura políticas, cómo, en definitiva, recuperar el compromiso significativo y relevante del escritor-intelectual. Desde la –indeseada– postmodernidad, cómo conectar el trabajo individual intelectual-estético al colectivo político. Una vez más, una pregunta que no es nueva, sólo lo es el contexto histórico en que se produce, un contexto en el que fácilmente puede parecer impensable, imposible, inútil, irrelevante. Ese es el privilegio del ya hoy día muy celebrado Manuel Vázquez Montalbán. Dar voz, no sólo a las colectividades, sino también a las ideas, hábilmente ignoradas por la Historia. Lo demás está por hacer, debe hacerse en otro lugar, ahora sí, más allá de la literatura.

NOTAS

INTRODUCCIÓN

1. Destaco las monografías de José Colmeiro sobre narrativa, *Crónica del desencanto. La narrativa de Manuel Vázquez Montalbán* Coral Gables: Centro Norte Sur. Universidad de Miami. (1996); el libro de Joan Ramón Resina, *El cadáver en la cocina*. Barcelona: Anthropos (1997), además del manuscrito aún por aparecer de Manuel Rico sobre la poesía de MVM. Está aún por hacer, que yo sepa, una consideración global de su labor periodística y ensayística.

2. Manuel Vázquez Montalbán. "Donde se demuestra que las revoluciones devoran a sus hijos más tiernos". *El escriba sentado*. Barcelona: Crítica (1997): 29-36.

3. En declaraciones a la autora.

4. "De ahí que me haya servido de una manera tan idónea Groucho Marx para expresar conceptos, cuando en general Groucho Marx nunca expresaba conceptos o los expresaba sin ninguna conexión lógica. Hacía reír porque con la expresión o el tono de voz no decía una propuesta comunicativa; decía una frase que tenía un sentido, pero no el que tenía que tener.[...] Quedaba en un nivel que el público no comprendía en principio por la simple ruptura de la convención lógica. Eso fue lo que traté de hacer en el Manifiesto [subnormal]"."Manuel Vázquez Montalbán o la mitología popular" Federico Campbell. *Infame turba* Barcelona: Lumen (1971): 165.

5. "Ahora, no sé hasta cuándo, creo en el eurocomunismo". Declaraciones a Rosa María Pereda. Vázquez Montalbán: "Soy un escritor periférico" *El País* (21/10/79).

6. "Quizá [tendríamos] la obligación de pasar por una larguísima etapa de descompresión anarquista. Hay que cuestionar creencias excesivas, tentaciones de absoluto, paradisíacas. Un período de descompresión anarquista me parece viable y utilísimo. Una revisión crítica del poder, del sistema. Pero lo que el anar-

quismo no ha generado es una capacidad de organizar luego eso. Lo cual no sé si sería el principio del fin. Empiezas a organizar, e igual la escoñas. Pero pasar por un periodo largo de duda sistemática, después de esta intoxicación histórica de soluciones totales, vengan del capitalismo o del marxismo, no estoy negado a eso". Oscar Fontrodona y José Ribas. "Hacia la reconstrucción de la izquierda. Conversación con Haro Tecglen y Vázquez Montalbán" *Ajoblanco* (Enero, 1993): 44.

7. "Hasta ahora yo era posmarxista, seguidor del Barça, *gourmet*, según algunos, y ahora he descubierto que soy cardiópata". Pau Arenós, "Vázquez Montalbán. Estoy soso porque como sin sal" *El Periódico* (13/11/94): 75.

8. A la pregunta de si se sigue considerando marxista, responde en 1995: "Entre otras cosas.[...] Yo me reconozco marxista al hacer un análisis de la lógica interna de la historia, por ejemplo. Y sobre todo me reconozco marxista aceptando el diagnóstico que Marx hace de las relaciones sociales en el siglo XIX, y teniendo en cuenta, además, que el marco de las relaciones sigue estando dirigido por el capitalismo, y más ahora que hace diez años, o quince años, con lo cual, volver al diagnóstico de Marx me parece fundamental. Y luego, deslindar lo que ha sido coyuntural, forzado por un análisis en un momento concreto, de lo que es un análisis válido para la situación actual del capitalismo y los antagonistas que va creando." Mari Paz Balibrea, "Pensar la historia, vislumbrar la utopía: reflexiones de un intelectual de izquierda. Entrevista a Manuel Vázquez Montalbán" *España Contemporánea*. XI:2 (1998).

9. Los límites cronológicos en las periodizaciones son siempre demasiado tajantes, y por tanto deben entenderse de forma suficientemente laxa.

10. Para la relación de MVM con T. S. Eliot puede verse Javier Alfaya "Manuel Vázquez Montalbán: en los dientes del tiempo" *El Independiente* (16/5/1991), reseña a *Pero el viajero que huye*.

11. Señalo en cursiva las frases traducidas al español: *April is the cruellest month*, breeding/ Lilacs out of the dead land, mixing/ *Memory and desire*, stirring/ Dull roots with spring rain;[...] *I read, much of the night, and go south in the winter*. T. S. Eliot, *The Waste Land and Other Poems*. San Diego-New York-London: A. Harvest/HBJ (1964): 29. Hay que decir que las traducciones al español de este poema varían, y que escojo la que Vázquez Montalbán ha hecho suya.

12. Véase el excelente análisis de John Bowen, "The Politics of Redemption: Eliot and Benjamin" Tony Davies and Nigel Wood (ed.) *The Waste Land* Buckinham-Philadelphia: Open University Press (1994): 29-54.

13. Versos extraídos de "Definitivamente nada quedó de Abril", poema que cie-

rra *Pero el viajero que huye.* Madrid: Visor (1991): 59.

14. La influencia de Eliot en las letras españolas se remonta a sus mismos contemporáneos, esto es, la generación del 27. Se mantiene tenue y muy selectiva en los años cuarenta de la dictadura en Dámaso Alonso, Leopoldo Panero y otros, para retomarse con fuerza en Jaime Gil de Biedma, quien, no por casualidad, es una de las influencias más importantes en la poesía de Vázquez Montalbán. Para un estudio más exhaustivo de esa corriente de influencia, véase K. M. Sibbald y Howard Young (eds.). *T.S. Eliot and Hispanic Modernity (1924-1993)*. Boulder: Society of Spanish and Spanish-American Studies (1994).

CAPÍTULO I

1. "El Departamento de Estado [norteamericano] aceptó nuestra tesis [referida a la recuperación económica y la apertura del régimen], y los Convenios [de 1953] se renovaron en un marco totalmente distinto. Lo que Foster Dulles calificó en un discurso ante el Congreso en 1953 como 'Acuerdo de bases' que completaban el sistema defensivo Occidental en el Mediterráneo, pasaron [sic] a definir una "estrecha cooperación" en los aspectos político, militar y económico, según la Declaración conjunta de Nueva York de 26 de septiembre de 1963" Declaraciones del Director General de Relaciones con los EEUU, Angel Sagaz. Comisaría General de España para la Feria Mundial de Nueva York, (Patrocinador), *España en forma/Spain re-shaped. Estudios de economía española/Studies on Spanish Economy.* Madrid: Comisaría General de España para la Feria Mundial de Nueva York (1964): 11.

2. Para una caracterización de sus manifestaciones, José Luis Méndez y Javier Memba, *La generación de la democracia. Historia de un desencanto.* Madrid: Temas de hoy (1995): 109-119, especialmente; también, desde una posición muy crítica, Eduardo Subirats, *Después de la lluvia. Sobre la ambigua modernidad española.* Madrid: Temas de hoy (1993). Y sobre los nuevos movimientos sociales, Jorge Riechmann y Francisco Fernández Buey. *Redes que dan libertad. Introducción a los nuevos movimientos sociales.* Barcelona: Paidós (1994)

3. Esta interpretación de la postmodernidad entiende la realidad cultural en relación con el desarrollo del capitalismo en las últimas décadas, y que ha dado origen a las denominaciones de capitalismo tardío, transnacional, "desorganizado", "descentrado" o avanzado. De éste se ha dicho que invade todos los espacios, haciendo desaparecer el concepto de "exterior" o "externo" como término de relación con él, imposibilitando toda perspectiva desde la que entender la totalidad. Así lo expresa Fredric Jameson: "[el capitalismo tardío] is the moment when the last vestiges of Nature which survived on into classical capitalism are at length eliminated : namely the Third World and the unconscious."

[el capitalismo tardío es el momento en que los últimos vestigios de Naturaleza que habían sobrevivido al capitalismo clásico se eliminan completamente. Me refiero al Tercer Mundo y al inconsciente] "Periodizing the 60's" *The Sixties Without Apology*. Sohnya Sayres et al. (ed) Minneapolis: University of Minnesota Press and *Social Text* (1984): 207. Como lecturas fundamentales sobre esta cuestión, véanse David Harvey. *The Condition of Posmodernity*. Cambridge, Oxford: Blackwell (1989); Fredric Jameson. *Postmodernism or, the Cultural Logic of Late Capitalism* Durham: Duke University Press (1991). De este último existe traducción española *El posmodernismo o la lógica cultural del capitalismo avanzado*. Barcelona: Paidós (1991). Para una crítica razonada de la rigidez en que se basa este modelo desde un punto de vista filosófico (relación base-superestructura), José María Ripalda, *De Angelis*. *Filosofía, mercado y postmodernidad* Madrid: Editorial Trotta (1996): 67. Ripalda, a pesar de su crítica, incorpora para su análisis en lo fundamental la teorización jamesoniana.

4. España ingresa en 1958 en el FMI (Fondo Monetario Internacional), el Banco Mundial y la OCDE (Organización para la Cooperación y el Desarrollo Económico), y se incorpora al GATT (Acuerdo General sobre Comercio y Aranceles) en 1963.

5. Se experimenta un especial impulso en las industrias de la siderurgia, la construcción naval, los electrodomésticos, la automoción, la industria editorial, además de los productos manufacturados como calzado y confección. Algunos datos significativos: el crecimiento de la producción industrial del país entre 1958 y 1974 es del 8,65 %, el más elevado de los países de la OCDE, sólo superado por Japón, mientras que el crecimiento anual del producto industrial bruto entre 1964 y 1973 es del 9,70%. Albert Carreras. *Industrialización española: estudios de historia cuantitativa*. Madrid: Espasa-Calpe (1990); *La industria española en...*; Ministerio de Industria y Energía. *Boletín de Estadística*. I.N.E. *Boletín Estadístico*, Banco de España. Citado por Servicio de Estudios del Banco Urquijo *La economía española en la década de los ochenta*. Madrid: Alianza Editorial (1982): 184.

6. Según la Encuesta de Equipamiento y Nivel Cultural de la Familia realizada por el Instituto Nacional de Estadística en 1969, la media nacional de los españoles sin lavadora es el 60%, sin frigorífico el 64%, sin TV el 61%, sin teléfono el 81%, sin automóvil el 87% y sin vacaciones el 71%. Y si se analizan los obreros agrícolas esos porcentajes se disparan al 87, 92, 89, 99, 99 y 94 por ciento, respectivamente. Arturo López Múñoz (pseudónimo). *Capitalismo español: una etapa decisiva (Notas sobre la economía española, 1965-1970)*. Algorta: Zero. (1970): 306.

7. La renta per cápita pasa en este periodo de 594 a 1,160 $ USA. Alison Wright *La economía española (1959-1976)*. Zaragoza: Ed. de Heraldo de Aragón (1980): 25.

8. Entre 1964 y 1965, y según cifras de la Memoria del Plan de Desarrollo

Económico del Ministerio de Economía realizada en 1966, la producción de televisores aumentó en el 74,6%, la de frigoríficos en el 146,9 %, la de lavadoras en el 98,2 % y finalmente, la de automóviles en el 52,4 %. Citado por López Muñoz: 316.

9. Las primeras medidas liberalizadoras son de 1959, y fueron ampliadas sucesivamente en 1963, 1972 y 1985. Consistían en la libertad absoluta de inversión hasta el 50% del capital de las empresas (quedando excluidas de la ley las empresas relacionadas con la defensa nacional, la información y los servicios públicos). Wright: 68, Ramón Tamames. *Introducción a la economía española*. Madrid: Alianza Editorial (1985): 362-3. Las medidas de 1985 liberalizan totalmente la entrada inversionista extranjera, de acuerdo a las normas de la CEE.

10. Especialmente EE UU (40,6% de la inversión total extranjera), Suiza (16,7%) y la entonces Alemania Occidental (10,6%). Libre Empresa. Mayo-Agosto 1978. *La industria española ante la CEE*. Citado por Servicio de Estudios del Banco Urquijo: 349.

11. Básicamente, lo que se conoce con el nombre de cambio estructural de la economía española es el paso de una economía dependiente de las fluctuaciones de la producción agraria, principal fuente de exportaciones, a una economía industrial. Este proceso consistió en la creación y reestructuración de la industria (modernización de los equipamientos, reducción y racionalización de la mano de obra, nuevas inversiones, orientación progresiva hacia el exterior) con la pretensión de convertirla en el motor de la economía. Todo ese proceso habría sido imposible sin el aporte de las inversiones externas, que aliadas con el gran capital financiero nacional se convirtieron, junto con el Estado, en los grandes patrones de la industria española. Pero tan importantes e imprescindibles en la construcción de la dependencia española como las inversiones fueron las compras de tecnología extranjera para un país que quería modernizar su industria cuando no contaba con la base de los adelantos tecnológicos. Los grandes endeudamientos que estas compras necesariamente provocaron en la Balanza de Pagos se equilibraron en los años sesenta con los aportes de divisas provenientes del turismo y de la emigración. Juan Muñoz et al. *La internacionalización del capital en España 1959-1977*. Madrid: EDICUSA y Libros de Bolsillo (1978), Ramón Tamames. *Introdución a la economía española*. Madrid: Alianza Editorial (1985), AAVV *Economía española: 1960-1980*. Madrid: H. Blume Ediciones (1983).

12. Wright: 68.

13. Para una explicación del fordismo, véase David Harvey.: 155 y 177-178.

14. Este Acuerdo Preferencial, firmado en 1970, y de exclusivo carácter comercial, es el primer paso en la aceptación de negociaciones por parte de la CEE con el entonces aún Estado autoritario español. El acuerdo permitió a España desarrollar su comercio al conservar medidas protectoras contra la mayor competitividad de los productos de la Comunidad, privilegios que España conservó en gran medida hasta su entrada definitiva en aquélla en 1986. El acuerdo obligaba a los exportadores comunitarios a pagar altas tarifas arancelarias para entrar en el mercado español, al tiempo que los productores españoles disfrutaban de una ausencia casi total de esta penalización exportadora en su comercio con la Comunidad (las reducciones arancelarias para la mayoría de los productos españoles, con la excepción de los agrícolas, eran de entre el 40 y el 60%). Angel Gómez Fuentes. *Así cambiará España. La batalla del Mercado Común.* Barcelona: Plaza y Janés Eds. S.A. (1986): 39-40.

15. La tasa media de crecimiento anual de las exportaciones en la década de los cincuenta fue del 3,1%, en la de los sesenta del 13,3 %, y solo en el periodo 1970-1974, del 31,6%. A partir de este momento, por supuesto, se sufre un enorme bajón como consecuencia de la crisis mundial del petróleo de 1973 y sólo volverá a recuperarse espectacularmente con la nueva devaluación de la peseta de diciembre de 1982. Fuente: UNCTAD, citado por Servicio de Estudios del Banco Urquijo: 192.

16. El monto total de la inversión extranjera era en 1965 de 5.000 millones de pesetas, y en 1975 de 27.000 millones. Wright: 68.

17. Declaraciones citadas en "La 'nueva frontera' del capitalismo catalán", en López Muñoz: 138-139.

18. Delgado ofrece las siguientes causas para explicar el tremendo impacto que para la España industrial tuvo la crisis del petróleo: "El alto grado de exposición de la industria española a los embates de la crisis internacional que se deriva del mayor peso relativo que tienen dentro de la producción fabril los sectores más afectados por la caída de la demanda en el mercado mundial o por la competencia de los 'nuevos países industriales': sectores tales como el siderúrgico, el de la construcción naval, el de bienes de equipo y el textil, cuya importancia dentro de la producción industrial es en España muy superior a la que alcanzan en la RFA, en Francia o en el Reino Unido." AAVV: 14.

19. La tasa de crecimiento de la producción industrial entre 1974 y 1980 baja al 1,07%, desde el 8,65% que había experimentado entre 1958 y 1974. Albert Carreras. *Industrialización española: Estudios de historia cuantitativa.* Madrid: Espasa-Calpe (1990):79. La productividad desciende del 7,5 al 2,9% [Fuente: INE y BE] citado por AAVV : 27.

20. "El fuerte y acelerado proceso de crecimiento que registró la economía española en el período 1959-1973, puede explicarse, en buena medida, por la progresiva industrialización del país. [...] Análogamente, es posible afirmar que la crisis de la economía española en los últimos años 70 puede identificarse, en gran parte, con la crisis del sector industrial. [...] Este significativo cambio de signo no ha de atribuirse, sin embargo, a una mera situación coyuntural, sino a las profundas e irreversibles transformaciones que experimentó el marco estructural de la economía española durante los últimos años. La rápida expansión industrial de los años sesenta se realizó bajo unas condiciones que configuraron un conjunto de estructuras empresariales cuya eficacia y dinamismo estaban sujetas a la pervivencia misma del marco en que fueron creadas. La velocidad con que, a lo largo de la década de los setenta (y especialmente a partir de 1974) se fueron modificando sustancialmente algunos de los parámetros económicos fundamentales, produjo en la industria española un conjunto de desajustes que invalidaban, en importante proporción, buena parte de las estructuras creadas y exigían un rápido proceso de asimilación a las nuevas condiciones." Centro de Estudios del Banco Urquijo: 181.

21. En la reconstrucción de la economía española juega un papel central la reconversión, reeestructuración, regulación de empleo, potenciación exclusiva de los proyectos en los que España pueda obtener ventaja comparativa y la concentración y liberalización de mercados y capitales.

22. Las conversaciones para la entrada de España en la CEE se iniciaron en 1962, cuando el ministro de Asuntos Exteriores Fernando Mª Castiella solicitaba la apertura de negociaciones a este fin. Aunque este paso constituye el principio de una serie de acuerdos vinculantes, en principio solo comerciales (véase nota #14), era sabido que la entrada de España como socio comunitario estaba condicionada a la democratización del país, según se estipulaba en el Tratado de Roma de 1957. Así, la demanda oficial de adhesión es de julio de 1977, un mes después de celebradas las primeras elecciones democráticas.

23. Prueba de ello son los componentes de las dos coaliciones democráticas que se forman en vísperas de la muerte de Franco para agrupar y coordinar la oposición: La Junta Democrática la lidera el PCE y la componen además otro grupo comunista, Bandera Roja y uno socialista, el PSP, pero también el grupo carlista y el liberal Rafael Calvo Serer en tanto que la Plataforma de Convergencia Democrática liderada por los socialistas del PSOE, además de la Unión Socialdemócrata, incluye a la izquierda radical maoísta católica de la ORT.

24. "Declaración de la Junta Democrática de España al pueblo español". Tercera Edición. Diciembre de 1974. Barcelona. Reproducido en Gregorio Morán. *El precio de la transición.* Barcelona: Planeta. (1991): 56.

25. Por ejemplo, en la visión de José B. Monleón. "Prefacio: El largo camino de la transición". AAVV *Del Franquismo a la posmodernidad. Cultura española 1975-1990*. Madrid: Akal (1995) : 5-17.

26. Pienso, por ejemplo, en Rosa Montero, Montserrat Roig, Manuel Vicent, Rafael Chirbes o Juan Marsé, entre los escritores.

27. La cita procede de la recopilación que de la literatura subnormal de Vázquez Montalbán hizo Seix Barral en 1989. *Cuestiones marxistas*. Barcelona: Seix Barral (1989) : 51.

28. "In general all Montalban's books are soaked in an atmosphere of spleen, scepticism and *fin-de-siècle* ennui, very significant as the background of a whole layer of intellectual Eurocommunists. It is a break with Stalinist dogmatism and hypocrisy, but hardly a step towards greater lucidity of what this society and this world are all about." Ernest Mandel. *Delightful Murder. A Social History of the Crime Story*. Minneapolis: University of Minnesota Press. (1984): 127.

29. Manuel Vázquez Montalbán. *L'esquerra necessària*. Fundació Caixa de Barcelona: Barcelona (1989): 20.

30. Javier Tusell. "En una malhumorada perplejidad" *La Vanguardia* (5 de mayo de 1995): 46. Reseña al libro citado de MVM.

31. "Yo creía en el marxismo como diagnóstico histórico. La perspectiva del materialismo dialéctico nunca la tuve clara. La del materialismo histórico, sí." Fontrodona y Ribas: 41.

CAPÍTULO II

1. *Vázquez Montalbán*. Barcelona: Dèria Editors. (1995): 9-38. También es útil el artículo del escritor "El franquismo y yo". *Cambio 16* #764 (21/7/86).

2. "Yo lo que siento es un embarazo de responsabilidad. Hay sectores sociales que están mutilados en su capacidad de expresión de forma general. Entonces, por lo que sea, hay algunos miembros de esos sectores sociales que tienen acceso al lenguaje y al poder que el lenguaje representa. Digamos que yo soy uno de esos privilegiados. Cuando esto se produce no existe la capacidad y el despego que otros sectores suelen tener frente al lenguaje. Yo tengo una responsabilidad frente a él, y creo que no se puede hablar por hablar, ni escribir por escribir." En declaraciones a Lola Díaz, "Manuel Vázquez Montalbán, el futuro ya no es lo que era". *Cambio 16* #698 (15/4/85): 109-110.

3. Del poema "Conchita Piquer" en *Una educación sentimental* (1962-1967), recopilado en *Memoria y deseo. Obra poética (1963-1990)*. Barcelona: Grijalbo. Mondadori (1996): 44.

4. Desde nuestra perpectiva de los noventa y dentro del academicismo anglosajón, donde la práctica de los llamados estudios culturales, *Cultural Studies*, ha cobrado tanta popularidad, sorprende lo actual de la *Crónica* de Vázquez Montalbán, quien ya en los años sesenta entendía perfectamente el lugar de la cultura en el análisis y la lucha ideológica y política.

5. Como periodista, MVM empieza a adquirir fama en los últimos años 60 con la publicación por entregas en *Triunfo* de *Crónica sentimental de España*. En la misma revista, su "Capilla Sixtina" se convirtió durante los cuatro años de su duración (1971-1975) en lectura obligatoria y emblemática del periodismo de oposición antifranquista. Como poeta, Vázquez Montalbán alcanza reconocimiento nacional sobre todo con la publicación de la antología de J.M. Castellet, *Nueve Novísimos*, publicada en 1970.

6. Versos entresacados del poema "Si el extranjero quisiera...", incluido en *Praga* y recopilado en *Memoria y deseo. Obra poética (1963-1990)*: 274-275.

7. Es precisamente ahora cuando, con gran éxito de ventas, se lanzan las primeras colecciones de bolsillo: la de Alianza Editorial en 1966, la famosa RTV en 1969, y las colecciones en fascículos de la Biblioteca de Grandes Temas en 1973, las dos últimas de Salvat, que contribuyeron enormemente a la popularización y divulgación de la cultura, publicando títulos de gran calidad a precios muy módicos. España es ya entonces una potencia mundial en la edición de libros (sexta, después de la URSS, EEUU, Alemania, Reino Unido y Japón), si bien las tiradas siguen siendo muy cortas y la infraestructura de bibliotecas ridícula. En conclusión, la industria editorial y periodística se convierte en medio de comunicación de masas, gracias a este público creciente de jóvenes rebeldes y tendentes a la subversión. Datos recogidos del libro de J. L. Abellán, *La industria cultural en España*. Madrid: Cuadernos para el diálogo (1975): esp. 11-22.

8. Esa aludida relativa permisividad va a dar su talante propio a la prensa progresista y antifranquista de los últimos diez años del franquismo, siempre en la cuerda floja, sometida a los caprichos de una censura irregular e incoherente, que tan pronto hace la vista gorda a osados comentarios en contra de la política franquista, como secuestra la edición de una revista cuando ya está en el quiosco. Como demostración de la inseguridad jurídica que se derivaba de la citada ley de Prensa, haciéndola vulnerable a todo tipo de arbitrariedades por parte de la Administración, nada mejor que citar su más famoso y debatido artículo segundo: "La libertad de expresión y el derecho a la difusión de informaciones, reco-

nocidos en el artículo 1º, no tendrán más limitaciones que las impuestas por las leyes. Son limitaciones: el respeto a la verdad y a la moral; el acatamiento de la Ley de Principios del Movimiento Nacional y demás Leyes Fundamentales; las exigencias de la defensa nacional, de la seguridad del Estado y del mantenimiento del orden público interior y la paz exterior; el debido respeto a las Instituciones y a las personas en la crítica de la acción política y administrativa; la independencia de los Tribunales, y la salvaguardia de la intimidad y del honor personal y familiar". Citado por J. L. Abellán: 62-63.

9. Un recuento importante de la incipiente oposición intelectual en Barcelona la da Laureano Bonet en *El jardín quebrado. La Escuela de Barcelona y la cultura del medio siglo* Barcelona: Península (1994) y en *La revista Laye. Estudio y antología.* Barcelona: Península (1988).

10. Aparte de lo que García Hortelano llama "la gran avalancha de miembros" que engrosa el PC después de los acontecimientos de Madrid y Barcelona, entre los nuevos grupos que se crean destacan los universitarios de orientación socialista y/o cristiana: Moviment Socialista de Catalunya, Catòlics Catalans, Federación Universitaria Democrática de Estudiantes (que engloba la rama universitaria del FLP, PC y PSOE). Shirley Mangini *Rojos y rebeldes. La cultura de la disidencia durante el franquismo.* Barcelona: Anthropos (1987): 91.

11. Esta nueva forma de periodismo tendría continuación, ya en la democracia, en sus secciones fijas "El idiota en familia" y "El enemigo en casa", publicadas por la revista *Interviú* y que tienen como protagonistas nada menos que a los personajes de su después famosa serie policiaca, encabezados por Pepe Carvalho.

12. Una nueva edición revisada y ampliada ha aparecido en 1997.

13. Un recuento detallado de las discrepancias en el seno de los partidos de izquierda puede leerse en Paul Preston. *España en crisis. Evolución y decadencia del régimen de Franco.* Madrid: Fondo de Cultura Económica (1977): 235-263.

14. La línea oficial del partido se aferraba (y se aferró hasta la llegada de la democracia) a un análisis socio-económico de la realidad española que la dividía en dos polos antagónicos irreconciliables: a un lado los beneficiarios del régimen: la oligarquía terrateniente y monopolista; y al otro, el resto de la población, sus víctimas, que incluía a la pequeña y mediana burguesía y las clases profesionales además de, por supuesto, proletariado y campesinos. Esto les hizo interpretar los cambios estructurales que constituyeron el tardofranquismo como signos de la crisis terminal, no solo del régimen, sino del capitalismo monopolista con él; y, como consecuencia, coyuntura histórica inmejorable para el advenimiento del socialismo. Claudín, por su parte, supo entender enseguida que la apertura eco-

nómica y más o menos política y social apoyada desde las instituciones franquistas, no era un signo de debilidad crónica por su parte, sino el inicio de una reestructuración del capitalismo español para mejor adaptarlo a la coyuntura internacional, que necesitaba tanto como las clases oprimidas de una apertura política y de la liquidación del anquilosado franquismo. El análisis de Claudín y los pormenores ideológicos de su enfrentamiento con el partido se encuentran en su libro *Las divergencias en el partido* de 1964, y de forma mucho más visceral en la *Autobiografía de Federico Sánchez* de Jorge Semprún, Barcelona: Planeta (1977), ganadora del premio Planeta en ese año.

15. Ofrezco aquí unas declaraciones de Santiago Carrillo de 1966 que dan idea de la retórica que se estaba utilizando, en la que se encuentra un cuidadoso y continuo subrayado de la prioridad de preservar las garantías democráticas una vez derrocado el régimen: "Proclamamos nuestro propósito de trabajar por una situación en la que todos los españoles puedan expresar sus ideas y defender sus intereses con plena libertad; en que cada familia política pueda desenvolverse libremente; una situación en la que el sufragio universal, el voto ciudadano y los órganos representativos elegidos por él sean la fuente de toda autoridad. Y declaramos que ésta será la *regla del juego* que estableceremos y respetaremos para solventar nuestras diferencias." Entrevista concedida a *Nuestra Bandera* con motivo del XXX Aniversario del 18 de julio de 1936. # 47-48 (Febrero-Marzo 1966): 12 [énfasis en el original].

16. Caracterizable en su conjunto por mantener una línea definitivamente revolucionaria, y por reclutar a sus miembros entre la población estudiantil, incluía a grupos marxista-leninistas, foquistas, trotskistas, maoístas e incluso anarquistas. Para una clarificación del uso y la extensión de la "nueva izquierda revolucionaria", véase, Ricard Soler, "La Nueva España". *Cuadernos de Ruedo Ibérico* 26-27 (Agosto-Nov 1970): 3-27; y también Guillermo Castro, "Hacia un análisis de la crisis de la "nueva izquierda" española". *Ibidem* : 47-50. Además, para su contextualización con la situación internacional, Ludolfo Paramio *Tras el diluvio. La izquierda ante el fin de siglo*. Madrid: S XXI de España ed. (1988): 134-140.

17. Aunque fue la izquierda quien defendió (con sus abogados, y con campañas internacionales) a los terroristas convictos por el régimen, siempre se distanció de esta vía revolucionaria, cuya política consideraba contraproducente: a las acciones terroristas se seguía un recrudecimiento de las represalias y medidas represivas del gobierno que empeoraba la situación original. La excepción fue el famoso atentado de ETA que acabó con la vida del presidente del gobierno Carrero Blanco en diciembre de 1973, al que le siguió una apertura del régimen que, aunque engañosa, señaló el canto del cisne del franquismo. Para una descripción más detallada sobre la izquierda radical, Velázquez y Memba: 21-92.

18. En ese sentido es interesante recordar el volumen y la transcendencia de las huelgas obreras en los años sesenta, y que su millitancia en el primer año de la transición es la más importante del continente. "De la muerte del dictador a las primeras elecciones toda la transición se hizo bajo la influencia de un movimiento ciudadano firmemente asentado y con iniciativas políticas precisas. Después de la intensa represión que va de 1968 a 1973, el movimiento obrero se recupera rápidamente y las huelgas ilegales se incrementan el 84% entre 1972 y 1973, el 63% entre 1973 y 1974, siendo el número récord de horas de trabajo perdidas el de 1974, con 14 millones. [...] En cierto modo, la situación escapa parcialmente al control de los partidos que hasta entonces la habían canalizado, y esto no deja de ser un dato crucial de la transición en tanto que esta presión "desde abajo" probablemente produjo la inviabilidad de una democracia "a la mexicana", así como obligó a la negociación de ciertas condiciones del proceso de reforma con la oposición." Rafael Del Aguila y Ricardo Montoro. *El discurso político de la transición española.* Madrid: Siglo XXI (1984): 210-211.

19. Se dice el narrador de la "Capilla Sixtina" en 1975:"Te has pasado años pidiendo que se clarificaran las cosas y tal vez el momento ha llegado o va a llegar. La crisis del irreal neocapitalismo español puede dar paso a un sistema social, económico e incluso político ajustado a las necesidades de la mayoría. Manuel Vázquez Montalbán, *La Capilla Sixtina* Barcelona: Kairós (1975): 197-8.

20. Elías Díaz, *Ética contra política. Los intelectuales y el poder.* Madrid: Centro de Estudios Constitucionales (1990): 152-154.

21. El auge del marxismo culmina con la aparición de un número considerable de revistas donde se sostiene el debate teórico marxista. A destacar *El Viejo Topo, El Cárabo, Negaciones, Ozono, Revista Mensual, Taula de canvi* y *Teoría y Práctica.* Desaparece después el interés por el marxismo, por causas que no son ajenas a los temas que ocupan este estudio.

22. La politología tanto como la sociología camuflan sus perspectivas de acercamiento crítico en los estudios históricos, ante la obvia imposibilidad de referirse a lo contemporáneo. No en vano la historiografía del s. XIX produce en estos momentos algunos de sus libros más importantes. A continuación proporciono una enumeración no exhaustiva de esta bibliografía más significativa: Oriol Vergès, *La Primera Internacional en las Cortes de 1871.* Barcelona: Universidad de Barcelona, Facultad de Filosofía (1964); Josep Termes Ardèvol, *El movimiento obrero en España. La Primera Internacional.* Barcelona: Universidad de Barcelona, Facultad de Filosofía (1965); Antoni Jutglar, *Federación y revolución. Las ideas sociales de Pi i Margall.* Barcelona: Universidad de Barcelona, Facultad de Filosofía (1966) (estos tres formaban parte de una obra en tres tomos que prologó Carlos Seco Serrano); Antonio Elorza (edición, prólogo y notas), *Socialismo utópico espa-*

ñol. Madrid: Alianza (1970); Juan Díaz del Moral, *Historia de las agitaciones campesinas andaluzas*. Madrid: Alianza (1967); Manuel Tuñón de Lara, *Introducción a la historia del movimiento obrero*. Barcelona: Nova Terra (1966). Entre los sociólogos, de Jose María Maravall, *El desarrollo económico y la clase obrera*. Madrid: Ariel (1970). En economía, por supuesto Ramón Tamames, *Introducción a la economía española*. Madrid: Alianza (1967). Para un comentario comprensivo de la mayoría de estos trabajos, véase Elías Díaz. *Pensamiento español en la era de Franco*. Madrid: Tecnos. 2ª ed. (1992): 134-138.

23. "En 1963 había 360.000 receptores; en 1965 se llega a 1.250.000; en el 68 se han superado con creces los tres millones. Las horas de programación se multiplican; la red de enlaces se perfecciona; Prado del Rey, inaugurado en 1964, muy pronto se quedó pequeño. Ante la sucesión de la imagen se derrumban los más robustos pilares de la vida familiar y social española. Primero es el Rosario en familia, más tarde las tertulias, luego el aparato de radio y, al final, la cena en familia. Nada resiste el empuje de la pantalla. Son los años del 'pasmo', del sarampión televisivo." Equipo Reseña *La cultura española durante el franquismo* Bilbao: Ediciones Mensajero (1977): 213-4

24. Cfr. Shirley Mangini: 197-234.

25. De "Poema publicitario presentado...", José María Castellet (ed), *Nueve Novísimos* Barcelona: Barral Editores (1970): 79-80. En la misma línea están "Variaciones sobre un 10%", "Texto conmemorativo", "Horóscopo". Todos éstos, incluso el que MVM incorpora para la antología de Castellet, forman parte de *Liquidación de restos de serie*.

26. El trabajo de Vázquez Montalbán dentro de las ciencias de la comunicación cubre un corpus considerable de libros, conferencias y artículos que se prolongan hasta el final de la década de los setenta. Hay que señalar su labor como profesor de ciencias de la comunicación en la Escuela de Periodismo de la Iglesia (Barcelona) de 1969 a 1971, y en la UAB, Universitat Autònoma de Barcelona en 1971. Entre sus libros hay que señalar *Informe sobre la información* (1963); *Historia y comunicación social* (1980, reeditado en 1997), una recopilación de artículos originados en el curso dictado en la UAB con el mismo título y que se habían publicado anteriormente por separado; *La palabra libre en la ciudad libre*, publicado en 1979 pero escrito en 1974. Entre los artículos, destaca: "Contra la violación". *Cuadernos de Pedagogía* 25 (Enero 1977): 4-5; "Por una política comunicacional de masas". *CEUMT. La revista municipal* 33 (Dic. 1980): 16-19. Por su labor como comunicólogo recibió en diciembre de 1997 el doctorado Honoris Causa por la UAB.

27. Vázquez Montalbán matizó más tarde la valía de estos libros que, según él, tuvieron importancia dado que nada en su género se había escrito en el país.

Especialmente crítico fue de su primer libro, *Informe sobre la información* (véase su "Nota que debe leerse" a la tercera edición).

28. *La palabra libre en la ciudad libre*. Barcelona: Gedisa Editorial (1979) : 84-5.

29. *Historia de la comunicación social*. Barcelona: Bruguera (1980): 278.

30. *Informe sobre la información*. Barcelona: Fontanella (1963) : 240.

31. El periodo subnormal incluye: *Manifiesto subnormal* (1970), *Yo maté a Kennedy* (1972), *Guillermotta en el país de las Guillerminas* (1973), *Cuestiones marxistas* (1974) y *Happy End* (1974).

32. "La subnormalidad afecta a todo ciudadano incapaz de capacidad de reflexión." *Manifiesto subnormal*. Recopilado en *Escritos subnormales*. Barcelona: Seix Barral (1989) : 30.

33. *Ibidem*: 32

34. "Manuel Vázquez Montalbán o la mitología popular" Federico Campbell, *Infame turba*. Barcelona: Lumen (1971): 165. Existe una reedición de 1994.

35. Los artículos fueron recopilados en un libro, publicado por la editorial Kairós de Barcelona, que apareció con el mismo título de la sección en 1975.

36. La fórmula habría de tener enorme éxito, convirtiendo la sección en una de las más populares del periodismo tardofranquista. En la transición, el autor repitiría tal fórmula en su sección semanal en la revista *Interviu*, "El idiota en familia", donde iba a emplear como personajes fijos a los de su serie detectivesca.

37. Un antecedente lejano, pero indudable, de este periodismo que mezcla géneros, es el de Mariano José Larra, en la primera mitad del siglo XIX.

CAPÍTULO III
1. Gregorio Morán. *El precio de la transición*. Barcelona: Planeta (1991): 31

2. Sobre el revisionismo histórico y la fabricación de antecedentes democráticos entre la derecha que hace la transición, véase el libro citado de Gregorio Morán. También son interesantes los comentarios de José B. Monleón en "El largo camino de la transición": 5-17.

3. Véase, por ejemplo, Paul Preston "La oposición antifranquista: La larga mar-

cha hacia la unidad" *España en crisis. Evolución y decadencia del régimen de Franco*. Paul Preston (ed) México: Fondo de Cultura Económica (1977): 217-263; Elías Díaz. *Socialismo en España: El Partido y el Estado. Madrid:* Ed. Mezquita, SA (1982); Alfonso Ortí "Transición postfranquista a la Monarquía parlamentaria y relaciones de clase: del desencanto programado a *la socialtecnocracia* transnacional" *Política y sociedad* 2 (1989): 7-19.

4. No nos vamos a ocupar en este trabajo del papel que juega la izquierda como antagonista en el discurso de la derecha ni en el discurso de la izquierda radical o no parlamentaria en la transición española. Para una lectura introductoria sobre la derecha, y además presentada en comparación con diferentes discursos de la izquierda, véase, Del Aguila y Montoro, esp. cc. III y V. Para las críticas de la izquierda radical, José Luis Velázquez y Javier Memba. *La generación de la democracia. Historia de un desencanto*. Madrid: Temas de hoy (1995): 21-92.

5. El libro de Del Aguila y Montoro desarrolla su tesis central precisamente alrededor de este hecho, aunque no únicamente referido a sus implicaciones para la izquierda. Para la consecución del consenso en relación con la instrumentalización de la memoria histórica de la guerra civil, Paloma Aguilar. *Memoria y olvido de la guerra civil española*. Madrid: Alianza (1996).

6. En la readaptación de la izquierda a las nuevas necesidades del país, muchos de sus miembros acabaron incluso renegando de aquellos orígenes y construyéndolos como su propio contrario, como veremos con algún detalle. Mucha parte del desencanto en el seno de la izquierda –militante o no– que caracterizará los últimos años de la década de los setenta, se genera en alguna parte de ese proceso, iniciando el fenómeno que más frecuentemente se ha relacionado con la entrada del "mood" postmoderno en España. Véase Velázquez y Memba, *passim*. Y para sus repercusiones en la intelectualidad, Tom Lewis, "Afterword. Aesthetics and Politics", López et. al. (ed) *Critical Practices in Post-Franco Spain*. Minneapolis: Minnesota UP (1994): 160-182).

7. Del Aguila y Montoro: 101-102, ofrecen una serie significativa de declaraciones de la derecha (AP) y el centro derecha (UCD) contra el carácter democrático del marxismo.

8. Cf. las declaraciones de Felipe González al periódico Ya el 10 de mayo de 1978: "La socialdemocracia no es más que el fruto de la evolución de la clase trabajadora. Es un error declararse marxista para un partido socialista, ya que este término ha sido utilizado peyorativamente por la derecha. A Marx no le agradaría hoy ese adjetivo. [...]" Aunque aún reconoce: "Me encantaría decir que no soy marxista, pero todavía tengo mis raíces en Marx [...]". Citado por Del Aguila y Montoro: 100-101.
9. La justificación se basaba en una analogía entre la interpretación de Lenin de

la necesidad de la alianza del proletariado con los campesinos y burguesía revolucionaria, con la del PCE de la alianza del proletariado con las fuerzas de la cultura: "Porque en nuestros días, y concretamente en España, el puesto de la 'pequeña burguesía revolucionaria y republicana' a que Lenin se refería en *Las dos tácticas*, está ocupado por las capas medias urbanas (intelectuales, profesionales, cuadros técnicos industriales y comerciales, incluso pequeña burguesía propietaria expoliada por el capital monopolista)." Federico Melchor., "Actualidad de las tesis leninistas". Nuestra Bandera 55 (tercer trimestre 1967): 87 [énfasis en el original].

Igualmente, Lenin es utilizado por este autor para legitimar la participación de comunistas en gobiernos burgueses como una práctica que puede ser revolucionaria, y no necesariamente revisionista. Ibidem: 88-89).

10. El abandono del leninismo fue aprobado en el IX Congreso del partido, celebrado en abril de 1978.

11. Puede verse al respecto la 'Resolución Política' en Alfonso Guerra (ed). XXVII *Congreso del Partido Socialista Obrero Español*. Barcelona: Avance (1978): 115. Elías Díaz (1982) : 134, cita algunos fragmentos.

12. Elías Díaz (1982) hace un estudio razonado y pormenorizado de los debates en el partido a propósito de la cuestión marxista en estos años primeros de la transición. La dirección renovada del partido fue desde el principio partidaria de la eliminación del término marxismo. Véase específicamente el Cap. V: 143-170.

13. 'Yo desearía que en nuestro próximo Congreso desapareciese el término marxista [...] No tengo inconveniente en ser llamado social-demócrata.' Declaraciones de Felipe González a *La Calle 8* (16-22 Mayo, 1978), pocos días antes de celebrarse el aludido 27 Congreso. Citado por Del Aguila y Montoro: 99. Véase también supra, cita número. 8 e infra, cita número. 15 y 16. Finalmente, es interesante el recuento de Patrick Camiller sobre las maquinaciones en la cúpula del PSOE posteriores a la celebración del 28 Congreso de Mayo del 1979, en el que la propuesta de la dirección se había visto derrotada por la línea dura, marxista, del partido. Maquinaciones que dieron como resultado la neutralización de disidencias en el congreso extraordinario celebrado en septiembre del mismo año. "Spain: the Survival of Socialism?": Perry Anderson y Patrick Camiller (eds) *Mapping the West European Left*. London: Verso-New Left Review (1994): 240-1.

14. A finales de 1979 este es el perfil de la militancia del partido: 63,5% menor de 35 años; 70,6 % con menos de cuatro años de militancia en el partido; 15,9 % asalariados manuales. José Félix Tezanos, "El espacio político y sociológico del socialismo español". *Sistema* 32 (Sept. 1979): 51-75. Citado por Díaz (1982): 147.

15. "El PSOE, como alternativa inmediata al poder, como partido que ha sido

capaz de captar un gran número de votos en pasadas elecciones, y que en 1982 alcanzaría el poder con mayoría absoluta, debe amortiguar al máximo su autocalificación de marxista, e incluso girar marginalmente hacia la derecha con el fin de recoger votos agotados por la UCD". Rafael Del Aguila y Ricardo Montoro: 100. Esta interpretación de los autores se apoya en su razonamiento en la siguiente declaración de Felipe González a *Ya*, 10/5/78, citada en p. 101, "Si queremos llegar a transformar la sociedad, hemos de llegar al poder, y para ello necesitamos ocho millones de votos. No tenemos más remedio que ampliar nuestra base hacia la derecha."

16. En las siguientes declaraciones de 1978 del entonces aún líder de la oposición, Felipe González, el futuro presidente del gobierno contestaba así a la pregunta de si, llegado el caso, preferiría formar coalición de gobierno con la derecha, antes que con la izquierda: "Probablemente sí. Entre otras cosas, porque para la construcción de un modelo de socialismo democrático que vaya transformando la sociedad capitalista, y en el que prosperen las libertades, difícilmente puede contarse con un partido comunista." *El País*, 20/10/78.

17. Subirats: 95-114, ofrece otra explicación al triunfo rotundo de la socialdemocracia en 1982, no basado en la afinidad ideológica, sino en la confianza en la ética personal de sus políticos.

18. En los primeros momentos después de la victoria socialista de 1982, los comunistas se consolaron con la victoria de un proyecto que, en definitiva, se decía socialista, y afirmaron su voluntad de colaborar con él y contra la derecha (entonces AP). Ver, por ejemplo, Gregorio López Raimundo, "Després de la desfeta electoral", en su libro recopilatorio de artículos *Escrits. Cinquanta anys d'acció*, 1937-1988. Barcelona: Ajuntament de Barcelona (1988): 217-8. Muy poco después, sin embargo, se hizo patente la incompatibilidad de objetivos, cuando el PSOE incumplió ostentosamente sus dos promesas electorales más progresista-populistas: la no entrada en la OTAN, desmentida por la política claramente atlantista del gobierno; y la creación de 800.000 puestos de trabajo, a cuyo incumplimiento se sumó la pérdida de otros 500.000 en una sola legislatura.

19. Que se une a principios de los ochenta a la de los partidos socialistas en la Europa latina (Portugal, Italia y Francia).

20. A la crisis del marxismo como política se le une al mismo tiempo el abandono del marxismo como metodología de análisis de la realidad entre la intelectualidad progresista del país. Una historia interesante de este fenómeno se encuentra en Francisco Fernández Buey. "Marxismo en España" *Sistema. Revista de ciencias sociales*. 66 Mayo (1985): 25-42. Véase también el artículo citado de Tom Lewis.

21. La escisión comunista entre eurocomunistas y prosoviéticos empieza en el

PSUC, en su quinto Congreso de enero de 1981, de donde saldría el PCC.

22. Tanto le critica que le acaba "matando" en *Asesinato en el Comité Central* (1981).

23. La crítica de Vázquez Montalbán a la actuación de la izquierda se manifiesta en numerosísimos artículos y ensayos desde 1975 y hasta entrados los noventa. Entre ellos destaco: "La crisis de la izquierda", *El País* (6/5/1984): 12-13; "El 'yupppie' y el teólogo", *El País* (20/3/1987): 9-10; "Alternativas y sabiduría convencional", *El País* (30/4/1987): 11; "Proveedores de ideología", *El País* (18/6/1987); "La corrupción de la inteligencia", *cuatroSemanas* 16 (Mayo, 1994): 4-5.

24. A Jaime Concha debo la sugerencia de la existencia de una conexión entre la labor del intelectual y la del detective que desarrollo a continuación.

25. Véase, por ejemplo, John Cottam. "Understanding the Creation of Pepe Carvalho" Ed. Rob Rix. *Leeds Iberian Papers: Thrillers in the Transition. Novela Negra and Political Change in Spain*. Leeds: Trinity and All Saints College (1992): 123-135; Paul Preston. "Materialism and Serie Negra", Ibidem: 9-16; Juan Cruz, "Carvalho: todos los mundos, el mundo", *El País* (24/4/1983).

26. Manuel Vázquez Montalbán, *Panfleto desde el planeta de los simios*. Barcelona: Editorial Crítica (1995): 79.

27. Quim Aranda ha escrito una novela-biografía de Carvalho que da coherencia narrativa a lo que en las novelas de Vázquez Montalbán es una nebulosa y nunca totalmente esclarecida prehistoria. El texto, *Pepe Carvalho, una noticia biográfica*, tiene dos volúmenes, *El país de la infancia* y *Viaje de ida y vuelta*. Barcelona: Planeta (1997).

28. La prehistoria textual de Carvalho empieza en la novela de 1972, *Yo maté a Kennedy*, en la cual ejerce de agente de la CIA. Esta novela es difícil de encajar dentro de la serie que le sigue. Por sus características de literatura vanguardista y experimental, y por el momento en que se escribe, encaja mejor en la etapa literaria subnormal del autor.

29. Como negativo y esencialmente nostálgico de un pasado irrecuperable ve Gonzalo Navajas tanto al detective Carvalho como a su autor. Véase su "Género y contragénero policíaco en *La Rosa de Alejandría* de Manuel Vázquez Montalbán". *Monographic Review/Revista Monográfica*, 1-2 Vol. III (1987): 247-260.

30. Todas las citas pertenecen a la octava edición (la primera es de 1974) de la novela y su paginación se incluye en el texto.

31. Discrepo en este aspecto de José Vallés Calatrava, quien afirma que los relatos de Carvalho "están contados por un narrador heterodiegético, situado fuera de la historia que relata en tercera persona y en pretérito. La focalización omnisciente de carácter autorial, [...] permite no sólo conocer los motivos, pensamientos y sentimientos de los personajes sino también analizar, comentar y valorar los hechos de la realidad narrada." (172). Creo que la focalización de estas primeras novelas policiacas queda mejor definida dentro del estilo indirecto libre, donde, como dice Genette, "the narrator takes on the speech of the character, or, if one prefers, the character speaks through the voice of the narrator, and the two instances are then *merged*". (174) [el narrador se apodera del discurso del personaje o, si se prefiere, el personaje habla a través de la voz del narrador, y las dos voces entonces *se funden*] (énfasis en el original). Así, el conocimiento del narrador en estas novelas (psicología, valoración de la realidad) está siempre limitado a Carvalho, sin que se adentre en los pensamientos y perspectivas del resto de personajes, como no sea a modo de hipótesis.

32. Por mucho que la cocina se haya convertido en mercancía de moda entre la población masculina y de clase bien en la España democrática, la forma en que el detective ejerce las artes culinarias en ésta y las siguientes novelas –con esas opíparas degluciones de deliciosos manjares a las horas más intempestivas, que hacen enfermar al detective y a nosotros con él (cfr. *Los mares del Sur* y *El laberinto griego*)– tiende a producir el disgusto y rechazo en el lector. Con su afición hedonista por la comida, Carvalho protesta por el hiperdesarrollo de lo racional y la atrofia de los sentidos en la sociedad en la que vive. En contraste, los ejecutivos, los intelectuales que son su contrafigura en estas novelas, no comen, guardan la línea, lo cual, por supuesto, es visto con absoluta antipatía y desprecio por Carvalho. Para la conexión entre gastronomía y política en el autor, véase el artículo de José V. Saval, "La lucha de clases se sienta a la mesa en *Los mares del Sur* de Manuel Vázquez Montalbán", *Revista Hispánica Moderna* 2 (Dic. 1995): 389-400.

33. Algunos elementos de la trama de *Tatuaje* parecen inspirados en *Últimas tardes con Teresa*, la novela de Juan Marsé, a la que MVM se diría que rinde homenaje. No solo por la repetición del nombre de un personaje femenino, Teresa, al que Vázquez Montalbán le da el apellido de su creador original, sino porque las Teresas de ambas novelas comparten igual origen de clase, una misma superficialidad en su iconoclastia y rebeldía social y una relación semejante con el joven conquistador de una clase inferior, que en la novela de Vázquez Montalbán es Julio Chesma y en la de Marsé, por supuesto, el Pijoaparte.

34. Recordemos que la novela se publica en 1974.

35. Transcribo las partes de la canción que se corresponden con el resumen que estoy haciendo:

217

Él vino en un barco/ de nombre extranjero/ lo encontré en el puerto al anochecer [...] Era hermoso y rubio como la cerveza,/ el pecho tatuado con un corazón,/ en su voz amarga había la tristeza/ doliente y cansada del acordeón. [...] Mira mi pecho tatuado/ con este nombre de mujer/ es el recuerdo del pasado/ que nunca más ha de volver./ Ella me quiso y me ha olvidado/ en cambio yo no la olvidé/ y por siempre iré marcado/ con este nombre de mujer. [...] Errante lo busco por todos los puertos,/ a los marineros pregunto por él/ y nadie me dice si está vivo o muerto/ yo sigo en mi duda buscándole fiel. Escúchame, marinero/ y dime, ¿qué sabes de él?/ Era gallardo y altanero/ y era más rubio que la miel/ Mira su nombre de extranjero/ escrito aquí, sobre mi piel/ si te lo encuentras, marinero/ dile que yo muero por él.

36. Esa misma conexión entre la música de Conchita Piquer y las mujeres de la España vencida se recrea en el poema del autor "Conchita Piquer", aparecido originalmente en *Una educación sentimental* y reimpreso, primero en la antología poética de José María Castellet *Nueve Novísimos*, y después en la recopilación de la obra poética de Vázquez Montalbán, *Memoria y deseo*.

37. El sexismo de esta primera entrega de la serie se acentúa en el hecho de que Carvalho, el personaje más fiable de la narración y quien sostiene el punto de vista, utiliza con gran facilidad la violencia contra las mujeres, representación que la narración no penaliza de ninguna manera. (cf. 149, además del ejemplo que ofrezco un poco más abajo).

38. Ya en *Los mares del Sur* (1979), aparece un personaje fundamental como Ana Briongos, que de hecho encarna todo lo ñpocoñ positivo y esperanzador que se desprende de la novela. En cuanto a personajes femeninos, a destacar muy principalmente Muriel en Galíndez (1990), novela que utiliza a este personaje femenino como centro y motor de la investigación de la novela, la posición más privilegiada del mundo fictivo montalbaniano.

39. Manuel Vázquez Montalbán. *La soledad del manager*. Barcelona: Planeta. Serie Carvalho (1990). Todas las citas pertenecen a esta sexta edición en la serie y su paginación se incluye en el texto.

40. Con este concepto me refiero a la filiación de la narrativa detectivesca de Vázquez Montalbán a la tradición norteamericana que inicia Dashiell Hammett. En el capítulo IV analizo detenidamente la importancia e implicaciones de la pertenencia de la serie Carvalho al género negro. Para un análisis más pormenorizado de la conexión con los cultivadores estadounidenses del género, no solo en la obra de este autor, sino en todos los escritores españoles, pueden consultarse: José Colmeiro. *La novela policiaca española: Teoría e historia crítica*. Barcelona: Anthropos (1994); y José R. Vallés Calatrava. *La novela criminal españo-*

la. Granada: Universidad de Granada (1991).

41. Manuel Vázquez Montalbán, *Los mares del Sur*. Barcelona: Planeta (1993). Todas las citas pertenecen a esta duodécima edición en la serie y su paginación se incluye en el texto.

42. Ejemplo práctico de lo que Fredric Jameson llama "cognitive mapping" [cartografía cognitiva] en *Postmodernism*, op. cit..

43. Manuel Vázquez Montalbán, "Sobre la dudosa existencia del Sur", *Arquitectura y Vivienda* 4 (1985): 4.

44. Ibidem, p. 4..

45. Ibidem, p. 4..

46. Manuel Vázquez Montalbán, "La metáfora del Sur", *El País* (29/10/85): 9.

47. Juan Marsé, *Útimas tardes con Teresa*, Barcelona: Seix Barral (1979): 236. El mismo Vázquez Montalbán utiliza esta cita en su artículo "Los años épicos de una izquierda señorita", reseña sobre la novela de Marsé a propósito de su reedición en 1984. *El País* (17/2/85) Sección Libros: 8.

CAPÍTULO IV

1. Especialmente iluminador en cuanto a la política laboral del PSOE en los ochenta, su impacto en la clase obrera y su relación con la situación socio-económica del tardofranquismo es el llamado "Informe Petras", publicado como número especial de la revista Ajoblanco. James Petras. "Padres-hijos: Dos generaciones de trabajadores españoles". *Ajoblanco* 3 (Verano 1996): 1-82.

2. M. A. Quintanilla, R. Vargas-Machuca, "Socialista después de marxista", *Leviatán* 25 (Otoño 1986): 110-111.

3. Las bases ideológicas del postmarxismo (según Quintanilla y Vargas-Machuca) son las mismas del marxismo. De ahí que éstos entiendan su postmarxismo en un sentido dialéctico, es decir, que no rechaza el marxismo sino que lo incorpora, pero superándolo. Esto es, superando sus errores en la praxis, provocados por una deformación irracional de sus premisas. Es característico de todos los pensadores socialistas próximos al PSOE la valoración de la obra de Marx y del marxismo como método de análisis de la realidad, es decir, su valor como filosofía. El "post" se justifica por los errores marxianos de pronóstico, por la pérdida de vigencia de la lucha de clases, por el carácter finalista de la utopía

marxiana y, finalmente, por los descalabros de los diferentes socialismos históricos. Para más información sobre estos puntos puede leerse, de los mismos autores, "Ideas para el socialismo del futuro", *Leviatán* 18 (Invierno 1984): 96-104; Enrique Gomáriz, "Por la reconversión ideológica de la izquierda", *Leviatán* 17 (Otoño 1984): 153-166; José Félix Tezanos, "Los "encuentros de Jávea" y el futuro del socialismo", *Sistema*. 75 (Nov. 1986): 3-15; Vicent Garcés, "La crisis de la izquierda" *Leviatán* 28 (Verano, 1987): 87-93; Alfonso Guerra et. al., *Nuevos horizontes teóricos para el socialismo.* Madrid: Editorial Sistema (1987); Ludolfo Paramio, *Tras el diluvio. La izquierda ante el fin de siglo.* op. cit.; Joaquín Calomarde, "El socialismo en la crisis de la modernidad", Leviatán 36 (Verano, 1989): 113-122; Felipe González, "Reflexiones sobre el proyecto socialista", *Leviatán* 41 (Otoño 1990): 5-13. Como puede verse, la revista *Leviatán* ha sido instrumento especial de desarrollo de esta nueva orientación ideológica, especialmente entre 1984 –momento de desaparición del marxismo del programa del PSOE– y 1990.

4. En las historias del marxismo occidental de la segunda postguerra mundial, el caso español parece encajar coherentemente en alguna parte a partir de la proclamación de la línea eurocomunista por parte de los partidos comunistas españoles. Perry Anderson. *In the tracks of Historical Materialism.* Londres: Verso (1983) esp. cap 3: 68-84, y siguiendo fundamentalmente a éste, Ludolfo Paramio, op. cit: 7-24.

5. Entre la nueva izquierda que sostiene posturas teóricas más o menos críticas de la evolución histórica del marxismo, y que pone énfasis especial en la importancia de los movimientos sociales, al tiempo que mantiene su marxismo y la necesidad de transformación de la sociedad –que implica la transformación del modo de producción–, cabría destacar la labor del último Manuel Sacristán en los movimientos marxistas radicales (pacifista-ecologistas) de la que es buena muestra la recopilación póstuma que se ofrece en *Pacifismo, ecología y política alternativa*, ya citado, así como las revistas *Materiales* y *Mientras Tanto*. También son clarificadoras las posturas de Adolfo Sánchez Vázquez, "Marxismo y socialismo, hoy", *Leviatán* 33 (Otoño 1988): 83-95; José María Ripalda, "La crisis del sujeto revolucionario", *Leviatán* 13 (Otoño, 1983): 91-96; y en especial el libro ya citado de Riechmann y Fernández Buey. Desde posturas cercanas al PSOE se puede leer el libro ya citado de Ludolfo Paramio y también el de Velázquez y Memba.

6. Sobre la importancia de la memoria colectiva de la Guerra Civil en el desarrollo de la democracia desde la transición, véase el libro de Paloma Aguilar. *Memoria y olvido de la Guerra Civil española*, ya citado.

7. En el capítulo que cierra el libro de Gómez Fuentes, op. cit. titulado *Una*

nueva imagen de España se puede leer: "Por Europa corre una nueva imagen de España [...] Los europeos han descubierto un país joven, dinámico y con gran vitalidad, que nada o muy poco tiene que ver con los tópicos al uso (el sol y los toros, la pandereta y castañuelas, gitanos y Guardia Civil...). ¿Cómo nos ven hoy en el exterior? Quizá pueda servir de referencia un reportaje de la revista *Newsweek*, que entre otras cosas, dice: "La conmoción es real. Después de 50 años de represión, las artes vuelven a la vida en España. Alentada por la expansión social y política del posfranquismo, la tierra de Cervantes, García Lorca, Velázquez y Goya ha producido una nueva generación de pintores, diseñadores, arquitectos y directores de cine de gran calidad. El resultado es un renacimiento cultural que España no había visto desde que Picasso y Buñuel se marcharon a París en la primera parte del siglo." Luego se recogen estas palabras del Ministro de cultura, Javier Solana, "Comparado con cualquier ambiente cultural, España es, actualmente, el más joven, vivo y activo país de Europa" (306-307). A un estereotipo le sustituye otro estereotipo: de la España cañí y folclórica a la joven y dinámica España. España siempre creativa y genial, que recurre a su acerbo artístico (siempre los mismos) como mejor le conviene y para justificarlo todo.

8. Aunque el postmarxismo es en sí la mejor prueba de la voluntad de romper con proyectos pasados, veamos una vez más a este respecto las palabras de un intelectual del PSOE, José Félix Tezanos: "Hasta el presente los socialistas hemos vivido demasiado volcados hacia el pasado [...], ahora, sin embargo, en el socialismo europeo empieza a fraguarse una clara tendencia de cambio de óptica que nos conduce a situar nuestro horizonte prioritario en el futuro y no en el pasado. Este giro supone un cambio importante de enfoque y hasta de actitud personal. Los socialistas de hoy queremos y debemos proyectar nuestro ´proyecto´ y nuestras aspiraciones sobre el modelo de las sociedades tecnológicas que se avecina." "Los «encuentros de Jávea» y el futuro del socialismo": 8-9.

9. "Ganaron la guerra la democracia y la monarquía constitucional", El País (16/6/87): 35, para una transcripción completa del discurso de Paz. La primera persona que contestó a Paz *in situ* fue Manuel Vázquez Montalbán, uno de los organizadores de la conferencia: "Recuperada mi memoria tuve la sospecha de que quien había ganado es Franco". Transcrito por Rosario Fontova para *El Periódico* en su artículo de título significativo, "En busca de la historia perdida" (16/6/87): 29.

10. Elías Díaz. *Ética contra política. Los intelectuales y el poder*. Madrid: Centro de Estudios Constitucionales (1990): 131-188.

11. "Mas lo que impide que la guerra española adquiera definitivamente la categoría de un hecho histórico, lo que la proyecta sobre el presente es la pervivencia del régimen político social que fue su resultado. [...] Es un hecho incontro-

vertible que el último obstáculo a que la guerra pase a ser, definitivamente, un acontecimiento histórico –otra cosa es su impacto, su repercusión, su alcance actuales– es el régimen político social dominante, que en su esencia e incluso en sus formas, sigue siendo un régimen de guerra, y que prolonga ésta a través del tiempo con grave daño para el interés nacional. [...] El día que desaparezca este régimen se habrá acabado con él el último vestigio de un enfrentamiento sangriento que España *desea y necesita* superar. Entonces, la guerra que empezó ahora hace treinta años, no complicará ni envenenará las relaciones político sociales; será un recuerdo y una experiencia. [énfasis en el original]" "La guerra de España treinta años después" Editorial de *Nuestra Bandera* # 51-52 (cuarto trimestre de 1966): 5-6. Declaraciones en referencia más directa con los intereses de clase relacionados con mantener la dicotomía vencedores-vencidos se encuentran en los textos del partido desde 1956. Ver especialmente, dentro del marco del mismo órgano del partido, la separata publicada por la misma revista en 1959, *En el XX aniversario del fin de la guerra civil: El balance de 20 años de dictadura fascista. Las tareas inmediatas de la oposición y el porvenir de la democracia española*; así como el # 47-48, dedicado monográficamente a la conmemoración de los 30 años del comienzo de la Guerra Civil; y el artículo de Santiago Carrillo, "Ni guerra civil ni revancha: libertad", *Nuestra Bandera*, # 36 (1° y 2° semestre, 1963): 13-22.

12. Así se formulaba desde el PSOE: "[lo que se afirma es] la decisión de las nuevas generaciones de superar la guerra civil, restablecer la verdad de las funciones sociales, hacer participar a todas las clases sociales en la gestión del país, sacar del pueblo una nueva clase dirigente, convertir a España en una democracia industrial, integrar a nuestro país en la Europa progresiva [...] [y acoger] las crecientes exigencias populares de libertad, de garantías ciudadanas, de transición inmediata a un Estado de derecho, asentado en la voluntad popular y apto, por ello, para la gran transformación económica, social,. jurídica y moral que el país necesita."Miguel Sánchez-Mazas, "La actual crisis española y las nuevas generaciones", *Cuadernos del Congreso por la Libertad de la Cultura* # 26 (9-10/1957): 21. La segunda parte de la cita (la que viene precedida por "y acoger", pertenece al artículo del mismo autor y publicado en la misma revista parisina "Las fuerzas de la libertad" # 31 (7-8/1958): 31. Las dos citas están tomadas de Díaz (1992): 88. Estas declaraciones le valieron la cárcel a éste y otros socialistas como Luis Martín Santos y Joan Reventós.

13. En cuanto a estudios y recuentos de las polémicas internas entre comunistas, socialistas y anarquistas en relación a este tema, véase Preston (1978) y Díaz (1982).

14. Las opiniones del autor sobre la función de la izquierda desde los primeros ochenta insisten en considerar a la sociedad civil como espacio a conquistar de lucha política e ideológica, desenfatizando la importancia de la lucha por acceder a los órganos del aparato estatal. Con ello se reorienta el papel de la izquier-

da hacia una concienciación ciudadana que pretende incorporar a todos los movimientos sociales interesados en la transformación social, sin jerarquías que den privilegio a la clase obrera como sujeto histórico. Estas posturas se pueden rastrear en sus innumerables colaboraciones en los órganos de prensa ya citados. Destaco, sin embargo, los textos que más completamente definen la postura de Vázquez Montalbán dentro de Izquierda Unida, aunque exceden la década que me está ocupando: "La crisis de la izquierda" El País (6/5/1984): 12-13; *Rafael Ribó: l'optimisme de la raó.* Barcelona: Planeta (1988); *L'esquerra necessària.* Barcelona: Fundació Caixa de Barcelona (1989); *Panfleto desde el planeta de los simios.* Barcelona: Crítica (1995).

15. En el sentido productivo que residual tiene en Raymond Williams. *Literature and Marxism.* Oxford y New York: Oxford University Press (1977): 121-128.

16. Utilizo el concepto acuñado por Gianni Vattimo (pensiero debole) en *La fine della modernita.* Milán: Garzanti (1985) donde define para la postmodernidad una filosofía, política y ética atentas a las experiencias fragmentarias y liberadas de la búsqueda moderna de fundamentaciones últimas.

17. Entre las implicaciones progresistas, la más imprescindible es la deconstrucción de las complicidades políticas del proyecto moderno, que ha revelado así su carácter racista, sexista y homofóbico, complicando y problematizando con la introducción de las categorías de género sexual, raza y sexualidad el análisis de clase que había centrado el ataque a la modernidad burguesa del marxismo. Todo lo cual ha permitido, a nivel conceptual, el desbancamiento del eurocentrismo y el cambio de perspectiva que supone la atención teórica a los márgenes. Entre las implicaciones más reaccionarias, se encuentra la ideología del fin de la historia y la imposición del pensamiento único.

18. Como ejemplos significativos de la crítica, véase las citados, supra, en la cita 23 del capítulo III.

19. Manuel Vázquez Montalbán, *Felípicas. Sobre las miserias de la razón pragmática.* Madrid: El País/Aguilar (1994).

20. Como habría sucedido en la literatura subnormal.

21. *La soledad del manager* (1977); *Los mares del Sur* (1979), Premio Planeta 1979 y Prix International de Littérature Policière en 1981; *Asesinato en el Comité Central* (1981); *Los pájaros de Bangkok* (1983); *La rosa de Alejandría* (1984); *El balneario* (1986).

22. Después de *El Pianista*, se publican, *Pigmalión y otros relatos* (1987); *Los ale-*

gres muchachos de Atzavara (1987); *Galíndez* (1990); *Autobiografía del general Franco* (1992); *El estrangulador* (1994).

23. La vuelta de la narrativa española postfranquista a modos realistas es dominante desde la década de los ochenta, y así lo constata la crítica, si bien teniendo buen cuidado de separar estos usos de un proyecto político explícito en sus autores. Es decir, lo separa cuidadosamente del realismo social: Germán Gullón, "La perezosa modernidad de la novela española (y la ficción más reciente)", *Insula* 464-465 (Jul-Ag 1985): 8; Luís Suñén "Escritura y realidad" Ibídem: 5-6. Visiones más positivas del realismo y su compromiso con la realidad se pueden encontrar en Santos Alonso "Un renovado compromiso con el realismo y con el hombre" Ibídem; y en Santos Sanz Villanueva "El realismo en la nueva novela española", Ibídem.

24. José F. Colmeiro, "La narrativa policíaca postmodernista de Manuel Vázquez Montalbán", *Anales de la literatura española contemporánea/Annals of Contemporary Spanish Literature* 1-3 Vol 14 (1989): 11-31; y del mismo autor, "Postmodernidad, postfranquismo y novela policiaca", *España contemporánea* 2 Vol V (1992): 27-39; Malcolm Alan Compitello, "De la metanovela a la novela: Manuel Vázquez Montalbán y los límites de la vanguardia española contemporánea". Fernando Burgos (ed): *Prosa hispánica de vanguardia:* Madrid: Orígenes (1986): 191-199; "Spain's Nueva Novela Negra and the Question of Form", *Monographic Review/Revista Monográfica* 1-2 Vol III (1987): 182-191; "Juan Benet and the New Spanish Novela Negra", Ibídem: 212-220; Gonzalo Navajas "Modernismo, posmodernismo y novela policiaca: El aire de un crimen de Juan Benet", *Ibídem*: 221-230; "Género y contragénero policiaco en *La rosa de Alejandría* de Manuel Vázquez Montalbán", *Ibídem*: 247-260; "Posmodernidad/posmodernismo. Crítica de un paradigma", *Revista de Filosofía* 17-18 (1994-1995): 75-102; Francie Cate-Arries "Lost in the Language of Culture: Manuel Vázquez Montalbán's Novel Detection", *Revista de Estudios Hispánicos* 3 (Oct 1988): 47-56; Paul Preston, "Materialism and Serie Negra". *Thrillers in the Transition: Novela Negra and Political Change in Spain.* Rob Rix (ed): Leeds: Trinity and All Saints College (1992): 9-16; John Macklin, "Realism Revisited: Myth, Mimesis and The Novela Negra", *Ibídem*: 49-73.

25. Rafael Conte "En busca de la novela perdida", *Insula* 464-465 (Jul-Ag 1985): 1 y 24; John Cottam, *Understanding the Creation of Pepe Carvalho. Thrillers in the Transition: Novela Negra and Political Change in Spain.* Rob Rix (ed): Leeds: Trinity and All Saints College (1992): 123-135; Samuel Amell, "Literatura e ideología: el caso de la novela negra en la España actual", *Monographic Review/Revista monográfica* 1-2 (1987): 192-201; José R. Vallés Calatrava, *La novela criminal española.* Granada: Universidad de Granada (1991): 167-179.

26. Manuel Vázquez Montalbán. "Regalo de la casa, de Juan Madrid: el realismo no es lo que era", *Insula* 488-9 (1987): 23.

27. En este periodo el autor ejercía su interés por la historia de las clases vencidas a través de la crónica-ensayo periodístico. Léase la *Crónica sentimental de España*.

28. Para una distinción entre el modo mimético y el diegético, Gérard Genette, *Narrative Discourse. An Essay in Method*. Ithaca and London: Cornell UP (1980): 162-170.

29. Andreas Huyssen. *Twilight Memories. Marking time in a culture of amnesia*. New York y Londres: Routledge (1995).

30. Richard Terdiman ha desarrollado esta idea por extenso en su libro *Present Past: Modernity and the Memory Crisis*. Ithaca and London: Cornell UP (1993) esp. la primera parte, "An Introduction to Memory". Mi interpretación se basa en la suya.

31. Mi interpretación no puede por menos que discrepar del parecer de David K. Herzberger, quien afirma en *Fiction and Historiography in Postwar Spain*. Durham y London: Duke U.P (1995) la desaparición en la novela de la España democrática de un proyecto disidente de representación historiográfica, semejante al que él analiza durante el franquismo contra la representación oficial de la historia. Su afirmación supone la desaparición de un "masterdiscourse" o gran narrativa histórica acabada la dictadura, sustituido en la democracia por un campo de absoluta libertad, libre de antagonismos y de jerarquías de poder en la imposición de los discursos históricos: "Freed from the contentious dialogue with a master discourse of history, Spanish narrative moves unconstrainedly through time and text, social circumstance and literary fashion. [...] the urge among novelists to write against the historical grain dissipates into the more amorphous field of historical writing –at times with the grain, at times against it, but always, now, disencumbered of the burden of a master history as forged by Francoism."(156) [libre del diálogo contencioso con la gran narrativa de la historia, la novela española se mueve sin cortapisas a través del tiempo y del texto, circunstancias sociales y modas literarias [...] la urgencia entre los novelistas de escribir a contrapelo de la historia se disipa en el campo más amorfo de la escritura histórica ña veces con la corriente, a veces contra ella, pero siempre ahora, desembarazada del peso de una historia oficial tal y como la forjara el franquismo.].

32. Sobre la dialéctica de la memoria, véase Richard Terdiman. "Deconstructing Memory: On Representing the Past and Theorizing Culture in France since the

Revolution.", *Diacritics* 15 (1985): 13-36.

33. En unas interesantes declaraciones hechas en 1991, el autor hace una justificación sobre la vigencia del realismo que lo aleja de una función ingenuamente reproductora, y lo acerca a las posiciones que estoy analizando en este capítulo: "Existe, en mi opinión, un debate sobre el realismo que al final nos ha dejado una lección simplísima: hay un realismo como reproducción y el realismo como revelación o desvelamiento. El primero, a mi juicio, carece de todo sentido, a menos que sea un ejercicio de detallismo al estilo de la pintura hiperrealista; el otro realismo implica, sin embargo, desvelar aspectos del entorno que permanecían ocultos, pero siempre bajo la convención de que el material que se utiliza para replantear la realidad es la palabra, el lenguaje..." Leonardo Padura Fuentes, "Reivindicación de la memoria. Entrevista con Manuel Vázquez Montalbán", *Quimera* 106-107 (1991): 53. En efecto, la estructura de su novela realista tiene una función reveladora que, a través de la presentación de los acontecimientos novelados en el tiempo, propone una forma de entender la realidad diferente a la dominante.

34. Bill Nichols, *Blurred Boundaries. Questions of Meaning in Contemporary Culture.* Bloomington y Indianapolis: Indiana University Press (1994): 117.

35. Roger Caillois se refiere a esta característica de la novela policiaca de enigma como inversa a la de la novela. En ésta la representación del descubrimiento es la culminación de la del desarrollo de los acontecimientos. Por el contrario, la narración policiaca se inicia con el descubrimiento (del cadáver) y se desarrolla con la narración de la historia previa que culmina en él. R. Caillois, *Puissances du roman*, Buenos Aires: Editions du Trident S.A. (1945): 55-59.

36. El uso del término hermenéutica ha sido frecuente en el análisis formal de la novela policiaca. El más importante es el que se deriva de la definición de Roland Barthes de código hermenéutico en el conjunto del análisis del relato que propone en *S/Z*, Madrid: Siglo XXI Ed. (1980): especialmente 70-73. El filósofo francés entiende que este código –uno de los cinco que define– organiza el discurso del relato como una frase que propone un sujeto (establecimiento del enigma), con el que se despiertan las expectativas del lector de su conclusión en un predicado (resolución del enigma). Dentro de estos dos polos el mencionado código se encarga de establecer continuos obstáculos que retrasan la revelación del predicado con la que necesariamente concluye el relato. Barthes llama a esta frase, "voz de la verdad" pues crea en el lector la confianza de la respuesta verdadera y única al final del camino de la lectura. En este concepto formal se basa mi análisis. Definiciones semejantes pueden encontrarse aplicadas a la novela policiaca española en los trabajos de Calatrava, op cit:40; José Colmeiro, *La novela policiaca española: Teoría e Historia crítica*. Barcelona: Anthropos (1994):

72-84. Referida en concreto a Vázquez Montalbán, María-Elena Bravo "Literatura de la distensión: el elemento policíaco", *Insula* 472 (Mar 1986): 1 y 12-13; Joan Ramón Resina "Desencanto y Fórmula Literaria en las Novelas Policiacas de Manuel Vázquez Montalbán", MLN 108 (1993): 254-282. El segundo uso de la hermenéutica se aleja sustancialmente de nuestra interpretación y es el que se apoya en Hans-Georg Gadamer (desarrollado en *Truth and Method*, New York: Continuum (1975). La insistencia de Gadamer en la relación de sujeto lector y la obra objeto, en la que ambos se modifican y son activos, está en la base de las interpretaciones postmodernas de la historia, y dista también de mi uso del término. El "círculo hermenéutico" que propone Vázquez Montalbán, según nuestro análisis, se abre y se cierra dentro del texto mismo, y pretende demostrar la interrelación entre pasado y presente. Contrariamente a Gadamer, propone un método con pretensiones de poder hallar la verdad, más de lo que insiste en la modificación mutua a que se someten sujeto (sea lector o personaje) y objeto (sea novela o realidad representada) cuando entran en contacto. Para una aplicación de la teoría de Gadamer a la novela policiaca, William W. Stowe, "From Semiotics to Hermeneutics. Modes of Detection in Doyle and Chandler", *The Poetics of Murder*. Ed. Glenn W. Most y William W. Stowe. San Diego-New York-London: HBJ Ed. (1983): 366-383.

37. Para este tipo de estudio, véanse los dos recientes trabajos de José Colmeiro (1994); y José R. Vallés Calatrava, op. cit. Para estudios menos exhaustivos, véanse los siguientes artículos: M. Vidal Santos, "La novela policiaca española", *Camp de l'Arpa* 77-78 (Jul-Ag. 1980): 53-55; Salvador Vázquez de Parga, "La novela policiaca española", *Los Cuadernos del Norte* 19 (May-Jun 1983): 24-37; Francesc González Ledesma, "La prehistoria de la novela negra", *Los Cuadernos del Norte* 41 (Mar-Ab 1987): 10-14; Juan Antonio de Blas, "Las sagas en la novela negra española", Ibidem: 46-51.

38. Ernst Kaemmel, "Literature under the Table: The Detective Novel and its Social Mission", Most & Stowe (ed): 55.

39. Ejemplos de estas teorizaciones se encuentran en Ernest Mandel, *Delightful Murder. A Social History of the Crime Story*. Minneapolis: Minnesota UP (1984); Teresa L. Ebert, "Detecting the Phallus: Authority, Ideology, and the Production of Patriarchal Agents in Detective Fiction", *Rethinking Marxism*, Vol 5 # 3 (Fall 1992): 6-28; Dennis Porter, *The Pursuit of Crime. Art and Ideology in Detective Fiction*. New Haven and London: Yale UP (1981); Stephen Knight, *Form and Ideology in crime fiction*. Bloomington: Indiana UP (1980); Michael Holquist, "Whodunit and Other Questions", en *Most & Stowe* (ed), op. cit.; Mempo Giardinelli, *El Género Negro*. Vol II. Ciudad de México: Univ. Autónoma Metropolitana (1984); Fredric Jameson, "On Raymond Chandler", Most & Stowe (ed): 122-148.

40. Lo mismo podría decirse de géneros como el de la novela del oeste y, en general, aunque pasando a otro medio, de todo el cine negro.

41. "it [detection] consists of the material practices of knowing through which the detective organizes reality and interpellates subjectivities according to the ideological injunctions of the patriarchal symbolic order, and enforces, restores, legitimizes, and protects that order." [la detección se compone de las prácticas materiales de conocimiento a través de las cuales el detective organiza la realidad e interpela subjetividades de acuerdo con los mandatos del orden simbólico patriarcal, al tiempo que hace cumplir, restaura, legitima y protege ese orden] Teresa Ebert op. cit.: 16-17. Su artículo amplía brillantemente el análisis de las implicaciones ideológicas de la novela negra al incluir su adscripción al patriarcado.

42. En palabras de Richard Terdiman (1993): 5 "the loss of a sense of time's continuous flow and of our unproblematic place within it, the disruption of organic connection with the past (...) such representations indicate an epochal rupture, a perception by those who were living within it that the world had decisively changed" [la pérdida del sentido del tiempo como fluir continuo y de nuestro lugar no cuestionable en él, la ruptura de una conexión orgánica con el pasado (...) tales representaciones indican una ruptura que marcó una época, una percepción de los que vivían entonces de que el mundo había cambiado decisivamente.]

43. (1993): 18.

44. En palabras de Terdiman (1993): 6 "Whole literary plots –quintessentially those of the detective stories, which many have argued represent the furthest development of the theme of such hermeneutic difficulty in fictions from the period –turn on this newly disquieting lack of transparency (of behaviors) [...] They [la creciente población urbana] were involved in an effort of memory that made the very lack of transparency of the past a conscious focus of concern" [Tramas literarias enteras ñquintaesencialmente las historias de dectectives, que muchos han argumentado que representan el más avanzado desarrollo en el tema de la dificultad hermenéutica en las obras de ficción de este periodoñ sintonizan con esta nueva e inquietante falta de transparencia (en los comportamientos). (...) La creciente población urbana se implicó en un esfuerzo de memoria que hizo de la misma ausencia de transparencia del pasado el foco consciente de sus preocupaciones.]

45. Según la tesis de Ernst Mandel (op. cit.).

46. Esta dimensión del texto policiaco ha sido señalada tradicionalmente por la crítica marxista. En ella destacan Bertol Brecht, "Ueber die Popularität des

Detektivromans", *Gasammelte Werke*. Vol. 16, Berlín 1976; Ernst Bloch, "A Philosophical View of the Detective Novel", *The Utopian Function of Art and Literature*. Cambridge, Massachusetts: MIT Press: 1988. Ambos citados por Mandel, op. cit.: 72. Todos ellos reducen su alcance a un valor consolador y en último término, escapista e inmovilizador. En palabras de Mandel: "The crime story is a response to the needs of alienated intellectual and service-industry labour, partially conscious of its alienation but not yet suficiently so to understand that a scientific explanation of the mysteries of commodity production and bourgeois society is possible, and that collective emancipation is preferable to individual escapism." [La historia criminal es una respuesta a las necesidades de intelectuales alienados y mano de obra de servicios y de la industria, parcialmente conscientes de su alienación, pero no lo suficiente como para entender que es posible una explicación científica de los misterios de la producción de mercancías, y que la emancipación colectiva es preferible al escapismo individual.] (73) La dura afirmación de Mandel no parece dejar ningún espacio para una función crítica válida del género ni, por extensión, para la literatura. Al fin y al cabo, todo acto de lectura es susceptible a esta acusación porque se desarrolla –mayormente– en el aislamento del individuo con un libro. La aspiración a una literatura revolucionaria es impensable en la radical mercantilización de la cultura contemporánea. La carga crítica de cualquier producto artístico no está en proporción directa a su capacidad de mover a los sujetos lectores a la praxis.

47. Fredric Jameson elaboró hace años una teorización sobre la ideología de los productos de la cultura de masas que hace imprescindible, para llevar a cabo su función ideológica-conformadora, la existencia de un componente que él llama Utópico. Véase: "Reification and Utopia in Mass Culture": *Social Text*, # 1 (Fall, 1979): 130-155. En una elaboración posterior en *The Political Unconscious. Narrative as a Socially Symbolic Act*. Ithaca-New York: Cornell UP (1981): 287, resumía Jameson así su argumento: "if the ideological function of mass culture is understood as a process whereby otherwise dangerous and protopolitical impulses are "managed" and defused, rechanneled and offered as spurious objects, then some preliminary step must also be theorized in which these impulses [...] are initially awakenend within the very text that seeks to still them. If the function of the mass cultural text is meanwhile seen rather as the producction of false consciousness and the symbolic reaffirmation of this or that legitimazing strategy, even this process cannot be grasped as one of sheer violence [...] nor as one inscribing the appropriate attitudes upon a blank slate, but must necessarily involve a complex strategy of rhetorical persuasion in which substantial incentives are offered for ideological adherence. We will say that such incentives, as well as the impulses to be managed by the mass cultural text, are necessarily Utopian". [si la función ideológica de la cultura de masas se entiende como un proceso por el cual se "manejan", desactivan, reconducen y ofrecen como objetos falsos los que de otra manera serían impulsos peligrosos y proto-

229

políticos, entonces habrá que teorizar un paso previo en el que se despierten estos impulsos en el mismo texto que busca acallarlos. Si, por otra parte, se ve la función de un texto cultural de masas más bien como la producción de falsa conciencia y la reafirmación simbólica de esta o aquella estrategia legitimadora, incluso entonces no se la puede entender como un proceso tan violento, o como un proceso capaz de inscribir las actitudes apropiadas en una hoja en blanco. Antes bien, debe implicar una estrategia compleja de persuasión retórica en la que se ofrezcan incentivos sustanciales para conseguir la adhesión ideológica. Diremos que tales incentivos, así como los impulsos que debe controlar el texto cultural de masas, son necesariamente Utópicos.].

48. La frase es de Fredric Jameson en "Marxism and Historicism", *The Ideologies of Theory*, Vol II, Minneapolis: University of Minnesota Press (1989): 148-177 parafraseando el concepto de historiografía como genealogía teorizado por F. Nietszche y posteriormente por M. Foucault como arqueología.

49. *Crónica sentimental de la transición*. Barcelona: Planeta (1985); *Memoria y deseo* (Obra poética 1963-1983). Barcelona: Seix Barral (1986); *El pianista*. Barcelona: Seix Barral (1985).

50. Como se recordará, en ambas novelas la existencia de una referencia textual se constituye en pista fundamental de la investigación. En *Tatuaje* es la inscripción grabada en la espalda del asesinado "He nacido para revolucionar el infierno". En *Los mares* es la nota encontrada en el bolsillo del muerto que reza en italiano "Ya nadie me llevará al sur".

51. Lo cual diferencia esta novela de la memoria de la que David Herzberger analiza por extenso en "History and the Novel of Memory" (66-86), capítulo tercero de su *Narrating the Past*, ya citado. Aparte de pertenecer a un periodo anterior –segunda mitad de los sesenta y década de los setenta–, Herzberger señala cómo sus novelas se centran en un individuo en busca de la recuperación de su identidad.

52. cf. 54, 74 y 79-80.

53. Discrepo aquí con J. F. Colmeiro (1996), para quien los diversos enfoques narrativos, temporalidades y, en general, la no linealidad de la novela son signos de una postura postmoderna que encuentra en esta proliferación la propuesta de un relativismo insalvable. En nuestra opinión, esos recursos sirven a la visión dialéctica, y por tanto, finalmente integradora de una realidad que el autor quiere presentar como radicalmente histórica.

54. Pierre Lepape, "Un rencontre avec le romancier espagnol Vázquez Mon-

talbán: La guèrre n'est pas finie. L'auteur du *Pianiste* et de *La Rose d'Alexandrie* veut être le gardien de la memoire sociale" *Le Monde* (7/10/88). Section Des Livres: 11 señala acertadamente la importancia de este espacio para la determinación de las identidades.

55. Vázquez Montalbán ha comentado en repetidas ocasiones la conexión del capítulo II de *El pianista* con su propia infancia y sus recuerdos. Por ejemplo en *Diàlegs a Barcelona: Manuel Vázquez Montalbán/Jaume Fuster.* Barcelona: Ajuntament de Barcelona/Editorial Laia (1985): 27-42.

56. En otros textos de la época, Vázquez Montalbán está abordando esta misma cuestión. En la representación de las clases populares contemporáneas suyas, éstas viven su conciencia de olvido como una traición a sus mayores, mientras el proyecto global de la novela pretende demostrar la relación entre ese olvido personal y los procesos históricos. Le dice Charo a Carvalho en *La rosa de Alejandría* (1986): "Es una lástima que mi madre haya muerto, porque a veces cosas que ella recordaba, yo ya no las recuerdo, y es una pena que se pierdan los recuerdos de las personas que te quisieron, me remuerde la conciencia perder los recuerdos de mi madre, estoy segura de que ella me los contaba para que yo los conservara." (22).

57. Cf. 31-34.

58. Francesc Arroyo. "La última narración de Manuel Vázquez Montalbán, un paseo por la memoria de la guerra civil", El País (21/3/85): 26; Miguel Sánchez-Ostiz. "La música callada de un pianista", *Navarra hoy* (23/3/85); Joaquim Marco. "Historia de un pianista que quiso regresar del pasado", *El Periódico* (23/3/85); Rafael Conte. "Vázquez Montalbán y la memoria del fracaso" *El País* (31/3/85): Sección libros, 3; Leopoldo Azancot. "El pianista" *ABC* (31/3/85). A la publicación de la traducción francesa se siguieron críticas similares, como la de Pierre Lepape ya citada.

59. Un análisis más reciente y más académico de la recuperación del pasado que realiza *El pianista* como nostalgia postmoderna puede encontrarse en Gonzalo Navajas (1994-1995: 98-99). Otro análisis del mismo autor que hace referencia a esta nostalgia, pero considerada como superadora del momento postmoderno, y referida a *La rosa de Alejandría*, se encuentra en (1991: 134).

60. Richard Terdiman ha desarrollado teóricamente la forma dialéctica en que funciona la memoria, concepto que reproduce en la práctica la estructura de *El pianista*: "In figuring a reality outside of itself, consciousness both posits and negates its referent, it transforms it. [...] this process is limitless and can never be totalized. The purpose of conserving what is overcome in the process of the

dialectic is to prevent either of its terms from being transformed into the only term. [...] sustaining the tension between its terms is crucial, in order to inhibit any cancellation of their contradictory energy. Otherwise the productivity of the system comes to an end, stopping time and purging memory of its representational capacity." (1993): 29-30 [Al configurar una realidad fuera de sí misma, la conciencia al mismo tiempo propone y niega su referente, lo transforma. Este proceso es ilimitado y no puede nunca concebirse como una totalidad. El propósito al conservar lo que se superó en el proceso dialético es evitar que cualquiera de sus términos se transforme en el otro y único. Es crucial mantener la tensión entre los términos, para inhibir cualquier cancelación de su energía contradictoria. De otra manera, se acaba la productividad del sistema, deteniendo el tiempo y despojando a la memoria de su capacidad representativa.]

61. Aquí es donde puede verse con más claridad la distancia que separa el proyecto de Vázquez Montalbán, afín a una hermenéutica marxista, del de H-G. Gadamer, que acuñó el concepto que nos apropiamos aquí. Para Gadamer (refiriéndose al objeto artístico), el acto de interpretar es posible gracias a la existencia de una tradición, como un hilo conductor que une al objeto interpretado con su intérprete, y de ahí su insistencia en la transformación que el pasado sufre al ser representado en el presente. Para MVM, por otra parte, la conexión entre presente y pasado es precisamente lo que hay que restaurar, y no un elemento que damos por descontado llamado tradición. En Vázquez Montalbán, a diferencia de Gadamer, la historia que une pasado y presente no es un saber común que hace posible todo diálogo con el pasado. Es un campo de batalla, donde ciertos intereses imponen los hilos conductores dominantes para la futura interpretación de ese pasado y en el que hay que luchar por contrarrestarlos.

62. Me parece que esta concepción montalbaniana de la historia se conecta con una visión histórico-materialista mucho más apropiadamente que con una visión postmoderna y postestructuralista en el sentido en que la define Linda Hutcheon al hablar de la metaficción historiográfica, y en el sentido en que aplica José F. Colmeiro este concepto en su reciente trabajo sobre la narrativa de MVM, *Crónica del desencanto*: 223-239.

63. La película *Galíndez* empezó a rodarse mucho después, en el verano de 1997.

64. Manuel Vázquez Montalbán. *Galíndez o los vascos del siglo XX*, Barcelona: Impreso por Artiplan, S.A.

CAPÍTULO V
1. Manuel Vázquez Montalbán. *Ciudad*. Madrid: Visor (1997): 23.

2. Se la ve reaparecer en varios momentos de su carrera: *La palabra libre en la ciudad libre*. Barcelona: Gedisa (1979); "El escriba sentado (O reflexiones de un escritor intervencionista en una sociedad literaria fanáticamente abstencionista)", *Revista de Occidente* 88-89 (Julio-Agosto 1989): 13-28; *Panfleto desde el planeta de los simios*. Barcelona: Crítica (1995) y, últimamente, la recopilación de artículos literarios del autor, *El escriba sentado*. Barcelona: Crítica (1997).

3. Las tres publicadas por la editorial barcelonesa Planeta.

4. Gonzalo Navajas ("Una estética para después del postmodernismo. La nostalgia asertiva y la reciente novela española", *Revista de Estudios Hispánicos* 3 (Octubre 1991): 129-151) considera que la novela española ya ha superado el postmodernismo para la década de los noventa. Ciertos aspectos de lo que él llama "la nueva configuración epistémica" coinciden con aspectos de estas dos citadas novelas de Vázquez Montalbán, especialmente en lo que tienen de respuesta a la indeterminación y escepticismo de un cierto postmodernismo (que para Navajas es el postmodernismo), y en la refuncionalización de ciertos hallazgos postmodernos, aunque no coincido en su afirmación de la nostalgia asertiva como característica principal del nuevo momento estético. Para una versión más extensa del concepto de postmodernismo de este autor y su aplicación a la novelística española, puede verse su "Posmodernidad/Postmodernismo. Crítica de un paradigma", ya citado, y sus libros *Teoría y práctica de la novela española posmoderna*. Barcelona: Ediciones del Mall (1987) y *Más allá de la posmodernidad*. Barcelona: EUB (1996). Una concepción similar del posmodernismo se encuentra en el libro ya citado de David K. Herzberger, *Narrating the Past* esp. cap. 5 y 6 y el postscriptum. En mi análisis prefiero seguir hablando de postmodernismo, y de la respuesta estética de las novelas de Vázquez Montalbán en los noventa como una incorporación de las tendencias dominantes del postmodernismo. Según mi definición de éste, (véase cap. 1), el momento postmoderno sigue vigente.

5. Manuel Vázquez Montalbán. *El estrangulador*. Barcelona: Mondadori (1994).

6. Manuel Vázquez Montalbán, *Pasionaria y los siete enanitos*. Barcelona: Planeta (1995).

7. Cuando en vísperas de los Juegos Olímpicos de Barcelona, dos periodistas británicos airearon el prominente pasado franquista de Juan Antonio Samaranch, presidente del Comité Olímpico Internacional, a nadie en el país pareció importarle demasiado, y los hechos se descalificaron como un complot contra la sede catalana.

8. Cuando hablo de desconocimiento del pasado nacional no me refiero a la

ignorancia de la existencia de la Guerra Civil o del franquismo, sino a la más políticamente relevante de las conexiones, hábilmente ocultadas o disimuladas desde la transición, de estos momentos históricos con la España democrática.

9. En las encuestas realizadas en 1992 entre una población de 18 a 29 años con ocasión del centenario del nacimiento de Franco, el 39% de los encuestados valoró el gobierno del dictador como regular, bueno o muy bueno. Recogido en John Hooper. *The New Spaniards*. London: Penguin Books (1995).

10. Según se deduce, por ejemplo, de las perspectivas de Ken Loach en su film *Tierra y libertad* donde la representación de la Guerra Civil se desplaza exclusivamente al bando republicano en busca de un culpable máximo, el comunismo estalinista y una víctima, el anarquismo. En este tipo de recreaciones históricas, al levantamiento franquista la maldad histórica, con suerte, se le supone. Sin suerte, se le perdona, o se ignora. Otro ejemplo flagrante de revisionismo histórico es el prólogo de Ricardo de la Cierva a la edición novelada de *Raza*. El texto de Jaime de Andrade, alias de Francisco Franco, es calificado de pedagógico por este historiador de perspectiva autodenominada científica, que hace de su ìintroducción históricaî un panegírico abierto al dictador.

11. Véase la serie televisiva dirigida por Victoria Prego para TVE, *La transición*, o el libro de Julia Navarro, *Nosotros, la transición*. Madrid: Temas de hoy (1995).

12. Como atestigua el boom de bibliografía sobre sectores hasta el momento muy marginados de la historia nacional, especialmente las mujeres. Cito selectivamente los libros de Jordi Roca i Girona, *De la pureza a la maternidad. La construcción del género femenino en la postguerra española*. Madrid: Ministerio de Educación y Cultura (1996); la traducción del texto de Shirley Mangini, *Recuerdos de la resistencia. La voz de las mujeres en la Guerra Civil*. Madrid: Península (1997) y la reedición del libro de Antonina Rodrigo, *Mujeres para la historia. La España silenciada del siglo XX*. Madrid: Compañía Literaria (1996). El film ya citado *Tierra y libertad*, entra también en esta línea así como *Libertarias*. (1995) de Vicente Aranda..

13. Véanse al respecto estas declaraciones sobre la obra de Juan Marsé: "Por otra parte, la constancia en la obra de Marsé de la literatura de la memoria, le convierte en un escritor que pone en práctica esa voluntad de conocer a través de la memoria, lo cual implica una falsificación (por cuanto la memoria significa falsificación), pero íntimamente ligada con la falsificación que en sí misma es una operación literaria y una ficción." "La novela española entre el posfranquismo y el posmodernismo". Yvan Lissorgues (coord). *La renovation du roman espagnol depuis 1975*. Toulouse: Presses Universitaires du Mirail (1991): 21. También es significativo en este respecto la elección del epígrafe de Simone Signoret que

inicia el ensayo periodístico *Crónica sentimental de la transición*. Barcelona: Planeta (1985): "Cuando se cuenta, se usurpa la memoria de los otros." Por el sólo hecho de estar ahí, se les roba su memoria, sus recuerdos, sus nostalgias, sus verdades. Cuando digo ´nosotros` he tomado posesión. Pero sólo para el relato. Mi memoria o mi nostalgia me han hecho tejer hilos. Pero no forjar cadenas."

14. Michel Foucault, *Power/Knowledge*. New York: Pantheon Books (1980): 132. La teorización del filósofo francés de las condiciones de posibilidad de intervención efectiva del intelectual contra el poder (capítulo/entrevista 6, "Truth and Power": 109-133) es especialmente adecuada para describir la que desarrolla MVM con estas novelas.

15. Diversos críticos señalaron la fusión en la novela *Galíndez* entre periodismo y ficción, entre ellos Eduardo Haro Tecglen y Javier Goñi. Para un extracto de sus reseñas, véase en *Quimera* la recopilación ya citada de "Espejo de la crítica: Galíndez", de diversas reseñas aparecidas en España sobre la novela.

16. Manuel Vázquez Montalbán. *Praga*. Recopilado en *Memoria y deseo. Obra poética* (1963-1990). Barcelona: Grijalbo Mondadori (1996): 280.

17. Para las opiniones de los críticos, véase "Espejo de la crítica: Galíndez" *Quimera* #108, (1991): 62-63, que recopila diversas reseñas aparecidas en España sobre la novela. Para la opinión del autor puede leerse en la misma revista, # 106-7 la entrevista con él de Leonardo Padura Fuentes, "Reivindicación de la memoria. Entrevista con MVM": 52.

18. Manuel Vázquez Montalbán, *Galíndez*. Barcelona: Seix Barral (1992). Todas las citas pertenecen a la décimosegunda edición de la novela, y su paginación se indica en el texto de ahora en adelante.

19. Puestos a incluir la novela dentro de un género, la complicación de la trama, su ambición por abarcar la totalidad del entramado de relaciones político-económicas del orden mundial, la sitúan más cerca de la política-ficción. En cuanto a su relación con la producción anterior de Vázquez Montalbán, las mismas características citadas la acercan especialmente a *La soledad del manager*.

20. Es significativa la inmolación de la figura femenina que, como demostraré, tiene que morir para que se restaure la posibilidad de que continúe la historia. Para una crítica de la representación femenina en la novela, véase Susan L. Martin-Márquez. "Locating a Politics of Resistance and Resisting a Politics of Location: Manuel Vázquez Montalbán's *Galíndez*", *Revista de Estudios Hispánicos* 30 (1996), especialmente páginas 132-135.

21. MVM ha publicado varios textos históricos en los que demuestra un profundo conocimiento de la historia de España de los últimos cincuenta años. El que más se acerca al contenido de lo que se presenta en *Autobiografía* es *Los demonios familiares de Franco*. Barcelona: Dopesa (1978), con una segunda edición de Planeta (1987), que no forma parte de ninguno de los *best-sellers* del autor.

22. Para una discusión exhaustiva sobre la metaficción y la metanovela españolas puede leerse el libro de Robert C. Spires, *Beyond the Metafictional Mode. Directions in the Modern Spanish Novel*. Lexington: U.P. of Kentucky (1984). Igualmente interesante es el artículo de Gonzalo Sobejano, "Novela y metanovela en España", *Insula* 512-513 (agosto-septiembre 1989): 4-6

23. Manuel Vázquez Montalbán, *Autobiografía del general Franco* Barcelona: Planeta (1992): 20. Todas las citas pertenecen a esta tercera edición y su paginación aparece a partir de ahora en el texto.

24. Cabe además una nota de confusión añadida. La obra apareció publicada en la colección de Planeta "Autores Españoles e Hispanoamericanos". Todas las novelas del autor, a excepción de la serie Carvalho, que tiene colección propia en Planeta, se habían publicado hasta entonces en la editorial Seix Barral, perteneciente al grupo Planeta. En cambio, varios de sus textos ensayísticos, *Mis almuerzos con gente inquietante* (1984), *Crónica sentimental de la transición* (1985), *Los demonios familiares de Franco* (1987) y, últimamente, *Pasionaria y los siete enanitos* (1995), han aparecido en las colecciones "Espejo de España" y "Documento" de Planeta.

25. Una confusión análoga se produce en *Galíndez*, donde es imposible distinguir hastá que punto se transcriben los textos de los documentos reales (en el sentido de que existe fuera de la ficción novelesca) que Muriel utiliza en su investigación sobre el nacionalista vasco.

26. Estas son las citas bibliográficas de los más usados por Pombo: Pilar Franco Bahamonde, *Nosotros, los Franco*. Barcelona: Planeta (1981); Ramón Franco, *Madrid bajo las bombas*. Madrid: Editorial Zeus (1931); Ignacio Hidalgo de Cisneros, *Memorias*. París: Societé d'Editions de la Librairie du Globe (1964); Vicente Gil, *Cuarenta años junto a Franco*. Barcelona: Planeta (1981); Joaquín Giménez-Arnau, *Yo, Jimmy: mi vida entre los Franco*. Barcelona: Planeta (1981); Pilar Jaráiz Franco, *Historia de una disidencia*. Barcelona: Planeta (1981); Heleno Sana, *El franquismo sin mitos: conversaciones con Ramón Serrano Suñer*. Barcelona: Grijalbo (1982).

27. Alrededor de esta cuestión gira el artículo de José Ortega, "Perfil sicológico de un delincuente histórico: *Autobiografía del general Franco* de Manuel Vázquez

Montalbán", *Monographic Review/Revista Monográfica* Vol IX (1993): 104-115.

28. Otro ejemplo de mantenimiento de la falacia de separación de los discursos se encuentra en la introducción de una cita a pie de página que revela un nombre que el texto de Franco no aclara. Franco parece desconocer la identidad del poeta catalán "de pasado algo nacionalista pero regenerado al parecer a los pies del Cristo de nuestra victoria", ganador de un certamen, aclarándosenos en cita que se trataba de Josep Mª López Picó. (471).

29. Nuevamente es pertinente la comparación diferenciadora con la anterior novela de la memoria española, al modo de la escrita por Luis Goytisolo en su cuarteto *Antagonía, Recuento* (1973); *Los verdes de mayo hasta el mar* (1976); *La cólera de Aquiles* (1979) y *Teoría del método* (1981), o por Carmen Martín Gaite en *El cuarto de atrás* (1978). Esta novela de la memoria "lays out history as a series of disruptions –of time, of self, of narration, and most importantly, of the referential illusion of truth and wholeness." [traza la historia como una serie de interrupciones –de tiempo, del ser, de la narración y, lo más importante, de la ilusión referencial de verdad y totalidad] Herzberger: 85.

30. Juri M. Lotman, "The Sign Mechanism of Culture" *Semiotica* 12:4 (1974): 301-305.

31. Cfr. 378-379 donde se cotejan declaraciones públicas y contradictorias sobre la alianza de España con el eje durante la Segunda Guerra Mundial.

32. Terry Eagleton elabora esta cuestión de la identidad del oprimido con respecto al nacionalismo irlandés: "In another sense, however, it is clearly abstract caviling to maintain that the Irish people has not been oppressed as Irish. However fundamentally indifferent colonialism may be to the nature of the peoples it does down, the fact remains that a particular people is in effect done down as such.[...] to attempt to bypass the specificity of one's identity in the name of freedom will always be perilously abstract, even once one has recognized that such an identity is as much a construct of the oppressor as one's "authentic" sense of oneself." [Por otra parte, sin embargo, es claramente una elucubración abstracta mantener que el pueblo irlandés no está oprimido como irlandés. Por muy fundamentalmente indiferente que el colonialismo sea a la naturaleza de los pueblos que oprime, sigue siendo cierto que a un pueblo particular se le oprime como tal [...] intentar esquivar la especificidad de la propia identidad en nombre de la libertad siempre será peligrosamente abstracto, incluso cuando uno ha reconocido que esa identidad es tanto una construcción del opresor como la propia "auténtica" autoconciencia] "Nationalism: Irony and Commitment" Terry Eagleton, Fredric Jameson, Edward Said. *Nationalism, Colonialism and Literature* Minneapolis: University of Minnesota Press (1990): 30. La forma que adopta la autobiografía de Pombo textualiza esta necesidad del

discurso político del oprimido de situarse como oposición desde la posición ine-
lidible del vencido, para producir una respuesta efectiva al opresor.

EPÍLOGO

1. El libro apareció publicado poco después: Manuel Vázquez Montablán. *La literatura en la construcción de la ciudad democrática*. Barcelona: Crítica (1998).

2. Con la relevante excepción del planeta de los simios.

3. El término postmodernidad había aparecido con anterioridad en los ensayos del autor. Lo aplicaba entonces al ámbito literario, definiéndolo como momento ecléctico en que todas las opciones literarias son posibles y, como sería de esperar dada la definición, coincidente con el fin del periodo franquista y la democratización del país.Véase, por ejemplo, su "Literatura española entre el posfranquismo y el posmodernismo" en Yvan Lissorgues (coord). *La renovation du roman espagnol depuis 1975*. Toulouse: Presses Universitaires du Mirail (1991): 13-25.

BIBLIOGRAFÍA CONSULTADA

AA.VV. *Del franquismo a la posmodernidad. Cultura española* 1975-1990. Madrid: Akal (1995).

AA.VV. *Economía española*: 1960-1980. Ed. Emilio Ontiveros Baeza. Madrid: H. Blume Ediciones (1983).

AA.VV. "Espejo de la crítica: Galíndez". *Quimera* 108 (1991): 62-63.

ABELLÁN, José Luis. *La industria cultural en España*. Madrid: Editorial Cuadernos para el Diálogo, SA (1975).

AGUILAR, Paloma. *Memoria y olvido de la guerra civil española*. Madrid: Alianza (1996).

ALFAYA, Javier. "Manuel Vázquez Montalbán: en los dientes del tiempo". *El Independiente*. (16/5/1991).

ALONSO, Santos. "Un renovado compromiso con el realismo y con el hombre". *Insula* 464-465 (Jul-Agosto 1985).

AMELL, Samuel. "Literatura e Ideología: El Caso de la Novela Negra en la España Actual." Monographic *Review/Revista Monográfica* III (1-2 1987): 192-201.

AMELL, Samuel, (ed.) *Literature, the Arts and Democracy. Spain in the Eighties*. Rutherford. Madison. Teaneck: Fairleigh Dickinson University Press (1990).

AMORÓS, Andrés. "Introducción: una década de literatura española." Andrés Amorós. (ed.) *Letras españolas*. 1976-1986, Madrid: Editorial Castalia/Ministerio de Cultura (1987): 9-17.

ANDERSON, Perry. *On the Tracks of Historical Materialism*. Londres: Verso (1983).

ARANDA, Quim. *Pepe Carvalho, una noticia biográfica*. Barcelona: Planeta (1997).

ARANDA, Quim. *Què pensa Manuel Vázquez Montalbán*. Barcelona: Dèria Editors (1995).

ARENÓS, Pau. "Vázquez Montalbán: 'Estoy soso porque como sin sal'. *El Periódico* (13/11/94): 75

ARROYO, Francesc. "La subnormalidad o el camino del paraíso". Prólogo a Manuel Vázquez Montalbán. *Escritos subnormales*. Barcelona: Grijalbo Mondadori (1995): 7-14.

ARROYO, Francesc. "La última narración de Manuel Vázquez Montalbán, un paseo por la memoria de la guerra civil". *El País* (21/3/1985): 26.

AZANCOT, Leopoldo. "El pianista". *ABC* (31/3/1985).

BANCO Urquijo, Servicio de Estudios del. *La economía española en la década de los 80*. Segunda edición (corregida y aumentada) Madrid: Alianza Editorial (1982).

BARTHES, Roland. S/Z. Madrid: Siglo Veintiuno de España Editores (1980).

BENET, Juan. *La inspiración y el estilo*. Barcelona: Seix Barral (1973).

BENEYTO, Antonio. "Humor político en Manuel Vázquez Montalbán." *Censura y política en los escritores españoles*, Barcelona: Editorial Euros (1975).

BENJAMIN, Walter. *Illuminations. Essays and Reflections*. New York: Schocken Books (1968).

BLANCO Aguinaga, Carlos; ZAVALA, Iris; RODRÍGUEZ PUÉRTOLAS, Julio. *Historia social de la literatura española en lengua castellana*. Vol. III Madrid: Castalia (1978).

BLAS, Juan Antonio de. "Las sagas en la novela negra española". *Los Cuadernos del Norte* 41 (Mar-Ab 1987): 46-51.

BLOCH, Ernst. "A Philosophical View of the Detective Novel." Ernst Bloch (ed.). *The Utopian Function of Art and Literature: Selected Essays*, Cambridge London: MIT Press (1988): 245-264.

BONET, Laureano. *El jardín quebrado. La Escuela de Barcelona y la cultura del medio siglo*. Barcelona: Península (1994).

BONET, Laureano. *La revista Laye. Estudio y antología. Barcelona*: Península (1988).

BOWEN, John. Tony Davies y Nigel Wood (eds). The Politics of Redemption: Eliot and Benjamin *The Waste Land*, Buckinham-Philadelphia: Open University Press (1994): 29-54.

BRAVO, María-Elena. "Literatura de la distensión: el elemento policíaco". *Insula* 472 (Marzo 1986): 1 y 12-13.

C., F. "El Concilio Vaticano II." *Nuestra Bandera* #35 (IV Trimestre 1962): 88-93.

CAILLOIS, Roger. *Puissances du roman*. Buenos Aires: Editions du Trident, SA (1945).

CALLINICOS, Alex. *Against Postmodernism*. Cambridge: Polity Press (1989).

CALOMARDE, Joaquín. "El socialismo en la crisis de la modernidad." *Leviatán. Revista de hechos e ideas* II Epoca, 36 (1989): 113-122.

CAMILLER, Patrick. "Spain: *The Survival of Socialism?*" Perry Anderson y Patrick Camiller (eds.). Mapping the West European Left, Londres: Verso en asociación con New Left Review (1994): 233-265.

CAMPBELL, Federico, (ed.). *Infame turba*. Primera ed., Barcelona: Lumen (1971).

CARRERAS, Albert. *Industrialización española: estudios de historia cuantitativa*. Madrid: Espasa-Calpe (1990).

CARRILLO, Santiago. "Ni guerra civil ni revancha: libertad." *Nuestra Bandera* 36 (I y II Trimestre 1963): 13-22.

CARRILLO, Santiago. "La lucha por el socialismo, hoy." *Nuestra Bandera* 41. Suplemento al # 58. Junio 1968. (1968).

CASTELLET, Josep Maria (ed.). *Nueve novísimos*. Barcelona: Barral Editores (1970).

CASTRO, Guillermo. "Hacia un análisis de la crisis de la 'nueva izquierda' española". *Cuadernos del Ruedo Ibérico* 26-27 (Agosto-Nov. 1970): 47-50.

CATE-ARRIES, Francie. "Lost in the Language of Culture: Manuel Vázquez Montalbán's Novel Detection". *Revista de Estudios Hispánicos* 3 (Oct. 1988): 47-56.

CLAUDÍN, Fernando. "Las divergencias en el partido." Edición del propio autor y miembros del partido (1964).

COLMEIRO, José F. *Crónica del desencanto. La narrativa de Manuel Vázquez Montalbán.* Coral Gables: Centro Norte Sur. Universidad de Miami (1996).

COLMEIRO, José F. "La narrativa policíaca postmodernista de Manuel Vázquez Montalbán." *Anales de la Literatura Española Contemporánea/Annals of Contemporary Spanish Literature* 14 (1-3 1989): 11-32.

COLMEIRO, José F. "Posmodernidad, posfranquismo y novela policíaca." *España Contemporánea* V, 2 (Otoño 1992): 27-39.

COLMEIRO, José F. *La novela policiaca española: teoría e historia crítica.* Barcelona: Anthropos, 1994.

COLMEIRO, José F. "The Spanish Connection: Detective Fiction after Franco." *Journal of Popular Culture* (Summer 1994): 151-161.

Comisaría General de España para la Feria Mundial de Nueva York, (Patrocinador). *España en forma. Estudios de economía española/ Spain re-shaped. Studies on Spanish Economy.* Madrid: Comisaría General de España para la Feria Mundial de Nueva York (1964).

COMPITELLO, Malcolm-Alan. "De la metanovela a la novela: Manuel Vázquez Montalbán y los límites de la vanguardia española contemporánea". Fernando Burgos (ed). *Prosa hispánica de vanguardia*, Madrid: Editorial Orígenes (1986): 191-199.

COMPITELLO, Malcolm-Alan. "Spain's Nueva Novela Negra and the Question of Form." *Monographic Review/Revista Monográfica* III, 1-2 (1987): 182-191.

COMPITELLO, Malcolm-Alan. "Juan Benet and the New Spanish Novela Negra." *Monographic Review/Revista Monográfica* III, 1-2 (1987): 212-220.

CONTE, Rafael. "En busca de la novela perdida". *Insula* 464-465 (Jul-Agosto 1985): 1 y 24.

CONTE, Rafael. "Vázquez Montalbán y la memoria del fracaso". *El País* (31/3/1985) Sección Libros: 3.

COTTAM, John. "Understanding the Creation of Pepe Carvalho." Rob Rix (ed.). *Thrillers in the Transition. Novela Negra and Political Change in Spain,* Leeds: Trinity and All Saints College (1992): 123-135.

COWART, David. *History and the Contemporary Novel.* Carbondale and Edwardsville: Southern Illinois University Press (1989).

DEL AGUILA, Rafael y MONTORO, Ricardo. *El discurso político de la transición española.* Madrid: Centro de Investigaciones Sociológicas y Siglo XXI de España Editores, S. A. (1984).

DÍAZ, Elías. "La filosofía marxista en el pensamiento español actual." *Cuadernos para el Diálogo* Diciembre 63 (1968): 9-13.

DÍAZ, Elías. *Socialismo en España: El Partido y el Estado.* Madrid: Editorial Mezquita, S.A. (1982).

DÍAZ, Elías. *La transición a la democracia (claves ideológicas, 1976-1986).* Actualidad, Madrid: Eudema, S. A. (Ediciones de la Universidad Complutense, S. A.) (1987).

DÍAZ, Elías. *Ética contra política. Los intelectuales y el poder*. Madrid: Centro de Estudios Constitucionales (1990).

DÍAZ, Elías. *Pensamiento español en la era de Franco* (1939-1975). Segunda ed. Madrid: Tecnos (1992).

DÍAZ, Lola. "Manuel Vázquez Montalbán, el futuro ya no es lo que era". *Cambio 16* 698 (15/4/1985): 109-110.

DOCHERTY, Thomas, ed. *Postmodernism. A Reader*. New York: Columbia University Press (1993).

DOLGIN, Stacey L. *La novela desmitificadora española (1961-1982)*. Barcelona: Anthropos (1991).

EAGLETON, Terry. "Nationalism: Irony and Commitment." Terry Eagleton, Fredric Jameson, Edward Said. *Nationalism, Colonialism and Literature*. Minneapolis: University of Minnesota Press (1990): 23-39.

EBERT, Teresa L. "Detecting the Phallus: Authority, Ideology and the Production of Patriarchal Agents in Detective Fiction." *Rethinking Marxism* 5, 3 (1992): 6-28.

EL PAÍS. "Ganaron la guerra la democracia y la monarquía constitucional". (16/6/1987): 35.

ELIOT, T. S. *The Waste Land and Other Poems*. San Diego-New York-London: A. Harvest/HBJ (1964).

EQUIPO RESEÑA. *La cultura española durante el franquismo*. Bilbao: Ediciones Mensajero (1977).

ERMARTH, Elizabeth Deeds. "The Crisis of Realism in Postmodern Time." En *Realism and Representation. Essays on the Problem of Realism in Relation to Science, Literature and Culture*, ed. George Levine. 214-224. Madison: Univertiy of Wisconsin Press (1993): 214-224.

ETXEZARRETA, Miren. *Informe sobre la economía española 1970-79: Una visión crítica*. Barcelona: El Viejo Topo (1979).

FERNÁNDEZ BUEY, Francisco. "Marxismo en España." *Sistema. Revista de ciencias sociales* 66 (1985): 25-42.

FONTOVA, Rosario. "En busca de la historia perdida". *El Periódico* (16/6/87): 29.

FOUCAULT, Michel. *Power/Knowledge*. New York: Pantheon Books (1980).

FOUCAULT, Michel. "Genealogy, History." *Nietzsche, The Foucault Reader*, Paul Rabinow (ed.). New York: Pantheon Books (1984): 76-100.

GADAMER, Hans-Georg. *Truth and Method*. New York: Continuum (1975).

GARAUDY, Roger. "Problemas de la revolución en los países capitalistas desarrollados." *Nuestra Bandera* 60 (Diciembre 1968-Enero 1969): 55-62.

GARCÉS, Vicent. "La crisis de la izquierda." *Leviatán. Revista de hechos e ideas* 28 (Verano 1987): 87-93.

GARCÍA FERRANDO, Manuel. "Reforma y cambio social: Lo que entienden los españoles por izquierda en política." *Sistema. Revista de ciencias sociales* 58 (1984): 105-120.

GARCÍA-SANTESMASES, Antonio. "Evolución ideológica del socialismo en la España actual." *Sistema. Revista de ciencias sociales* 68-69 (1985): 61-77.

GARCÍA YRUELA, Jesús y CHAZARRA, Antonio. "Una reflexión sobre el socialismo español hoy." *Leviatán. Revista de hechos e ideas* 19 (Primavera 1985): 61-72.

GENETTE, Gerard. *Narrative Discourse. An Essay in Method*. Ithaca, New York: Cornell University Press (1980).

GIARDINELLI, Mempo. *El género negro*. Vol. II. Ciudad de México: Universidad Autónoma Metropolitana (1984).

GOMÁRIZ, Enrique. "Por la reconversión ideológica de la izquierda." *Leviatán. Revista de hechos e ideas* 17 (Otoño 1984): 153-166.

GONZÁLEZ, Felipe. "Reflexiones sobre el proyecto socialista." *Leviatán. Revista de hechos e ideas* 41 (Otoño 1990): 5-13.

GONZÁLEZ LEDESMA, Francesc. "La prehistoria de la novela negra". *Los Cuadernos del Norte* 41 (Mar-Ab 1987): 10-14.

GÓMEZ, Juan. "El Plan de Estabilización Económica y sus consecuencias." *Nuestra Bandera* 24 (agosto 1959): 21-34.

GÓMEZ, Juan. "Sobre el mercado común europeo." *VIII Congreso del Partido Comunista de España in Bucarest*, Partido Comunista de España (1972): 207-215.

GÓMEZ FUENTES, Ángel. *Así cambiará España. La batalla del Mercado Común*. Barcelona: Plaza & Janés Editores, S.A. (1986).

GUERRA, Alfonso (ed). *XXVII Congreso del Partido Socialista Obrero Español*. Barcelona: Avance (1978).

GUERRA, Alfonso et. al. *Nuevos horizontes teóricos para el socialismo*. Madrid: Editorial Sistema (1987).

GULLÓN, Germán. "La perezosa modernidad de la novela española (y la ficción más reciente)". *Insula* 464-465 (Jul-Agosto 1985): 8.

HART, Patricia. *The Spanish Sleuth. The Detective in Spanish Fiction*. Cranbury: Fairleigh Dickinson University Press (1987).

HARVEY, David. *The Condition of Postmodernity. An Inquiry into the Origins of Cultural Change*. Cambridge (Massachussets) y Oxford UK: Blackwell (1989).

HERZBERGER, David K. *Narrating the Past. Fiction and Historiography in Postwar Spain*. Durham y Londres: Duke University Press (1995).

HOLQUIST, Michael. *Whodunit and Other Questions*. Stowe, William W y Glenn W. Most (eds). *The Poetics of Murder*. San Diego; New York y London: HBJ Ed. (1983).

HOOPER, John. *The New Spaniards*. Londres: Penguin Books (1995).

HUYSSEN, Andreas. *Twilight Memories. Marking Time in a Culture of Amnesia*. New York y Londres: Routledge (1995).

INSULA. "Monográfico dedicado a la evolución de la narrativa española." *Insula* (Julio-Agosto 1985).

JAMESON, Fredric. "The Existence of Italy." *Signatures of the Visible*. New York: Routledge (1992): 155-229.

JAMESON, Fredric. *The Ideologies of Theory. Essays 1971-1986*. Minneapolis: University of Minnesota Press (1988).

JAMESON, Fredric. *On Raymond Chandler*. Stowe, William W y Glenn W. Most (eds). *The Poetics of Murder*. San Diego; New York y London: HBJ Ed. (1983): 122-148.

JAMESON, Fredric. "Periodizing the 60s." Sohnya Sayres (ed.). *The 60s without apology*, Minneapolis: Social Text and University of Minnesota Press (1984): 178-209.

JAMESON, Fredric. *The Political Unconscious. Narrative as a Socially Symbolic Act.* Ithaca-New York: Cornell University Press (1981).

JAMESON, Fredric. *Postmodernism or, the Cultural Logic of Late Capitalism.* Durham: Duke University Press (1991).

KAEMMEL, Ernst. "Literature Under the Table: the Detective Novel and its Social Mission" Stowe, William W y Glenn W. Most (eds). *The Poetics of Murder.* San Diego; New York y London: HBJ Ed. (1983): 55.

KLEINMAN, Judith y SINGTON, Philip (eds). *Spain. The Internationalisation of the Economy.* London: Euromoney Publications (1989).

KNIGHT, Stephen. *Form and Ideology in Crime Fiction.* Bloomington: Indiana University Press (1980).

LABANYI, Jo. *Myth and History in the Contemporary Spanish Novel.* Cambridge: Cambridge University Press (1989).

LEPAPE, Pierre. "Un rencontre avec le romancier espagnol Vázquez Montalbán: La guèrre n'est pas finie" *Le Monde* (7/10/1988) Sección Libros: 11

LEWIS, Tom. "Afterword. Aesthetics and Politics." Jenaro Talens, Silvia L. López y Darío Villanueva (eds.). *Critical Practices in Post-Franco Spain.* Minneapolis: University of Minnesota Press (1994): 160-182.

LÓPEZ CLAROS, Augusto. "The Search for Efficiency in the Adjustment Process". *Spain in the 1980s.* International Monetary Fund (1988). Occasional Paper 57.

LÓPEZ RAIMUNDO, Gregori. *Escrits. Cinquanta anys d'acció, 1937-1988.* Recopilación de Rosa M. Rovira, Múnica Biosca y Gerard Horta. Barcelona: Ajuntament de Barcelona, Regidoria d'Edicions i Publicacions; Generalitat de Catalunya, Centre d'Història Contemporània de Catalunya; Nous Horitzons (1988).

LOTMAN, Juri M. "The Sign Mechanism of Culture" Semiotica 12;4 (1974): 301-305.

LYOTARD, Jean-François. *The Postmodern Condition: A Report on Knowledge.* Minneapolis: University of Minnesota Press (1991).

MACKLIN, John. "Realism Revisited: Myth, Mimesis and the Novela Negra". Rob Rix (ed.). *Thrillers in the Transition. Novela Negra and Political Change in Spain.* Leeds: Trinity y All Saints College (1992): 49-73.

MAINER, José Carlos. "1975-1985: The Powers of the Past." Samuel Amell (ed.). *Literature, the Arts and Democracy. Spain in the Eighties.* Rutherford. Madison. Teaneck: Fairleigh Dickinson University Press (1990): 16-37.

MANDEL, Ernest. *Delightful Murder. A Social History of the Crime Story.* Minneapolis: University of Minnesota Press (1984).

MANGINI, Shirley. *Rojos y rebeldes. La cultura de la disidencia durante el franquismo.* Barcelona: Anthropos (1987).

MARCO, Joaquín. "Historia de un pianista que quiso regresar del pasado". *El Periódico* (23/3/1985).

MARSÉ, Juan. *Útimas tardes con Teresa.* Barcelona: Seix Barral (1979).

MARTÍN-MÁRQUEZ, Susan L. "Locating a Politics of Resistance and Resisting a Politics of Location: Manuel Vázquez Montalbánís Galíndez". *Revista de Es tudios Hispánicos* 30 (1996): 126-153.

MARTÍNEZ, José Tono, (coord.). *La polémica de la posmodernidad*. Madrid: Ediciones Libertarias (1986).

MARTÍNEZ CACHERO, José María. *Historia de la novela española entre 1936 y 1975*. Madrid: Castalia (1975).

MEC, Ministerio de Economía y Comercio. *Crisis y reforma de la economía española, 1979/82*. Madrid: Ministerio de Economía y Comercio. Secretaría General Técnica. Libros (1982).

MELCHOR, Federico. "Actualidad de las tesis leninistas." *Nuestra Bandera* 55 (Tercer trimestre 1967): 85-90.

MÉNDEZ, José Luis y MEMBA, Javier . *La generación de la democracia. Historia de un desencanto*. Madrid: Temas de hoy (1995).

MORÁN, Fernando. *Novela y semidesarrollo. Una interpretación de la novela hispanoamericana y española*. Madrid: Taurus (1971).

MORÁN, Gregorio. *El precio de la transición*. Barcelona: Planeta (1991).

MUÑOZ, Juan (pseudónimo de Arturo López). Capitalismo español: una etapa de cisiva (*Notas sobre la economía española, 1965-1970*). Algorta (Vizcaya): Zero, S. A. 1970).

MUÑOZ, Juan; ROLDÁN, Santiago y SERRANO, Ángel. *La internacionalización del capital en España 1959-1977*. Madrid: Editorial Cuadernos para el diálogo, S. A. (EDICUSA) y Libros de Bolsillo (1978).

NAVAJAS, Gonzalo. "Género y Contragénero Policíaco en *La Rosa de Alejandría* de Manuel Vázquez Montalbán." *Monographic review/ Revista Monográfica* III (1-2 1987): 247-260.

NAVAJAS, Gonzalo. "Modernismo, Posmodernismo y Novela Policiaca: *El Aire de un Crimen* , de Juan Benet." Monographic Review/Revista Monográfica III 1-2 (1987): 221-230.

NAVAJAS, Gonzalo. *Teoría y práctica de la novela española posmoderna*. Barcelona: Edicions del Mall (1987).

NAVAJAS, Gonzalo. *Más allá de la posmodernidad. Estética de la nueva novela y cine español*. Barcelona: EUB (1996).

NAVAJAS, Gonzalo. "Posmodernidad/Posmodernismo. Crítica de un Paradigma." *Revista de Filosofía* Años IX-X 17/18 (1994-1995): 75-102.

NAVAJAS, Gonzalo. "Una estética para después del postmodernismo: La nostalgia asertiva y la reciente novela española". *Revista de Estudios Hispánicos* 3 (Octubre 1991): 129-151.

NAVARRO, Julia. *Nosotros, la transición*. Madrid: Temas de Hoy (1995).

NICHOLS, Bill. *Blurred Boundaries. Questions of Meaning in Contemporary Culture*. Bloomington e Indianapolis: Indiana University Press (1994).

NOUS HORITZONS, ed. *La nostra utopia*. PSUC: *Cinquanta anys d'història de Catalunya*. Barcelona: Editorial Planeta (1986).

NUESTRA BANDERA. "XXX aniversario del 18 de Julio de 1936: cancelación de la guerra civil; amnistía." *Nuestra Bandera* 47-48 (Febrero-Marzo 1966): 10-11.

NUESTRA BANDERA. "El crecimiento de las fuerzas democráticas y el 'neoliberalismo'." *Nuestra Bandera* 47-48 (Febrero-Marzo 1966): 6-9.

NUESTRA BANDERA. *En el XX aniversario del fin de la guerra civil: El balance de 20 años de dictadura fascista.* Las tareas inmediatas de la oposición y el porvenir de la democracia española. (1959).

NUESTRA BANDERA. "La guerra de España treinta años después." *Nuestra Bandera* 51-52 (cuarto trimestre 1966): 5-10.

NUEVAS LETRAS, Las. "Monográfico dedicado a la evolución de la narrativa española." (Verano 1986).

OCDE, (Organización para la cooperación y el desarrollo económico). OECD Economic Surveys: Spain. OCDE Publications, (1973).

ORTEGA, José. "Perfil sicológico de un delincuente histórico: Autobiografía del general Franco de Manuel Vázquez Montalbán". Monographic Review/Revista. Monográfica Vol IX (1993): 104-115.

ORTÍ, Alfonso. "Transición postfranquista a la Monarquía parlamentaria y relaciones de clase: del desencanto programado a la socialtecnocracia transnacional." *Política y Sociedad* 2 (1989): 7-19.

PADURA FUENTES, Leonardo. "Reivindicación de la memoria. Entrevista con Manuel Vázquez Montalbán". *Quimera* 106-107 (1991): 52.

PARAMIO, Ludolfo. *Tras el diluvio. La izquierda ante el fin de siglo.* Madrid: Siglo Veintiuno de España Editores, S. A. (1988).

PCE. *Manifiesto-Programa del Partido Comunista de España.* (1975).

PEREDA, Rosa María. "Vázquez Montalbán: Soy un escritor periférico" *El País* (21/10/79).

PETRAS, James. "Padres-hijos: Dos generaciones de trabajadores españoles". *Ajoblanco* 3 (Verano 1996): 1-82.

PORTER, Dennis. *The Pursuit of Crime. Art and Ideology in Detective Fiction.* New Haven y Londres: Yale University Press (1981).

PRADOS ARRARTE, Jesús. *El Plan de Desarrollo de España 1964-67.* Madrid: Tecnos (1965).

PRESTON, Paul. "La oposición antifranquista: La larga marcha hacia la unidad." Paul Preston (ed.). *España en crisis. Evolución y decadencia del régimen de Franco.* México-Madrid-Buenos Aires: Fondo de Cultura Económica (1977): 217-263.

PRESTON, Paul. "Materialism and Serie Negra." Rob Rix (ed.). *Thrillers in the Transition. Novela Negra and Political Change in Spain,* Leeds: Trinity y All Saints College (1992): 9-16.

QUINTANILLA, M. A. y VARGAS-MACHUCA, R. "Ideas para el socialismo del futuro" *Leviatán* 18 (Invierno 1984): 96-104.

QUINTANILLA, M. A. y VARGAS-MACHUCA, R. "Socialista después de marxista." *Leviatán* 25 (Otoño 1986): 97-112.

RESINA, Joan Ramón. "Desencanto y fórmula literaria en las novelas policiacas de Manuel Vázquez Montalbán." *MLN* 108 (1993): 254-282.

REVISTA DE OCCIDENTE. "Monográfico dedicado a la evolución de la narrativa española." (julio-agosto 1989).

RIBAS, José y FONTRODONA, Oscar. "Hacia la reconstrucción de la izquierda: Conversación con Haro Tecglen y Vázquez Montalbán." *Ajoblanco* (Enero 1993): 35-45.

RIECHMANN, Jorge y FERNÁNDEZ BUEY, Francisco. *Redes que dan libertad. Introducción a los nuevos movimientos sociales*. Barcelona: Paidós (1994).

RIPALDA, José María. "La crisis del sujeto revolucionario." *Leviatán. Revista de hechos e ideas* 13, (Otoño 1983) : 91-96.

RIPALDA, José María. De Angelis. *Filosofía, mercado y postmodernidad*. Madrid: Trotta (1996).

ROBBINS, Bruce, (ed.) *Intellectuals. Aesthetics, Politics, Academics*. Minneapolis: Social Text y University of Minnesota Press (1990).

RESINA, Joan Ramón. *El cadáver en la cocina*. Barcelona: Anthopos. (1997).

SACRISTÁN, Manuel. *Pacifismo, ecología y política alternativa*. Barcelona: Icaria. Antrazyt (1987).

SANZ VILLANUEVA, Santos. *Historia de la novela social española (1942-1975)*. Granada: Alhambra (1980).

SANZ VILLANUEVA, Santos. *Historia de la literatura española 6/2: Literatura actual*. Barcelona: Ariel (1985).

SANZ VILLANUEVA, Santos. "El realismo en la nueva novela española". *Insula* 464-465 (Jul-Agosto 1985).

SANZ VILLANUEVA, Santos. "Una realidad en la última novela española." *Insula* 512-513 (agosto-septiembre 1989): 3-4.

SÁNCHEZ-MAZAS, Miguel. "La actual crisis española y las nuevas generaciones". *Cuadernos del Congreso por la Libertad de la Cultura* 26 (Sept.-Octubre 1957): 21.

SÁNCHEZ-MAZAS, Miguel. "Las fuerzas de la libertad". *Cuadernos del Congreso por la Libertad de la Cultura* 31 (Jul-Agosto 1958): 31.

SÁNCHEZ-OSTIZ, Miguel. "La música callada de un pianista". *Navarra hoy* (Marzo 1985).

SÁNCHEZ VÁZQUEZ, Adolfo. "Marxismo y socialismo, hoy." *Leviatán. Revista de hechos e ideas* 33 (Otoño 1988): 83-95.

SAVAL, José V. "La lucha de clases se sienta a la mesa en *Los mares del Sur* de Manuel Vázquez Montalbán". *Revista Hispánica Moderna* 2 (Dic. 1995): 389-400.

SEMPRÚN, Jorge. *Autobiografía de Federico Sánchez*. Barcelona: Planeta (1977).

SIBBALD, K.M. y YOUNG, Howard (eds.), *T.S. Eliot and Hispanic Modernity (1924-1993)*. Boulder: Society of Spanish and Spanish-American Studies (1994).

SIEBURTH, Stephanie. *Inventing High and Low. Literature, Mass Culture, and Uneven Modernity in Spain*. Durham y London: Duke University Press (1994).

SOBEJANO, Gonzalo. "Novela y metanovela en España." *Insula* 512-513, agosto-septiembre 1989): 4-6.

SOLDEVILA DURANTE, Ignacio. *Historia de la literatura española actual: La novela* desde 1936. Granada: Alhambra (1980).

SOLER, Ricard. "La Nueva España". *Cuadernos del Ruedo Ibérico* 26-27 (Agosto-Nov. 1970): 3-27.

SPIRES, Robert C. *Beyond the Metafictional Mode. Directions in the Modern Spanish Novel.* Lexington: U.P. of Kentucky (1984).

STOWE, William W y MOST, Glenn W. (eds). *The Poetics of Murder.* San Diego; New York y London: HBJ Ed. (1983).

STOWE, William W. From Semiotics to Hermeneutics. Modes of Detection in Doyle and Chandler. Stowe, William W y Glenn W. Most (eds). *The Poetics of Murder.* San Diego; New York y London: HBJ Ed. (1983): 366-383.

SUBIRATS, Eduardo. *Después de la lluvia. Sobre la ambigua modernidad española.* Madrid: Temas de Hoy (1993).

SUÑÉN, Luis. "Escritura y realidad". *Insula* 464-465 (Jul-Agosto 1985): 5-6.

TAMAMES, Ramón. *Introducción a la economía española.* Madrid: Alianza Editorial (1985).

TERDIMAN, Richard. *Discourse/Counterdiscourse. The theory and Practice of Symbolic Resistance in Nineteenth Century* France. Ithaca y Londres: Cornell University Press (1985).

TERDIMAN, Richard. "On Representing the Past and Theorizing Culture in France Since the Revolution." *Diacritics* 15 (1985): 13-36.

TERDIMAN, Richard. *Present Past: Modernity and the Memory Crisis.* Ithaca y Londres: Cornell University Press (1993).

TEZANOS, José Féliz. "Continuidad y cambio en el socialismo español. El PSOE durante la transición democrática." Sistema. Revista de ciencias sociales 68-69 (1985): 19-60.

TEZANOS, José Félix. "Los ´encuentros de Jávea´ y el futuro del socialismo." *Sistema. Revista de ciencias sociales* 75 (1986): 3-15.

TUSELL, Javier. "En una malhumorada perplejidad" La Vanguardia (5/5/1995): 46.

VALLÉS CALATRAVA, José. *La novela criminal española.* Granada: Universidad de Granada (1991).

VATTIMO, Gianni. *La fine della modernità.* Milán: Garzanti (1985).

VÁZQUEZ DE PARGA, Salvador. "La novela policaca española" *Los Cuadernos del Norte* 19 (May-Jun 1983): 24-37

VÁZQUEZ MONTALBÁN, Manuel. "Alternativas y sabiduría convencional." *El País* (30/4/1987): 11.

VÁZQUEZ MONTALBÁN, Manuel. "Los años épicos de una izquierda señorita." *El País*, (17/12/985) Sección Libros: 8.

VÁZQUEZ MONTALBÁN, Manuel. "Así están las cosas." *El País* (29/5/1984): 11.

VÁZQUEZ MONTALBÁN, Manuel. "Bobbio y la izquierda melancólica." *El País* (30/9/1994): 15.

VÁZQUEZ MONTALBÁN, Manuel. "Contra la violación". *Cuadernos de pedagogía* 25 (Enero 1977): 4-5.

VÁZQUEZ MONTALBÁN, Manuel. "El coro de los intelectuales." *El País.* (16/4/1995): 15.

VÁZQUEZ MONTALBÁN, Manuel. "La corrupción de la inteligencia." *CuatroSemanas* y *Le Monde Diplomatique* Año 2, # 16 (Mayo, 1994): 4-5.

VÁZQUEZ MONTALBÁN, Manuel. "La crisis de la izquierda." *El País* (6/5/1984): 12-13.

VÁZQUEZ MONTALBÁN, Manuel. "Entre el desmarque y la usurpación." *Mientras tanto* (30-31 1987): 81-84.

VÁZQUEZ MONTALBÁN, Manuel. "El escriba sentado (O reflexiones de un escritor intervencionista en una sociedad literaria fanáticamente abstencionista)." *Revista de Occidente* 88-89 (Julio-Agosto 1989): 13-28.

VÁZQUEZ MONTALBÁN, Manuel. *L'esquerra necessària.* Barcelona: Fundació Caixa de Barcelona (1989).

VÁZQUEZ MONTALBÁN, Manuel. "Experimentalismo, vanguardia y neocapitalismo." En *Reflexiones ante el neocapitalismo*, ed. Manuel Vázquez Montalbán. Barcelona: Ediciones de Cultura Popular (1968): 103-106.

VÁZQUEZ MONTALBÁN, Manuel. "El franquismo y yo." *Cambio 16* (21/7/1986): 80-83.

VÁZQUEZ MONTALBÁN, Manuel. "Lenin: La realidad y el deseo." *Tiempo de historia* 66 (1980): 4-19.

VÁZQUEZ MONTALBÁN, Manuel. "La literatura española en la construcción de la ciudad democrática." *Revista de Occidente* 122-123 (1991): 125-133.

VÁZQUEZ MONTALBÁN, Manuel. "Manuel Sacristán y el compromiso del intelectual." *Nuestra Bandera* (Nov 1985): 131.

VÁZQUEZ MONTALBÁN, Manuel. "El mercader nos fascina." *El País* (10/1/1987).

VÁZQUEZ MONTALBÁN, Manuel. "La metáfora del Sur." *El País* (29/10/1985): 9.

VÁZQUEZ MONTALBÁN, Manuel. "Metáforas comunistas." El País (2/10/1983): 9.

VÁZQUEZ MONTALBÁN, Manuel. "No escribo novelas negras." *El Urogallo* (Enero-Febrero 1987): 26-27.

VÁZQUEZ MONTALBÁN, Manuel. *La novela española entre el posfranquismo y el posmodernismo.* Yvan Lissorgues (coord). *La renovation du roman espagnol depuis 1975.* Toulouse: Presses Universitaires du Mirail (1991): 13-25.

VÁZQUEZ MONTALBÁN, Manuel. "Los otros pujolistas." *El País* (5/8/1984).

VÁZQUEZ MONTALBÁN, Manuel. "Para una nueva conciencia nacional catalana." Prólogo a Carlota Solé. *Los inmigrantes en la sociedad y en la cultura catalanas.* Barcelona: Península (1982): 9-13.

VÁZQUEZ MONTALBÁN, Manuel. "El pensamiento político." Carlos Castilla del Pino (ed.). *La cultura bajo el franquismo.* Barcelona: Ediciones de Bolsillo (1977): 67-76.

VÁZQUEZ MONTALBÁN, Manuel. "Por una política comunicacional de masas". *CEUMIT. La revista municipal* 33 (Dic.1980): 16-19.

VÁZQUEZ MONTALBÁN, Manuel. "Proveedores de ideología." *El País* (18/6/1987).

VÁZQUEZ MONTALBÁN, Manuel. "El redescubrimiento de las Indias." *El País* (23/1/1986): 9

VÁZQUEZ MONTALBÁN, Manuel. "Regalo de la casa, de Juan Madrid: el realismo no es lo que era". *Insula* 488-489 (1987): 23.

VÁZQUEZ MONTALBÁN, Manuel. "Sobre la dudosa existencia del Sur." Arquitectura y Vivienda 4 (1985): 2-4.

VÁZQUEZ MONTALBÁN, Manuel. "Sobre la memoria de la oposición antifranquista." *El País* (26/10/1988): 36.

VÁZQUEZ MONTALBÁN, Manuel. "El "yuppie" y el teólogo." *El País* (20/3/1987): 9-10.

VELARDE, Juan; GARCÍA DELGADO, J. L.; PEDREÑO, Andrés (eds.). *Apertura e internacionalización de la economía española. España en una Europa sin fronteras.* Madrid: Colegio de Economistas de Madrid (1991).

VELÁZQUEZ, José Luis y MEMBA, Javier. *La generación de la democracia. Historia de un desencanto.* Madrid: Temas de Hoy (1995).

VIDAL SANTOS, M. "La novela policiaca española". *Camp de l'Arpa* 77-78 (Jul-Ag 1980): 53-55.

WHITE, Hayden. *The Content of the Form. Narrative Discourse and Historical Representation.* Baltimore: John Hopkins (1987).

WILLIAMS, Raymond. *Marxism and Literature.* Oxford-New York: Oxford University Press (1977).

WRIGHT, Alison. *La economía española (1959-1976).* Zaragoza: Ediciones de "Heraldo de Aragón" (1980).

BIBLIOGRAFÍA DE MANUEL VÁZQUEZ MONTALBÁN*

Y Dios entró en la Habana. Madrid: El País/Aguilar (1998).

0 César o Nada. Barcelona: Planeta (1998)

La literatura en la construcción de la ciudad democrática. Barcelona:Crítica (1998)

Quinteto de Buenos Aires. Barcelona: Planeta (1997).

Ciudad. Madrid: Visor (1997).

Antes de que el milenio nos separe. Barcelona: Planeta (1997).

El escriba sentado. Barcelona: Crítica (1997)

Un polaco en la corte del rey Juan Carlos. Madrid: Alfaguara (1996).

El premio. Barcelona: Planeta (1996).

Panfleto desde el planeta de los simios. Barcelona: Crítica (1995).

Pasionaria y los siete enanitos. Barcelona: Planeta (1995).

Reflexiones de Robinsón ante un bacalao. Barcelona: Lumen (1995).

El estrangulador. Barcelona: Mondadori (1994).

El hermano pequeño. Barcelona: Planeta (1994).

Felípicas. Sobre las miserias de la razón pragmática. Madrid: El País, Aguilar (1994).

Pero el viajero que huye. Madrid: Visor (1994).

Roldán, ni vivo ni muerto. Barcelona: Planeta (1994).

Sabotaje olímpico. Barcelona: Planeta (1993).

Autobiografía del general Franco. Barcelona: Planeta (1992).

El laberinto griego. Barcelona: Planeta (1991).

Flor de nit. (Obra teatral) (1991).

Galíndez. Barcelona: Seix Barral (1990).

Historias de fantasmas. Barcelona: Planeta (1990).

Moscú de la Revolución. Barcelona: Planeta (1990).

Tres historias de amor. Barcelona: Planeta (1990).

Pero el viajero que huye. Madrid: Visor (1990).

Asesinato en Prado del Rey y otras historias sórdidas. Barcelona: Planeta (1989).

Historias de política ficción. Barcelona: Planeta (1989).

El delantero centro fue asesinado al atardecer. Barcelona: Planeta (1989).

Escritos subnormales (incluye *Guillermina, Cuestiones, Manifiesto y Happy*). Barcelona: Seix Barral (1989).

Las recetas de Carvalho. Barcelona: Planeta (1989).

Cuarteto. Barcelona: Mondadori (1988).

Rafael Ribó: l'optimisme de la raó. Barcelona: Planeta (1988).

Tres novelas ejemplares (Recordando a Dardé, Happy End y La vida privada del doctor Betriu). Madrid: Espasa Calpe (1988).

Barcelonas. Barcelona: Empúries (1987).

Historias de padres e hijos. Barcelona: Planeta (1987).

Los alegres muchachos de Atzavara. Barcelona: Seix Barral (1987).

Pigmalión y otros relatos. Barcelona: Seix Barral (1987).

El balneario. Barcelona: Planeta (1986).

La rosa de Alejandría. Barcelona: Planeta (1984).

Memoria y deseo (Obra poética1963-1983). Barcelona: Seix Barral (1986).

Diàlegs a Barcelona: Manuel Vázquez Montalbán/ Jaume Fuster. Barcelona: Ajuntament de Barcelona/Laia (1985).

Crónica sentimental de la transición. Barcelona: Planeta (1985).

El pianista. Barcelona: Seix Barral (1985).

Mis almuerzos con gente inquietante. Barcelona: Planeta (1984).

Los pájaros de Bangkok. Barcelona: Planeta (1983).

Asesinato en el Comité Central. Barcelona: Planeta (1981).

La palabra libre en la ciudad libre. Barcelona: Gedisa Editorial (1979).

Los mares del Sur. Barcelona: Planeta (1979).

Los demonios familiares de Franco. Barcelona: Dopesa (1978).

La soledad del manager. Barcelona: Planeta (1977).

¿Qué es el imperialismo? Barcelona: Gaya Ciencia (1976).

Tatuaje, Barcelona: Batlló Editor (1974).

La Capilla Sixtina. Barcelona: Kairós (1975).

Cómo liquidaron el franquismo en dieciséis meses y un día. Barcelona: Planeta (1974).

Cuestiones marxistas. Barcelona: Anagrama (1974).

Happy End. Barcelona: La Gaya Ciencia (1974).

La penetración americana en España. Madrid: Cuadernos para el Diálogo (1974).

A la sombra de las muchachas sin flor. Barcelona: El Bardo (1973).

Coplas a la muerte de mi tía Daniela. Barcelona: El Bardo (1973).

Guillermota en el país de las Guilerminas. Barcelona: Anagrama (1973).

El libro gris de TVE. Madrid: Guadiana (1973).

La vía chilena al golpe de estado. Barcelona: Libros de la Frontera (1973).

Cancionero general 1939/1971. Barcelona: Lumen (1972).

Joan Manuel Serrat. Barcelona: Júcar (1972).

Yo maté a Kennedy. Barcelona: Planeta (1972).

Crónica sentimental de España. Barcelona: Lumen (1971).

Manifiesto subnormal. Barcelona: Kairós (1970).

Recordando a Dardé. Barcelona: Seix Barral (1969).

Antología de la "Nova Cançó" catalana. Barcelona: Ediciones de Cultura Popular (1968).

Movimientos sin éxito. Barcelona: El Bardo (1967).

Una educación sentimental. Barcelona: El Bardo (1967).

Informe sobre la información. Barcelona: Fontanella (1963).

---

* Se registran aquí los libros únicamente, empezando por los más recientes. En la bibliografía general aparecen sus artículos y publicaciones esporádicas más utilizados en este libro.

ÍNDICE